# A ARTE DE CAMINHAR

*O escritor como caminhante*

Merlin Coverley

# A ARTE DE CAMINHAR

*O escritor como caminhante*

martins fontes
selo martins

© 2015 Martins Editora Livraria Ltda., São Paulo, para a presente edição.
© 2012 Oldcastle Books e Merlin Coverley.
Esta obra foi publicada mediante acordo com Oldcastle Books, UK.
O título original em inglês é *The Art of Wandering: the Writer as Walker*.

Publisher *Evandro Mendonça Martins Fontes*
Coordenação editorial *Vanessa Faleck*
Produção editorial *Susana Leal*
Capa e diagramação *Casa de Ideias*
Preparação *Lucas Torisi*
Revisão *Juliana Amato*
*Andrea Vidal*
*Ellen Barros*

**1ª edição** fevereiro 2015 | **Fonte** Founier MT Std
**Papel** chambril avena 70g | **Impressão e acabamento** Yangraf

**Dados Internacionais de Catalogação na Publicação (CIP)**
**(Câmara Brasileira do Livro, SP, Brasil)**

Coverley, Merlin
A arte de caminhar : o escritor como caminhante / Merlin Coverley ; tradução Cristina Cupertino. – São Paulo : Martins Fontes – selo Martins, 2014.

Título original: The Art of Wandering : the Writer as Walker.
Bibliografia.

1. Geografia – Aspectos psicológicos. 2. Paisagens na literatura. 3. Percepção geográfica na literatura I. Título.

14-11366                                            CDD-155.91

**Índice para catálogo sistemático:**
1. O caminhar : Aspectos psicológicos     155.91

*Todos os direitos desta edição reservados à*
**Martins Editora Livraria Ltda.**
*Av. Dr. Arnaldo, 2076*
*01255-000 São Paulo SP Brasil*
*Tel.: (11) 3116 0000*
*info@emartinsfontes.com.br*
*www.martinsfontes-selomartins.com.br*

*Para os meus pais*

# Sumário

Apresentação: O escritor como caminhante   11

**Capítulo 1**   *O caminhante como filósofo*   17
**Capítulo 2**   *O caminhante como peregrino*   35
**Capítulo 3**   *O caminhante imaginário*   55
**Capítulo 4**   *O caminhante como errante*   69
**Capítulo 5**   *O caminhante e o mundo natural*   91
**Capítulo 6**   *O caminhante como visionário*   113
**Capítulo 7**   *O flâneur*   137
**Capítulo 8**   *O caminhar experimental*   163
**Capítulo 9**   *A volta do caminhante*   183

Bibliografia   207
Fontes *on-line*   220
Índice remissivo   221

*Tullio voltou a falar da doença, que era também a sua principal distração. Ele havia estudado a anatomia da perna e do pé. Contou-me rindo que quando se caminha a passos rápidos, o tempo em que ocorre um passo não excede meio segundo, e que nesse meio segundo se movem nada menos do que cinquenta e quatro músculos. Espantei-me, e meus pensamentos imediatamente se voltaram para as minhas pernas, procurando o maquinário monstruoso. Creio tê-lo encontrado. Naturalmente eu não identifiquei os cinquenta e quatro aparelhos, mas uma enorme complicação que perdeu sua ordem roubou minha atenção.*

*Eu saí daquele café mancando, e continuei mancando muito por vários dias. Caminhar havia se tornado para mim um trabalho pesado e também ligeiramente doloroso. Aquela selva de dentes de engrenagem parecia precisar de óleo e que, movendo-se, se danificariam. Alguns dias depois fui acometido por um mal mais grave, do qual falarei e que atenuou o primeiro. Mas mesmo hoje, quando escrevo sobre ele, se alguém me observa quando eu me mexo, os cinquenta e quatro músculos se embaralham, e eu logo caio.*

Italo Svevo, *A consciência de Zeno*[1]

*Não é mesmo extraordinário perceber que desde que os homens passaram a andar, ninguém jamais perguntou por que eles andam, como andam, se podem andar melhor, o que o caminhar lhes permite realizar, se eles podem não ter os meios de regular, mudar ou analisar o seu andar: perguntas que dizem respeito a todos os sistemas de filosofia, psicologia e política com que o mundo se preocupa?*

Honoré de Balzac, *Teoria do caminhar*[2]

---

[1] Italo Svevo, *Zeno's Conscience* [A consciência de Zeno], London, Penguin, 2002, p. 105.
[2] Honoré de Balzac, Théorie de la Démarche (Theory of Walking), transcrição de Tim Ingold em *Being Alive: Essays on Movement, Knowledge and Description*, Londres, Routledge, 2011[1833], p. 33.

# Apresentação: O escritor como caminhante

> *Caminhar tem sido algo tão natural e comum que pouca gente pensou em escrever sobre o assunto [...] foi somente nesta época, como protesto contra a roda, que passou a existir o caminhar como um culto literário.* Stephen Graham[3]

> *Tanto caminhar quanto escrever são atividades simples, comuns. Põe-se um pé diante do outro; põe-se uma palavra diante da outra. O que pode ser mais básico do que um único passo, mais básico do que uma única palavra? Mas, se ligamos uma quantidade suficiente desses componentes básicos, se ligamos passos suficientes, palavras suficientes, podemos descobrir que fizemos algo muito especial. A jornada de mil quilômetros começa com um único passo; o manuscrito de um milhão de palavras começa com uma única sílaba.*
> Geoff Nicholson[4]

---

[3] Stephen Graham, "The Literature of Walking", in *The Tramp's anthology*, Londres, Peter Davies, 1928, p. VIII.
[4] Geoff Nicholson, *The Lost Art of Walking: The History, Science, Philosophy, Literature, Theory and Practice of Pedestrianism*, Chelmsford, Harbour Books, 2010, p. 262.

Para uma atividade aparentemente inócua e que costuma ser realizada por um participante totalmente desatento de seu funcionamento, o ato de caminhar adquiriu um grau de significação cultural surpreendente. Como pôde algo tão óbvio, tão instintivo, ter chegado a esse papel? A resposta, evidentemente, está não tanto no movimento das pernas de alguém quanto no que esse movimento simboliza e aonde ele pode levar. Pois, como sempre, caminhar é um meio para se chegar a um fim, raramente um fim em si. Durante grande parte da história humana e na maior parte do mundo atual, esse fim é, como sempre foi, simplesmente locomoção, um modo de passar de A para B. No entanto a história do caminhar viu esse fim evoluir gradualmente, pois, à medida que o caminhar foi substituído por outras formas de transporte, assumiu ou recebeu outras designações menos óbvias.

Como um meio de cortar caminhos estabelecidos e desafiar o cercamento do espaço público, o caminhar é considerado há muito tempo uma função política consolidada que inspirou caminhantes e radicais que vão de John Clare a Guy Debord. Como um ato estético, o caminhar desempenhou um papel crucial em muitos dos mais notáveis movimentos de vanguarda do século xx, do Dadaísmo e Surrealismo ao Situacionismo e além; recentemente foi ligado ao movimento Land Art e a práticas de arte performática. Em todos esses casos, contudo, o caminhar é menos valorizado pelo que é ou faz do que pelo que parece, reproduz ou facilita. Por milênios, acreditou-se que o ato de caminhar, assim como os ritmos corporais que ele incorpora, reflete ou gera os processos mentais do pensamento abstrato, como se a batida metronômica do passo do caminhante pudesse marcar o tempo, moldando numa narrativa coerente os pensamentos que provoca. Nisso, então, podemos localizar a fonte do fabuloso legado cultural que o caminhar originou, um legado incorporado na figura do escritor como caminhante.

Muitos escritores e comentadores indicaram a aparente reciprocidade entre caminhar e escrever, mas talvez nenhum deles o tenha feito com a acuidade do antropólogo Tim Ingold, que esboçou com algum detalhe a sua crença de que atividades tão fundamentais como caminhar, escrever, ler e desenhar apresentam, todas elas, características ou gestos comuns a cada uma. O que une essas atividades, afirma Ingold, é o seu modo de refletir uma forma específica de movimento, "vencendo um caminho através de um terreno e deixando ao mesmo tempo uma marca na imaginação e no chão"[5]. Ingold chama esse movimento de "caminhada", uma prática que ele afirma ser "o modo fundamental pelo qual os seres humanos habitam a Terra"[6]. Consequentemente, Ingold vê a vida humana como definida "pela linha do seu próprio movimento", um processo que inscreve através da paisagem uma marca que pode ser "lida" pelas gerações posteriores. Obviamente, nesse esquema o ato de andar assume um papel altamente significativo, na verdade essencial, tornando-se o meio pelo qual os seres humanos aprendem a entender o mundo à sua volta enquanto passam por ele, e a marca que deixam atrás de si não é registrada apenas nos caminhos que deixam em suas esteiras, mas também nas histórias orais e nos textos por meio dos quais essas ações são registradas. Usando exemplos muito diversos, como as "meditações deambulatórias" do monasticismo medieval, o Tempo de Sonho dos aborígenes australianos e a arte abstrata de Wassily Kandinsky, Ingold demonstra os modos pelos quais o ato de caminhar impõe uma marca que pode ser mapeada no tempo e no espaço, revelando uma herança comum. "Em que, então", pergunta Ingold, "a leitura difere do caminhar pela paisagem?". A resposta:

> Em nada. Caminhar é viajar na mente tanto quanto na paisagem: é uma prática profundamente meditativa. E ler é viajar na página tanto quanto na mente. Longe de serem rigidamente separados, há um constante trânsito entre esses terrenos, mental e material, pela porta dos sentidos[7].

Em outra obra, Ingold enfatiza os claros paralelos entre o fluxo da narrativa no ato de contar uma história e o passo firme do caminhante ou do andarilho enquanto ele se desloca de um lugar para outro:

> Assim, contar uma história é *relatar*, numa narrativa, as ocorrências do passado, percorrendo novamente um caminho por um mundo em que outras pessoas, tomando recursivamente os fios de vidas passadas, podem seguir

---

[5] Tim Ingold, *Being Alive: Essays on Movement, Knowledge and Description*, Londres, Routledge, 2011, p. 178.
[6] Ibidem, p. 12.
[7] Ibidem, p. 202.

no processo de fiar-se [...] na história, como na vida, sempre se pode ir mais além. E na narração de uma história, como também na caminhada, é no movimento de um lugar para outro – ou de um tópico para outro – que o conhecimento se integra[8].

Como ficará evidente ao longo do livro, Ingold não está absolutamente sozinho na observação do fato de que caminhar e escrever são claramente atividades complementares. Na verdade, muitos dos escritores que discutirei aqui não somente chegaram a essa mesma conclusão como também demonstraram em suas obras os modos pelos quais o ato de caminhar provoca e gera o ato de escrever. Além do mais, em muitas circunstâncias os resultados dessa união entre mente e pé, os textos que juntos formam o cânone pedestre, refletem eles próprios os caminhares que os inspiraram, muitas vezes apresentando exatamente o ritmo metronômico e a forma digressiva que são a marca do passeio ocioso[9].

Obviamente, caminhar é uma atividade tão banal que a sua história literária poderia se estender quase indefinidamente até abranger em suas páginas todo o cânone literário. Mas uma história em que se considera o caminhar uma atividade consciente e na qual se atribui a ele um significado em si mesmo é muito menos vasta, e é essa história que vou examinar a seguir. Mas em que ponto o caminhante passa para o primeiro plano e se torna um sujeito que vale por si mesmo (ele permanece, apesar de notáveis exceções, predominantemente masculino) uma discussão? Na apresentação do seu livro *Walkers*, Miles Jebb escreve: "Do meu ponto de vista, o principal critério do verdadeiro caminhante é que ele faz algo da caminhada, não a considerando meramente um trabalho fatigante"[10]. Está claro que identificar exatamente o que é esse "algo" que distingue o verdadeiro caminhante de suas imitações é um tanto difícil; contudo, o que parece mais evidente é que esse atributo esquivo,

---

[8] Tim Ingold, *Lines: a Brief History*, Londres, Routledge, 2007, p. 90-91.
[9] Ingold amplia a sua analogia entre a narração de histórias e o caminhar para incluir tanto a história falada ou cantada quanto o texto manuscrito. Mas também reconhece que essa comparação, baseada no fluxo ininterrupto da mão pela página e do pé pelo chão, não se aplica ao texto digitado ou impresso. Na verdade, a transmissão da palavra escrita ou impressa mostra, pelo menos para Ingold, uma ruptura fundamental da relação entre escrever e caminhar, com o rompimento da linha ininterrupta que é simbólica de ambos: "Foi quando os escritores cessaram de realizar o equivalente de um caminhar", conclui Ingold, "que suas palavras se reduziram a fragmentos, e por sua vez se fragmentaram". (*Lines*, 2007, p. 91-93)
[10] Miles Jebb, *Walkers*, Londres, Constable, 1986, p. ix.

que eleva uma atividade aparentemente óbvia a algo que é bem mais do que simples locomoção, é um atributo que tem preocupado um grupo impressionante de filósofos, poetas, escritores e artistas há mais de dois mil anos. Ao longo desse período, à medida que as modas intelectuais e culturais mudavam, o ato de caminhar também se submeteu a representações literárias bastante flutuantes, assim como aconteceu com os critérios para determinar o que constitui um "verdadeiro" caminhante: do peregrino ao pedestre, do *flâneur* ao caçador. A linguagem pode mudar, mas a atividade permanece essencialmente a mesma.

Nas páginas que seguem tentei manter, sempre que possível, uma sequência cronológica que demonstre os modos pelos quais o caminhar evoluiu ao longo do tempo, desde a Antiguidade até hoje; mas as milhares de formas assumidas por essa atividade são tão díspares e tão frequentemente contraditórias que eu também optei por dispor as muitas figuras e obras aqui discutidas em categorias temáticas que ilustram as várias aparências de que se revestiu o caminhante, do filósofo ao revolucionário, do errante ao visionário. Uma consequência dessa abordagem é que estão aqui associados, por meio da sua preocupação comum com a caminhada, escritores que geralmente se situam em partes tão diferentes do espectro literário que raramente entram em contato – se é que alguma vez o fazem. Aqui eles são dispostos em conjunto: por exemplo, Hilaire Belloc e Werner Herzog, Xavier de Maistre e Albert Speer. Na verdade, talvez as conexões estranhas e inesperadas geradas aqui sejam inimagináveis em qualquer outra esfera literária.

No entanto, essas categorias podem nunca se manter integralmente, sobretudo em se tratando de uma atividade como o caminhar, que tende a variações, e essas divisões às vezes sofrem resistência dos seus sujeitos, cujas perambulações lhes permitem se deslocar facilmente entre elas. Contudo, uma distinção que tem se imposto com mais rigor é a geográfica: os escritores discutidos aqui são extraídos, sem exceção, da tradição literária ocidental; e, embora, os passeios que faziam os levassem frequentemente para além das fronteiras da Europa e da América do Norte, limitei minha análise a esses dois continentes[11].

---

[11] Essa distinção continua válida para as principais histórias do caminhar com que me deparei. Uma exceção à regra é *Journeys: an Anthology*, publicado por Robyn Davidson (Londres, Picador, 2001), em que o caminhar desempenha apenas um papel, mas é categorizado por região, e é verdadeiramente de âmbito global.

Assim como os escritores e os textos discutidos aqui constituem o seu próprio e distinto cânone pedestre, este livro também precisa ocupar o seu próprio lugar ao lado das análises anteriores, que tentaram esboçar e ilustrar a história do escritor como caminhante. Tenho plena ciência das obras que antecederam a minha nessa questão, muitas das quais podem ser encontradas na bibliografia deste livro. Do mesmo modo como cada uma reflete as preferências pessoais de seu autor na escolha dos escritores que busca celebrar ou omitir, eu também me deparei com decisões semelhantes. Claro que alguns escritores precisam ser incluídos aqui simplesmente porque seria perverso excluí-los: Rousseau, De Quincey, Wordsworth e Dickens, por exemplo. Outros nomes, entretanto, estão comumente ausentes desses sumários, e foi a eles, além de Arthur Machen e Robert Walser, que eu dei uma atenção particular na minha exposição. Evidentemente, cada novo livro renova os seus predecessores, e se novas exposições angariam novos escritores e suas obras, por outro lado há os que vão desertando ao longo do caminho; os nomes de Iain Sinclair e Will Self, por exemplo, parecem indispensáveis aqui, pelo menos da perspectiva de um londrino; igualmente indispensáveis para escritores e caminhantes de gerações anteriores, no entanto, foram figuras como Leslie Stephen e Christopher Morley, mas seus nomes não estão entre os que eu reuni aqui.

"De modo geral a humanidade raramente viu o caminhar como um prazer", escreve Morris Marples em *Shank's Pony*, a sua história do caminhar[12]. Mas nas páginas a seguir o sentimento expresso por escritores tão diferentes como Wordsworth e Whitman, Woolf e O'Hara, é predominantemente de alegria. Uma alegria encontrada na liberdade da estrada, no milagre do mundo natural, na solidão da rua abarrotada e nas esquinas de bairros afastados onde menos se esperaria que ela acontecesse. Evidentemente, esse prazer quase sempre é comprometido pelo cansaço, e pode até ser um prelúdio para as emoções mais obscuras da melancolia e do desespero, mas esses caminhares sempre revelam novos aspectos da paisagem pela qual passam, tanto urbana quanto rural, até então ignorados ou negligenciados. Cada caminhar pode ser expresso como uma história narrada pelo caminhante. São essas histórias e a vida dos que caminharam que examino aqui.

---

[12] Morris Marples, *Shanks's Pony: A Study of Walking*, Londres, Dent, 1959, p. xiii.

Capítulo 1
# O caminhante como filósofo

> *Viajar a pé é viajar como Tales, Platão e Pitágoras.*
> Jean-Jacques Rousseau[1]

> *Os filósofos caminhavam. Mas os filósofos que pensaram sobre o caminhar são raros.*
> Rebecca Solnit[2]

Em um dos menos celebrados registros do caminhar literário, *Of Walks and Walking Tours: an Attempt to find a Philosophy and a Creed*, Arnold Haultain, o autor apresenta uma relação de "caminhantes notáveis", na qual aos habituais suspeitos De Quincey e Stevenson ele acrescentou seus antecessores clássicos: Platão, Virgílio e Horácio. No alto da lista estão Jesus e Maomé[3]. Essa tentativa de rastrear a gênese do caminhar literário até suas raízes bíblicas não é de modo algum rara, tomando frequentemente como ponto de partida a expulsão de Adão

---
[1] Jean-Jacques Rousseau, *Émile, or On Education* (1762), Nova York, Basic Books, 1979, p. 412 [*Emílio ou Da educação*, São Paulo, Martins Fontes, 2014, p. 605].
[2] Rebecca Solnit, *Wanderlust: A History of Walking*, Londres, Verso, 2001, p. 15.
[3] Arnold Haultain, *Of Walks and walking Tours: An Attempt to Find a Philosophy and a Creed*, Londres, T Werner Laurie Ltda., 1914, p. 9-15.

e Eva do Paraíso, um momento simbólico comemorado nos versos do *Paraíso perdido* de Milton (1667):

> De guia a Providência então lhes serve;
> E de mãos dadas com incertos, lentos
> Passos, de Éden a terra atravessando
> A própria seguem solitária via[4].

Não foram Adão e Eva, contudo, e sim sua prole, Caim e Abel, os identificados como responsáveis pela divisão primordial entre o caminhante ou nômade e seu primo mais sedentário, o colono. Em seu livro *Walkscapes: Walking as na Aesthetic Practice* (2003), Francesco Careri expõe uma divisão entre o que chama de espaço "nômade" e "errático", a consequência de dois diferentes modos de vida e de trabalho no mundo, ao quais ele atribui uma fonte bíblica:

> Os filhos de Adão e Eva incorporam as duas almas em que a espécie humana se divide desde o início: Caim é a alma sedentária; Abel, a nômade [...] Caim pode ser identificado com o *Homo faber*, o homem que trabalha e doma a natureza para construir materialmente um novo universo, ao passo que Abel, cujo trabalho era considerado, no todo, menos cansativo e mais divertido, pode ser visto como o *Homo ludens* [...] o homem que brinca e constrói um sistema efêmero de relações entre a natureza e a vida[5].

"Assim, desde o começo", conclui Careri, "a criação artística, tanto quanto a rejeição do trabalho [...] relacionam-se ao caminhar"[6]. Abel, o protótipo do nômade, vagueia pelas colinas, livre para folgar enquanto

---

[4] John Milton, *Paradise Lost* (1667), org. de John Leonard, Londres, Penguin, 2003, Livro XII, vv. 646, p. 288 [*Paraíso perdido*, Paris, Firmino Didot, 1823]. Em outro texto, Roger Gilbert escreve: "A caminhada literária mais antiga ocorre literalmente no começo, ou seja: no Gênese. Refiro-me, evidentemente, ao passeio de Javé 'no jardim na hora do dia em que há vento', durante o qual ele descobre a transgressão original de Adão e Eva". (*Walks in the World: Representation and Experience in Modern American Poetry*, Princeton, Nova Jersey, Princeton University Press, 1991, p. 35.)
[5] Francesco Careri, *Walkscapes: Walking as an Aesthetic Practice*, Barcelona, Editorial Gustavo Gili, 2002, p. 29--30. O conceito de *Homo ludens*, ou "homem que brinca", foi fruto da imaginação do historiador holandês Johan Huizinga, que enfatizou a importância da brincadeira no desenvolvimento da cultura e da sociedade. Cf. Johan Huizinga, *Homo ludens: A Study of the Play element in Culture* (1938), transcrito por R. F. C. Hull, Boston, Massachusets: Beacon Press, 1955.
[6] Ibidem, p. 33.

seu rebanho pasta, ao passo que Caim fica e cultiva a terra, sentindo-se cada vez mais amargurado. Fica claro como isso vai acabar. Mas, logo depois da morte de Abel pelas mãos do irmão, a punição divina causa uma virada irônica nessa história:

> É interessante notar que, depois do assassinato, Caim é punido por Deus com a condenação de vagar pela face da Terra: o nomadismo de Abel se transforma de uma condição de privilégio em uma condição de punição divina. O *erro* do fratricídio é punido com a sentença de *errar* sem um lar, eternamente perdido na terra de Node, o deserto infinito por onde anteriormente Abel tinha vagado. E é preciso enfatizar que, depois da morte de Abel, as primeiras cidades são construídas pelos descendentes de Caim; Caim, o agricultor condenado a vagar, origina a vida sedentária e, portanto, outro pecado: ele traz consigo as origens da vida estacionária do agricultor e da vida nômade de Abel, ambas vivenciadas como uma punição e um erro [...] Os nômades vieram da linhagem de Caim, que era um colono forçado a se tornar nômade, e levam as perambulações de Abel em suas raízes[7].

Para aqueles que procuram os antecedentes históricos em que se basearia uma filosofia do caminhar, contudo e em particular para os pensadores do Iluminismo, que deviam considerar o filósofo-caminhante emblemático de sua recente liberdade intelectual, essas bases bíblicas eram insuficientes, e não pertinentes. O que realmente se exigia era o apoio da tradição clássica.

Como indica o comentário de Rousseau transcrito anteriormente, viajar a pé é, na verdade, viajar ao modo de Tales, Platão e Pitágoras.

---

[7] Idem. A brilhante análise de Careri sobre a evolução e o significado do caminhar na Pré-História se deve muito (e ele o reconhece) aos comentários a respeito de Bruce Chatwin em *The Songlines* (1987), um registro das suas viagens pela região central da Austrália. Chatwin dedica grande parte do livro a excertos das suas cadernetas, uma seleção eclética de citações e observações sobre o tema do caminhar e do nomadismo, entre as quais se encontram os seguintes comentários: "Os nomes dos irmãos são dois opostos emparelhados. Abel vem do hebraico 'hebel', que significa 'respiração' ou 'vapor': qualquer coisa que se mexe e é temporária, inclusive a sua própria vida. A raiz de 'Caim' parece ser 'kanah', 'adquirir', 'obter', 'ter propriedade' e 'dominar' ou 'subjugar'. Caim significa também 'forjador de metais'. E, uma vez que em vários idiomas – até no chinês – as palavras para 'violência' e 'jugo' se ligam à descoberta do metal, talvez o destino de Caim e de seus descendentes seja pôr em prática a tecnologia, enfrentando as dificuldades envolvidas no seu controle". (*The Songlines*, Londres, Viking, 1987, p. 192-193.)

Mas para aqueles que buscam manifestações do caminhar como um ato intencional, e não simplesmente um meio de locomoção, a Antiguidade Clássica parece ter bem pouca coisa a oferecer. *Fedro*, de Platão, por exemplo, já foi muitas vezes identificado como o texto em que Sócrates surge como um antigo – se não o mais antigo – filósofo-caminhante. Analisando melhor, contudo, essa afirmação se torna altamente questionável, pois *Fedro* é o único diálogo de Platão em que vemos Sócrates se afastar dos seus redutos urbanos familiares, e, contrariando sua condição de caminhante arquetípico, é reprovado por relutar em vaguear além dos muros de Atenas:

> *Fedro*: [...] a razão é que te manténs sempre na cidade, nunca de lá saindo, nem para viajar para além dos seus muros, se bem me parece.

> *Sócrates*: Sê indulgente comigo, meu bom amigo, não vês que o meu desejo é aprender e que, sendo assim, o campo e as árvores nada me podem ensinar, ao contrário dos homens da cidade? [...][8]

Sócrates, o intelectual morador da cidade, só é atraído para fora da cidade pela perspectiva de ler um discurso que Fedro escreveu, e esse passeio não é absolutamente épico, pois sem nenhuma perda de tempo Sócrates encontra a árvore mais próxima sob a qual poderia conferir o trabalho de Fedro. Nesse caso, o caminhar serve de pano de fundo para as ideias discutidas, e não é mais do que um auxiliar.

Na verdade, o passeio a pé era um consagrado recurso clássico de enquadramento do ato de filosofar, quando não era considerado em si mesmo um tema apropriado para discussão filosófica. Por isso, as *Geórgicas*, de Virgílio, os idílios pastorais de Teócrito e Horácio e até a *Odisseia*, de Homero, são identificados como outros exemplos do papel essencial

---

[8] Platão, *Phaedrus*, Oxford, OUP, 2002, p. 7 [*Fedro*, Lisboa, Guimarães Editores, 2000, p. 18-19]. De acordo com Thoreau, a relutância de Platão em deixar a cidade não era absolutamente atípica. Os atenienses de mesma posição social que ele preferiam caminhar em bosques que eles mesmos plantassem a deixar os limites da cidade: "Até alguns grupos de filósofos sentiram a necessidade de importar o bosque para si mesmos, já que não iam até ele. 'Eles plantavam bosques e alamedas de plátanos', onde faziam *subdiales ambulationes* sob colunatas abertas". ("Walking", in Edwin Valentine Mitchell [org.], *The Pleasures of Walking*, Bourne End, Bucks, Pensilvânia, Spurbooks, 1975, p. 135.)

que o ato de caminhar desempenha no cânone clássico. Mas em todos esses casos, se o caminhar deve ter um papel, não é um papel filosófico, e sim um papel literário, fornecendo um recurso estrutural acessível em que o ritmo físico do andar empresta ao texto um grau de dinamismo. Caminhar e falar coincidem regularmente aqui, mas a conjunção dessas duas atividades cotidianas nunca é formalizada em qualquer aspecto, e menos ainda utilizada como base para qualquer situação filosófica. Em resumo, como Morris Marples nos lembra, "vemos os gregos tendo prazer na atividade conjunta de caminhar e falar [...] Mas nenhum grego ou romano jamais saiu para dar um passeio a pé"⁹.

Paralelamente aos escassos indícios de que o mundo clássico elevou o ato de caminhar a algo mais que um meio para um fim, subsistia uma escola de pensamento grega constantemente identificada como o ponto em que a filosofia ocidental e o caminhar se cruzaram pela primeira vez – embora isso seja contestado pelos especialistas modernos. "A filosofia ocidental tem seu começo no caminhar, com os filósofos peripatéticos", escreve David Macauley, "que caminhavam ousadamente para fora do domínio escuro e profundo do mito e para dentro da casa iluminada do *lógos*"¹⁰. A alegação persistente de que os ritmos corporais do caminhar correspondem, de certa forma, a processos mentais parece originar-se aqui, na escola de filosofia ateniense fundada por Aristóteles. Embora enfatize a relação entre caminhar e pensar, a crença de que a escola peripatética fornece uma base filosófica para essa opinião – uma crença que escritores posteriores tenderam muito a promover – parece ser pouco mais que um mito surgido de um mal-entendido linguístico.

O termo "peripatético" é usado para designar os seguidores da escola de filosofia de Aristóteles, fundada em Atenas por volta de 335 a.C. e levada adiante por seus sucessores, entre os quais Teofrasto e Estratão. Originalmente, a palavra grega antiga περιπατητικός (*peripatetikós*), que significa "relativo a andar" ou "que passeia", evoluiu para se aplicar a qualquer perambulação ou errância. A própria escola, contudo, ou περίπατος

---

⁹ Marples, p. XIII.
¹⁰ David Macauley, "A Few foot Notes on Walking", *Trumpeter: Journal of Ecosophy*, v. 10, n. 1, 1993. Disponível em: http://trumpeter.athabascau.ca/index.php/trumpet/article/view/403/650. Macauley observa que na tradição filosófica oriental "caminhar sempre fez parte do processo filosófico, como no taoismo e no zen-budismo, em que os sábios e os monges perambulavam no campo em busca da iluminação. O caminhar recebeu até mesmo um lugar especial como uma das quatro "dignidades" (modos de ser no mundo) chinesas, junto com estar de pé, estar sentado e estar deitado". (nota 14, p. 5.)

(*perípatos*) – o Liceu onde os seus integrantes se encontravam –, deriva seu nome dos περίπατοι (*perípatoi*), as colunatas ou caminhos cobertos pelos quais se afirma que Aristóteles caminhava enquanto palestrava. Foi dessa confusão que surgiu a crença de que caminhar era, de certo modo, parte intrínseca do método filosófico usado por Aristóteles e seus seguidores. No entanto, e muito mais prosaicamente, parece que os peripatéticos devem seu nome não à sua filosofia, mas ao cenário em que ela se realizava. E não há somente esse mito, surgido de uma confusão linguística; os peripatéticos foram objeto de outras representações erradas, conforme alguns escritores posteriores deixaram, deliberadamente, a realidade em favor de uma imagem mais romântica do filósofo passeador. De acordo com Rebecca Solnit, o principal réu é John Thelwall, cuja obra, *The Peripatetic*, foi publicada em 1793. Hoje, a mistura singular mas altamente influente elaborada por Thelwall, combinando biografia e tratado filosófico, está quase totalmente esquecida, porém sua tentativa equivocada de "consagrar o ato de caminhar" sobreviveu a ele, e a tradição clássica espúria que ele endossou vive até hoje[11].

Além do fato de que, pelo menos arquiteturalmente, o caminhar foi acomodado dentro do Liceu como uma base para a atividade conversacional, se não filosófica, agora é impossível determinar com qualquer grau de certeza que papel, se é que houve algum, o ato de caminhar teve na filosofia clássica. Se pode-se ao menos dizer que os peripatéticos exemplificam uma tradição de caminhar meditativo, em que o pensamento filosófico de certo modo se atrela aos movimentos físicos do caminhante, então essa atividade, como Sócrates indica no *Fedro*, é mais comumente reservada para os espaços fechados do *perípatos*. Essa tradição, em que o caminhar passa a ser considerado principalmente contemplativo, até mesmo educativo, foi continuada, talvez de modo mais espiritual, dentro dos limites monásticos da Idade Média. Nesse sentido, tem pouca coisa em comum com as excursões ilimitadas e me-

---

[11] Solnit, op. cit., 2001, p. 14. Embora, como parece ser o caso, não tenhamos herdado da Antiguidade uma filosofia do caminhar, podemos muito bem ter herdado o nosso modo de andar: "O historiador Jan Bremmer rastreou até a cultura da Grécia antiga os ideais ocidentais da postura ereta, e um modo de andar com passadas largas e pernas retas, transmitida à Europa moderna pelas obras de Cícero, Santo Ambrósio e Erasmo. A origem do modo de andar grego, indica Bremmer, dataria de uma época anterior, em que todos os homens tinham de carregar armas e estar prontos para lutar a fim de proteger tanto sua reputação quanto suas posses". (Tim Ingold, *Being Alive*, Nova York, Routledge, 2011, p. 40.) Veja também Jan Bremmer, "Walking, standing and sitting in ancient Greek culture", in Jan Bremmer e Herman Roodenburg (org.), *A Cultural History of Gesture*, Oxford, Polity Press, p. 15-35.

nos estruturadas preferidas pelos românticos, para quem o caminhar e o caminhante se tornariam símbolos não do pensamento sistemático, mas da liberdade intelectual e da criatividade solitária. E, como veremos no próximo capítulo, embora essa situação anterior ajude a criar a figura do caminhante peregrino, uma tradição com uma história literária própria significativa, será a partir dessa última corrente que surgirá a história episódica e frequentemente fragmentária do caminhar filosófico.

Na realidade, essa tradição filosófica pode em grande parte ser reduzida a pouco mais do que uma seleção de citações e esboços biográficos que têm como tema a caminhada: afirma-se, por exemplo, que São Tomás de Aquino caminhou quase dezesseis mil quilômetros durante as suas excursões pela Europa, e que a parte das reflexões de Thomas Hobbes feita enquanto ele caminhava é tão grande que ele ajustava ao seu cajado um tinteiro de chifre, o que lhe permitia registrar suas ideias à medida que elas lhe ocorriam. Assim também Jeremy Bentham mantinha um regime rigoroso de "circunvoluções pós-café da manhã"[12], e os passeios de Immanuel Kant na hora do almoço em torno de Königsberg eram feitos com uma regularidade tão metronômica que se alega que seus vizinhos ajustavam o relógio por eles. Isso talvez indique uma personalidade altamente disciplinada, ou então pedante, mas esse fato pode realmente lançar alguma luz sobre a sua *Crítica da razão pura*? Hegel e John Stuart Mill, e posteriormente Heidegger e Husserl – a lista dos filósofos caminhantes parece tão abrangente que talvez se possa dizer que somente o filósofo estático mostra verdadeira originalidade.

Está claro que há uma única e predominante exceção nesse ponto: a figura da qual se diz que "dispôs a base para o edifício ideológico dentro do qual o próprio caminhar seria reverenciado"[13]. *Os devaneios do caminhante solitário* é a última obra de Jean-Jacques Rousseau, publicada apenas em 1782, quatro anos depois da sua morte. Porém, àquela época, tanto em *As confissões* quanto em outras obras, Rousseau consagrou o papel reverenciado do filósofo caminhante na iconografia do pensamento iluminista, indicando um caminho que os românticos logo seguiriam:

---

[12] Leslie Stephen, "In Praise of Walking", in Edwin Valentine Mitchell (org.), *The Pleasures of Walking*, Nova Jersey, Howard Press, 2011, p. 24.
[13] Solnit, op. cit., 2001, p. 17.

> Eu nunca pensei tanto, existi de modo tão vívido e vivenciei tanto, nunca fui tanto eu mesmo – se posso usar essa expressão – quanto nas jornadas que fiz sozinho a pé. Há no caminhar algo que estimula e aviva os meus pensamentos. Quando fico parado num lugar tenho dificuldade em pensar. Meu corpo precisa estar em movimento para pôr em funcionamento a minha mente. A paisagem do campo, a sucessão de panoramas agradáveis, o ar livre, um bom apetite e a boa saúde que eu ganho caminhando, a atmosfera tranquila de uma hospedaria, a ausência de tudo o que me remete à minha situação – tudo isso serve para libertar o meu espírito, para emprestar uma ousadia maior ao meu pensamento, para me atirar, por assim dizer, na vastidão das coisas, de forma que eu possa associá-las, selecioná-las e torná-las minhas como eu quero, sem temor nem constrangimento[14].

Rousseau nasceu em Genebra, em 1712, e a história do Rousseau caminhante antecede a do Rousseau filósofo, começando em 1727, quando, aos quinze anos, ele voltou para a cidade depois de um passeio no campo e viu que os portões da cidade tinham sido fechados. Num ato de extraordinária impulsividade, deu as costas à sua cidade natal e abandonou a vida que levara até então para começar um longo período itinerante. Deixou a Suíça e foi para a França e a Itália. Enquanto caminhava e trabalhava, passou por experiências que moldariam o seu caráter e a sua obra[15]. Esse foi um hábito que ele nunca pôde ou talvez nunca tenha desejado superar, e que moldaria a sua vida:

> Gosto de caminhar ao meu bel-prazer e de parar quando me apetece. A vida perambulante me apraz. Viajar a pé, sem pressa, com tempo bom e em um campo bonito e ter pela frente algo agradável que eu queira ansiosamente alcançar: entre todos os modos de vida, esse é o que mais me satisfaz[16].

---

[14] Jean-Jacques Rousseau, *Confessions* [*Confissões*] (1782), Harmondsworth, Penguin, 1954, p. 167.
[15] Os detalhes da existência peripatética que se seguiu à sua fuga de Genebra foram assim resumidos: "Então ele abriu seu próprio caminho como servo em Turim, foi aluno de uma escola de canto coral em Annecy, amante de uma baronesa em Chambéry, intérprete de um médico charlatão levantino, músico itinerante, professor particular e depois secretário em Veneza. Fez tudo isso antes de se fixar em Paris, ainda com trinta e poucos anos". (Joseph A. Amato, *On Foot: A History of Walking*, Nova York, New York University Press, 2004, p. 109.)
[16] Jean-Jacques Rousseau, op. cit., 1954.

De acordo com as suas lembranças desse período, registradas posteriormente nas *Confissões* (1782), a transição de caminhante para escritor foi estimulada por uma decisão tomada quando caminhava. Foi em 1749, enquanto percorria a pé os dez quilômetros entre Paris e o cárcere onde seu amigo Denis Diderot estava preso, que ele se deparou com uma pergunta formulada pela Academia de Dijon nas páginas do *Mercure de France*. Sua resposta foi começar a carreira de escritor e se pôr numa rota altamente controversa, em que desafiaria os princípios estabelecidos da monarquia, da religião e do Estado. Pois o artigo com que Rousseau ganhou um prêmio questionava os benefícios morais das artes e das ciências, sustentando que seus efeitos eram enfraquecer e corromper a humanidade. Ele chegava à conclusão de que, mais do que beneficiário, o homem seria vítima do chamado progresso, ideia na base de seu *Discurso sobre a origem e os fundamentos da desigualdade entre os homens* (1754), onde expôs sua crença de que o homem só seria verdadeiramente livre no estado de natureza, uma condição de simplicidade pura e de autossuficiência para além das intervenções danosas da sociedade humana. Nessa existência idealizada, o ato de caminhar assume um papel básico, meio de pura mobilidade, destituído de qualquer acessório indesejado e desnecessário que oprime o viajante moderno.

Tendo localizado o caminhante ideal num estado de natureza fora da sociedade, as caminhadas do próprio Rousseau podem ser vistas como uma tentativa de reproduzir a pureza dessa experiência. Mas o papel que o caminhar desempenharia na vida e na filosofia de Rousseau evoluiria ao longo do tempo, e, embora nos primeiros tempos de sua vida simbolizasse a liberdade irrestrita, nas *Confissões* e n' *Os devaneios* o caminhar revela uma impressão de temor persecutório, em que Rousseau já não está caminhando em direção a um futuro desconhecido, mas fugindo de um passado indesejado e de um presente intolerável. Ele era incapaz de resgatar a inebriante impressão de liberdade inspirada por sua fuga de Genebra, e tampouco era capaz de ter acesso à solidão que buscava, livre do que percebia como as traições e decepções da vida em sociedade, uma situação paradoxalmente agravada pela fama que sua obra lhe angariara.

*Os devaneios do caminhante solitário* ocupa um lugar ambíguo dentro da literatura do caminhar, pois é menos um livro sobre o caminhar do que um registro dos pensamentos estimulados pelo caminhar.

Falando estritamente, nem filosofia nem biografia, a série de dez ensaios que o livro compreende (o oitavo e o nono rascunhados, o décimo inacabado quando da morte de Rousseau) constitui um diário de um caminhante em que a lembrança e a reflexão se imbricam na observação botânica em um estilo não estruturado e livre. "Toda a minha vida tem sido pouco mais do que um longo devaneio dividido em capítulos por minhas caminhadas diárias", escreve Rousseau, um sentimento perfeitamente encapsulado na forma de *Os devaneios*[17].

Desde o início, Rousseau se dispõe a se estabelecer como o verdadeiro sujeito de seu livro, escrevendo na Primeira Caminhada: "Estas páginas não serão mais do que um registro informe dos meus devaneios. Eu mesmo aparecerei muito nelas, porque uma pessoa solitária inevitavelmente pensa muito em si mesma"[18]. De fato, numa vertente semelhante, na Segunda Caminhada, Rousseau identifica que essas horas de solidão fornecem-lhe a única oportunidade de ser "completamente eu mesmo e o meu único senhor, sem nada para me desviar ou embaraçar, as únicas em que sou o que a natureza quis que eu fosse"[19]. A Segunda Caminhada tem uma posição de destaque no livro, pois é uma das poucas vezes que Rousseau evoca com algum detalhe um acontecimento, e não uma impressão, ideia ou observação; e, no contexto do livro, é um acontecimento que tem um caráter altamente incongruente, se não surrealista. Caminhando para casa certa noite, Rousseau vê um dogue alemão precipitando-se em sua direção e tenta fugir:

> Avaliei que a minha única esperança de evitar ser derrubado seria saltar no ar exatamente no momento certo para que o cão passasse debaixo de mim. Esse plano me ocorreu como um relâmpago, sem que eu tivesse tempo de examiná-lo ou pô-lo em prática, foi o meu último pensamento antes de cair. Não senti nem o impacto nem a minha queda, nem mesmo qualquer outra coisa até que voltei à consciência[20].

---

[17] Comentário feito por Rousseau nas costas de uma carta de baralho quando escrevia *Os devaneios* (1776-1778). Cf. Peter France (org.), Jean-Jacques Rousseau, *The Reveries of the Solitary Walker*, Londres, Penguin, 2004, p. 12.
[18] Ibidem, p. 32.
[19] Ibidem, p. 35.
[20] Ibidem, p. 38.

Rousseau foi para casa com vários dentes a menos e convalesceu. Mas a história não tardou a se espalhar por Paris, e algum tempo depois ele se deparou com o boato de que, na verdade, não tinha sobrevivido à queda[21]. Esse acontecimento mostra que Rousseau era uma pessoa estranhamente vulnerável, mas o mais revelador é a sua reação: incapaz de perceber o humor em um acontecimento tão absurdo, recebeu a notícia de sua morte prematura com uma desconfiança mórbida, percebendo "um antegosto do tributo de insultos e indignidades preparados para honrar a minha memória à guisa de oração fúnebre"[22]. E é exatamente essa impressão de paranoia exaltada que permeia todo o livro, transformando o ato de caminhar num mecanismo de fuga, num meio de escapar de uma sociedade que ele considera totalmente malevolente, pois é somente quando está na natureza que Rousseau pode mais uma vez reafirmar o controle sobre o seu ambiente, suas excursões botânicas lhe oferecendo um arremedo do status que lhe foi negado, ou que assim considerava, pela sociedade[23].

A Quinta Caminhada e a Décima Caminhada, inacabada, relatam períodos de relativa felicidade para Rousseau: a Quinta, como adolescente, na casa da sua amante e benfeitora, Madame de Warens; a Décima, em solidão, na ilha de Saint-Pierre, no lago Bienne. Contudo, o caráter desses dois episódios está gritantemente em desacordo com a melancolia predominante em *Os devaneios*, e em nenhuma outra caminhada essa impressão obsessiva de complexo de vítima é mais aparente do que na nona, que começa com a sua observação de que "A felicidade é um estado que aparentemente não foi feito para o homem neste mundo"[24]. Porque parece que, se devemos reconhecer o status de Rousseau como inaugurador da literatura de caminhada filosófica, precisamos também lhe atribuir a criação de uma tradição paralela de caminhada melancólica, uma tradição que continua até hoje[25].

---

[21] O *Courrier d'Avignon* de 20 de dezembro de 1776 noticiou equivocadamente a morte de Rousseau.
[22] Jean-Jacques Rousseau, op. cit., 2004, p. 43.
[23] Jeffrey Robinson escreve que: "As caminhadas de Rousseau são uma expressão de poder [...] Todas as plantas se subordinam às suas categorias ou às de Lineu às quais ele as submete ao conhecê-las. Ele caminha pelo seu reino reverenciando seus súditos". Jeffrey Robinson, *The Walk: Notes on a Romantic Image*, Norman, Oklahoma: University of Oklahoma Press, 1989, p. 73.
[24] Jean-Jacques Rousseau, op. cit., 2004, p. 137.
[25] Nesse aspecto, o mais óbvio sucessor contemporâneo de Rousseau foi o escritor e caminhante W. G. Sebald, cujo relato de caminhadas feitas na costa de Suffolk, o seu aclamado *The Rings of Saturn*, frequentemente consegue replicar, se não superar, o tom melancólico que se encontra n'*Os devaneios* de Rousseau (W. G. Sebald, *The Rings of Saturn*, Londres, Harvill, 1998 [*Os anéis de Saturno*, São Paulo, Companhia das Letras, 2010]).

Se Rousseau pode ser identificado como o protótipo do filósofo caminhante, os que seguiram as suas pegadas relutaram em elevar o ato de caminhar ao mesmo status em suas próprias obras. Na verdade, a única figura que compartilha a apoteose do pedestre que se lê em Rousseau é alguém que também reflete o status ambíguo dessa atividade no cânone filosófico ocidental, pois como Rousseau, Søren Kierkegaard é uma figura cujos relatos evocativos, descritivos e altamente pessoais da vida nas ruas de Copenhague o colocam em desacordo com uma tradição filosófica dominada pelo raciocínio lógico rigoroso.

Embora compartilhando os hábitos peripatéticos de Rousseau, Kierkegaard (1813-1855) foi um caminhante que prosperou não no campo, e sim junto à multidão da vida urbana. O cenário era quase exclusivamente Copenhague, a cidade em que Kierkegaard passou toda a vida, e era ali, junto da turba, que ele podia se desvencilhar de seu ambiente e ao mesmo tempo continuar observando-o aguçadamente. Por causa de uma queda na infância, Kierkegaard tinha uma curvatura acentuada na coluna, um fato anatômico que o fazia se inclinar para trás quando caminhava, fazendo que seu andar parecesse deslocado, mecânico, e que seus movimentos lhe dessem uma impressão de cautela exagerada[26]. Essa aparência era, obviamente, enganosa, pois no andar de Kierkegaard pouca prudência se poderia encontrar. Sua caminhada era o andar a esmo, que uma geração depois se tornaria a marca do *flâneur* nas ruas de Paris[27]. "Quando sair para uma caminhada", escreveu ele, "deixe seus pensamentos perambularem a esmo, farejando aqui e ali, experimentando a primeira coisa vista e depois outra"[28]. Contudo, o caminhar era, para Kierkegaard, bem mais do que uma prática estética: era uma fonte de diversão e prazer; uma fonte de solidão e, ao mesmo tempo, a cura para ele, assim como um apoio crucial para a sua produtividade como escritor. Em suma, era um modo de vida:

> Acima de tudo não perca o desejo de andar: todo dia eu caminho num estado de bem-estar, e andando me afasto

---

[26] Alexander Dru (org. e trad.), *The Journals of Kierkegaard, 1834-1845*, Londres, Fontana, 1958, p. 8.
[27] Na verdade, se ele fosse "menos prolífico e menos dinamarquês", afirma Rebecca Solnit, pode ser que hoje se considerasse Kierkegaard, e não Benjamin, o primeiro verdadeiro filósofo da *flânerie* (op. cit., 2001, p. 200).
[28] Søren Kierkegaard, "Letter to Emil Boesen", in Niels Jorgen Cappelhorn, Joakim Garff e Johnny Kondrup (org.), *Written Images: Søren Kierkegaard's Journals, Notebooks, Booklets, Sheets, Scraps, and Slips of Paper*, Princeton, Nova Jersey, Princeton University Press, 2003, p. 135.

de todas as doenças. Tenho tido meus melhores pensamentos enquanto ando, e não sei de nenhum pensamento tão opressivo que a pessoa não possa afastar enquanto caminha. Mesmo que alguém precisasse caminhar por razões de saúde e que ela estivesse constantemente um pouco adiante – ainda assim eu diria "Ande!". Além disso é evidente que, ao caminhar, a pessoa constantemente fica tão perto do bem-estar quanto possível, mesmo que nunca o alcance de fato – mas ficando sentada imóvel, e quanto mais se senta imóvel, mais próxima ela fica do sentir-se doente. A saúde e a salvação só podem ser encontradas no movimento. Se alguém nega que existe o movimento, faço o que fez Diógenes: ando. Se alguém nega que a saúde está no movimento, então eu saio andando para me afastar de todas as objeções mórbidas. Assim, se a pessoa continua andando, tudo ficará bem[29].

Para Kierkegaard, contudo, o caminhar não pôde fornecer a panaceia contra todos os tipos de doença da vida, e, apesar de seu empenho em continuar andando, no final as coisas não deram muito certo. De fato, em vez de adquirir a serenidade do caminhante ocioso, a vida parece ter sido para ele um catálogo de crises e humilhações, na qual a uma infância dominada pela influência avassaladora do pai se seguiu um noivado rompido, acontecimento que lançou uma sombra sobre o resto de sua vida. Mas parece que o golpe final foi o que lhe negou seu único prazer, o de caminhar pelas ruas da cidade. Depois de sustentar uma disputa pública com uma revista satírica, a *Corsair*, Kierkegaard sofreu uma impiedosa campanha de zombarias que fez dele vítima de chacotas nas ruas de Copenhague. Sem ser mais um observador e passando a ser observado, ele já não podia encontrar consolo na multidão:

> A atmosfera ficou corrompida para mim. Por causa da minha melancolia e do meu enorme trabalho, eu precisava de uma situação de solidão na multidão para descansar. Por isso me desespero. Já não posso encontrá-la. A curiosidade me cerca por todos os lados[30].

---

[29] Søren Kierkegaard, "Letter to Henrietta Lund" (1847), in Duncan Minshull (org.), *The Vintage Book of Walking*, Londres, Vintage, 2000, p. 6.
[30] Søren Kierkegaard, *Søren Kierkegaard's Journals and Papers*, org. e trad. de Howard V. Hong e Edna H. Hong, Bloomington, Indiana: Indiana University Press, 1967-1978, Vol. 5, p. 386.

Incapaz de romper um hábito de toda a sua vida, no entanto, ele continuou andando pelas ruas, e foi numa dessas caminhadas que desmaiou e morreu.

"A vida sedentária é justamente o *pecado* contra o santo espírito. Apenas os pensamentos *andados* têm valor"[31]. Como Kierkegaard antes dele, Nietzsche afirmou repetidas vezes a importância do caminhar (as ideias expostas posteriormente em *Assim falou Zaratustra* lhe ocorreram quando ele caminhava pelas colinas de Rapallo, na Itália), sem jamais conceder à atividade um estatuto filosófico explícito dentro de sua obra. Mas, apesar disso, pode-se ver claramente que o caminhar de Nietzsche molda toda sua obra. Daí o seu amor pelo "*Müssiggang*", ou passeio ocioso, refletir-se em um estilo literário que evita o pensamento sistemático e privilegia uma abordagem notoriamente digressiva e fragmentada, resultado direto da sua prática de anotar ideias enquanto caminhava[32]. Além do mais, tem-se considerado que seu hábito de andar sozinho ao ar livre (como Rousseau e Thoreau, ele caminhava para fugir da cidade e da multidão) explica a importância fundamental do *lugar* na sua filosofia[33].

A caminhada de Nietzsche é considerada a mesma expressão da solidão e ausência de laços afetivos que antes inspirara Rousseau e Kierkegaard, e é uma forma de expressão que, em vez de lembrar os caminhantes e pensadores de uma época anterior, antecipa a angústia existencial ligada à modernidade. E talvez seja por essa razão que a relação entre a caminhada e a filosofia continua tão teimosamente esquiva – a solidão que essas figuras expressam se fundamenta inevitavelmente numa visão muito pessoal do mundo, uma visão que coloca seus textos em desacordo com qualquer forma de pensamento sistemático e os torna resistentes à inclusão em qualquer tradição. A história do filósofo caminhante é, assim, uma história que em última análise questiona a própria natureza da filosofia como um meio ade-

---

[31] Friedrich Nietzsche, *The Twilight of the Idols*, Oxford, Oxford University Press, 2008, p. 9 [*Crepúsculo dos ídolos*, São Paulo, Companhia das Letras, 2006, "Máximas e flechas", § 34]. "E olhe o que aconteceu com ele", comenta Iain Sinclair citando a observação de Nietzsche, "agitando-se até seus olhos se arregalarem, conversas com cavalos". Iain Sinclair, *London Orbital*, Londres, Granta, 2002, p. 31.

[32] Duncan Large observa que o material anotado na caderneta de Nietzsche foi, em grande parte, registrado quando ele estava a pé, longe de sua mesa de trabalho e dos perigos da "teia de aranha conceitual". (Introduction, in Friedrich Nietzsche, op. cit., 2008, p. xx.)

[33] Friedrich Nietzsche, *Thus Spoken Zarathustra*, Oxford, Oxford University Press, 2008, p. XIII [*Assim falou Zaratustra*, São Paulo, Companhia das Letras, 2011].

quado para se dedicar a uma ação aparentemente em desacordo com ela, e mostra que o filósofo caminhante fica fora da própria tradição filosófica que se acreditava que ele representava.

Recentemente, contudo, houve uma espécie de ressurgimento da teorização da caminhada. Evidentemente, essas teorias não são propriamente novas – existe uma bem consolidada tradição de tentativas de "explicar" a atividade de caminhar de um modo que se aproxima do científico, entre elas a da *Teoria do caminhar* (1833), de Honoré de Balzac, e a *The Physiology of Walking* (1878), de Oliver Wendell Holmes. Mas o que vemos hoje não é uma volta à teoria, pelo menos com o significado que esses dois escritores deveriam atribuir ao termo. Em vez disso, estamos falando de *teoria*, essa palavra bastante incômoda que promete (e frequentemente realiza) algo muito hermético, impenetrável, e quase sempre francês[34].

Preenchendo todos esses critérios, e sendo de longe o mais influente desses testemunhos, *L'Invention du quotidien* (1980) [*A invenção do cotidiano*], de Michel de Certeau, invoca a *Critique de la Vie Quotidienne* (1947) [Crítica da vida cotidiana], de Henri Lefebvre, e *Traité de savoir-vivre à l'usage des jeunes générations* [*A arte de viver para as novas gerações*], de Raoul Vaneigem (1967), tentando compreender e teorizar as práticas do "homem comum" por uma análise dos padrões da sua existência cotidiana. Assim, de Certeau apresenta uma epígrafe para a sua obra, dedicando-a "Ao homem comum. Ao herói comum, uma personalidade ubíqua que caminha nas ruas aos milhares e milhares"[35].

A visão altamente abstrata de Certeau sobre as práticas cotidianas que caracterizam a vida moderna, desde falar e ler até caminhar e cozinhar, apresenta uma curiosa lógica que revela, em uma análise semiótica e poética dessas práticas, padrões e estratégias comuns a todas elas. Desse modo, ele tenta ilustrar a estrutura oculta da vida urbana moderna

---

[34] "Paris continua com a glória", escreve Rebecca Solnit, "de ter os principais teóricos da caminhada". Fora Debord (1950) e de Certeau (década de 1980), Solnit também menciona Christophe Bailly (década de 1990). Bailly classifica o ato de caminhar como a "grammaire generative de jambes" (gramática geradora das pernas), falando da cidade como "uma coleção de histórias, uma memória de si mesma feita pelos caminhantes das ruas". "Se o caminhar sofrer um desgaste", adverte Solnit, "a coleção pode se tornar não lida ou ilegível". Solnit, pp. 212-213. Outro nome que se pode acrescentar ao rol dos teóricos pedestres é o de Jacques Réda, cujas perambulações pela cidade o colocam firmemente dentro da tradição de Baydekaure e Rimbaud. (Réda, *The Ruins of Paris*, trad. de Mark Treharne, Londres, Reaktion, 1996).

[35] Michel de Certeau, *The Practice of Everyday Life*, Califórnia, University of California Press, 2002, epígrafe. (Esta epígrafe não consta da edição brasileira. [N. E.])

que governa a relação entre uma cidade e seus habitantes. Com o título "Caminhadas pela cidade", de Certeau toma Nova York como exemplo, distinguindo duas perspectivas opostas sobre a cidade: a do *voyeur* e a do *caminhante*. Para ele, Nova York é a apoteose da cidade moderna exatamente porque é nela que se percebe a mais nítida divisão entre o caminhante na rua e o *voyeur* no alto dos arranha-céus: "Mas 'embaixo' *(down)*, a partir dos limiares onde cessa a visibilidade, vivem os praticantes ordinários da cidade. Forma elementar dessa experiência, eles são caminhantes, pedestres"[36]. Mas olhando lá de cima para eles, com uma visão total, própria de Deus, estão os *voyeurs*, que vivenciam a cidade como uma vasta totalidade muito distante da sua perspectiva individual:

> Subir até o alto do World Trade Center é o mesmo que ser arrebatado até o domínio da cidade. O corpo não está mais enlaçado pelas ruas [...] Aquele que sobe até lá no alto foge à massa que carrega e tritura em si mesma toda identidade de autores ou de espectadores [...] Sua elevação o transfigura em *voyeur*. Coloca-o a distância[37].

Essa, então, pelo menos para de Certeau, é a distinção que governa a vida urbana moderna, a distinção entre o caminhante e o *voyeur*, e ela enfatiza a importância democrática da perspectiva do nível da rua que se adquire pelo caminhar na cidade e com a religação à vida individual. Tendo em mente essa distinção, fica claro como o simples ato de andar pode-se revestir de uma coloração subversiva, abolindo a perspectiva distanciadora e voyeurística dos que veem a cidade de cima. Pois o olhar totalizador do *voyeur*, que vê a cidade como um todo homogêneo, abrange um espaço urbano anônimo que não vê lugar para identidades individuais ou separadas, e que apaga ou suprime o pessoal e o local.

"A metáfora de de Certeau indica a possibilidade aterradora", escreve Rebecca Solnit,

> [...] de que se a cidade é a língua falada pelos caminhantes, então uma cidade pós-pedestres não somente cai no silêncio como também corre o risco de se tornar uma

---

[36] Michel de Certeau, op. cit., 2000, p. 171.
[37] Ibidem, p. 170.

língua morta, uma língua cujas frases coloquiais, piadas e xingamentos desaparecerão, mesmo se a sua gramática formal sobreviver[38].

Somente resistindo a esse resultado é que o indivíduo pode restabelecer um envolvimento emocional com o seu meio. "Essa história começa ao rés do chão, com passos", conclui de Certeau, e é ali, e não lá em cima, que a verdadeira história da cidade é registrada[39].

---
[38] Solnit, op. cit., 2001, p. 213.
[39] Michel de Certeau, op. cit., 2000, p. 176.

Capítulo 2

# O caminhante como peregrino

*me aprumei, como instado que fizesse,*
*com a pessoa, embora a minha mente*
*curva e humilhada inda permanecesse.* Dante[1]

*Pois todos somos peregrinos.*
William Langland[2]

Em contraste com a relação frequentemente complicada entre o caminhar e a filosofia, na qual a natureza digressiva e de ausência de objetivo do primeiro pode parecer em desacordo com os objetivos mais sistemáticos da última, a peregrinação domina a literatura pré-romântica do caminhar, harmonizando o pensamento e a ação em que o movimento da narrativa se reflete e é reforçado pelos personagens à medida que eles se deslocam em direção a um objetivo sagrado. A dimensão espiritual tem suas raízes nas representações literárias mais antigas do caminhar, e na tradição cristã ela se origina na expulsão de Adão e Eva do Paraíso. Mas é o próprio Cristo quem fornece o modelo para o peregrino medieval, com seu período de três anos de caminhares e pregações intensivas

---
[1] Dante Alighieri, *The Divine Comedy*, Londres, Penguin, 2004, Purgatory, canto XII, vv. 7-9, p. 158 [*A divina comédia*, São Paulo, Editora 34, 2007, v. 2: Purgatório, p. 79, canto XII, vv. 7-9].
[2] William Langland, *Piers Plowman*, Oxford, Oxford University Press, 1992, p. 119.

pela Judeia, uma área que se estende por cerca de 220 quilômetros de Sídon e Tiro, no norte, até Jerusalém, no sul[3].

Nos poemas antigos sobre peregrinação, como *A divina comédia* (1308-21), de Dante, e o *Piers Plowman* (cerca de 1360-87), de William Langland, o caráter de atividade essencialmente sem trama, próprio do caminhar, é encerrado dentro de uma forma poética altamente estruturada, e o caminhar é em si moldado dentro do instrumento alegórico do sonho. Em vez do caminhar, então, vemos sonhos de caminhar, nos quais o pedestre se abstrai do ambiente físico em que está e das provações da verdadeira peregrinação, para se tornar "o caminhante", o símbolo universal do homem comum. Mas, apesar desse sentido de abstração espiritual, o peregrino nunca se divorcia totalmente do domínio da experiência direta, e por mais que a paisagem imaginária se torne visionária e misteriosa, subjaz uma geografia material, reconhecidamente o mundo habitado pelo leitor.

Da perspectiva do século XXI, contudo, em que o impulso religioso da peregrinação foi amplamente transmutado num desejo mais secular de mudança política e cultural, as peregrinações literárias de Dante, Chaucer e Bunyan são frequentemente vistas com uma reverência equivocada que negligencia o fato de que na Idade Média a pureza ascética da peregrinação já havia se reduzido a ponto de os participantes terem a mesma probabilidade de cavalgar e de caminhar[4]. Obviamente, os autores desses poemas estavam muito conscientes do modo como muitos dos seus contemporâneos viam o significado espiritual da peregrinação e do desdém que sentiam pelo peregrino. Na verdade, é reconhecendo essa perspectiva que Thoreau especula sobre a etimologia da palavra "*sauntering*" (perambular):

> [...] lindamente derivada "das pessoas ociosas que andavam pelo campo na Idade Média e pediam auxílio com o pretexto de ir *à la sainte* Terre, para a Terra Santa", até as crianças exclamarem: "Lá vai um *Sainte-Terrer*". Aqueles que nunca iam para a Terra Santa nos seus ca-

---

[3] Joseph A. Amato, op. cit., 2004, p. 45.
[4] Anne D. Wallace observa que, em *Os contos de Canterbury*, "os cavalos são tão indispensáveis quanto os casacos e as botas, e os estilos de cavalgar dos seus proprietários são como partes naturais dos retratos dos peregrinos". (*Walking, Literature, and English Culture: The Origins and Uses of the Peripatetic in the Nineteenth Century*, Oxford, Clarendon, 1993, p. 51.)

minhares, como fingiam, são na verdade simples ociosos e vagabundos [...]

Escreve Thoreau: "Mas os que efetivamente vão para lá são terra-santeiros* no bom sentido"[5]. Contudo, apesar do modo ridículo como a figura do peregrino é frequentemente apresentada na obra de Chaucer e Langland, na qual o ato da peregrinação já é visto como bastante divorciado do seu componente religioso, deve-se notar também a derivação de outra palavra, *"travel"* (viagem), com sua origem em *"travail"*, termo que significa não só trabalho, mas também o sofrimento e as dores do parto[6], pois a viagem feita pelos peregrinos no início da Idade Média tinha pouco em comum com a modalidade dissoluta, divertida e frequentemente equestre praticada na estrada para Canterbury. De fato, esses registros obscurecem as adversidades enfrentadas por aqueles que, no início da história da Igreja, partiram para Roma e Jerusalém. Para esses peregrinos a viagem era, na verdade, um ato de penitência, uma provação a ser suportada na esperança do perdão:

> Na Galícia há florestas fechadas e poucas cidadezinhas [...], mosquitos infestam a planície pantanosa da região sul de Bordeaux, onde o viajante que se afasta da estrada pode afundar na lama até os joelhos. Alguns rios são intransponíveis. Muitos peregrinos se afogaram no Sorde, onde os viajantes e seus cavalos atravessavam o rio em balsas que não passavam de troncos de árvore escavados. Outros rios não podiam matar a sede, como acontecia com a água do Lorca, onde o autor do *Guia* encontrou dois bascos ganhando a vida esfolando os cavalos que morriam depois de bebê-la[7].

---

\* No original: "There goes a Sainte-Terrer", tendo "Sainte Terrer"— palavra usada para designar os perambuladores — se transformado em "saunterer". (N.T.)

[5] Thoreau, "Walking", in Edwin Valentine Mitchell (org.), The Pleasures of Walking, 1975, p. 129. "Apesar da asserção de Thoreau, uma tentativa recente de encontrar indícios que apoiem sua afirmação não foi convincente, como já havia acontecido com um esforço semelhante para demonstrar que 'roam' [perambulação] deriva da peregrinação até Roma. Mas em apoio ao comentário de Chaucer sobre a relutância em caminhar mostrada pelo seu peregrino, parece que 'canter' [meio galope] foi usado pela primeira vez para se referir 'ao modo de viagem a cavalo até Canterbury e conhecido como meio galope de Canterbury' [...] Embora os peregrinos, caso cavalgassem, tivessem de desmontar e caminhar na parte final da jornada para que ela fosse eficaz" (Julia Bolton Holloway, *The Pilgrim and the Book: a Study of Dante, Langland and Chaucer*, Nova York, Peter Lang, 1992, p. 282).

[6] Rebecca Solnit, op. cit. 2001, p. 46.

[7] Jonathan Sumption, *Pilgrimage: An Image of Medieval Religion*, Londres, Faber, 1975, p. 177.

Esse resumo foi extraído do *Guia dos peregrinos de Santiago* e revela o que estava à espera dos peregrinos medievais que se punham no caminho de Santiago de Compostela, enquanto se acredita que metade dos que partiram para Roma em 1350 foram roubados ou assassinados[8]. Mas, apesar dos riscos e agruras, os peregrinos afluíam em enormes quantidades aos locais sagrados da Europa medieval, incentivados pela Igreja e auxiliados, sobretudo, pela ordem beneditina, que emitia instruções para que todos os convidados fossem acolhidos como o próprio Cristo[9]. Evidentemente, nem a Igreja nem os lojistas do lugar ignoravam o potencial econômico apresentado por esse trânsito de penitentes, e as principais rotas de peregrinação medieval logo se caracterizaram por uma série de igrejas, catedrais e abadias, e também pela disponibilidade imediata de imagens e relíquias que diziam ser da Terra Santa. Em relação a isso, o peregrino agia como um pioneiro, e, armado do cajado com que de caminhava e uniformizado com chapéu de aba larga, túnica longa de tecido rústico e sacola com comida e dinheiro, ele se tornaria o viajante emblemático de sua época.

Foi no final da Idade Média que a peregrinação começou a perder sua reputação de experiência atribulada e santa, enquanto o peregrino se tornou uma figura suspeita, um mentiroso cujos "casos de peregrino" eram tratados com zombaria e desconfiança[10]. Essa transição decorreu da política da Igreja de permitir que o pseudoperegrino substituísse a própria peregrinação, com todos os seus perigos, por uma forma bem menos desagradável de penitência, talvez realizada vicariamente por outras pessoas ou até mesmo realizada em seu domicílio:

> Nas vésperas da Reforma, um pregador de Estrasburgo calculou para um prisioneiro confinado em sua cela uma penitência de caminhar dentro do prédio o equivalente a uma peregrinação até Roma para o Jubileu do Ano de 1500. Oferecendo uma espécie de pedômetro espiritual, ele propôs que um prisioneiro poderia caminhar por sua cela durante quarenta e dois dias e depois se dedicar às preces durante sete dias para ganhar uma indulgência.

---

[8] Ibidem, p. 182.
[9] Joseph A. Amato, op. cit., 2004, p. 52.
[10] Julia Bolton Holloway, op. cit. 1992, p. XIII.

Isso equivaleria ao tempo real exigido para ir e voltar de Roma e também ao tempo passado em visita aos locais sagrados da cidade[11].

O papel da peregrinação na literatura se assemelha ao da expedição de busca, pois é uma das formas fundamentais que o caminhar pode assumir, a expedição em busca de algo, a jornada para um objetivo, mesmo que intangível, e, nesse caso, a busca da transformação da própria pessoa por intermédio de Deus. A peregrinação só difere da expedição de busca pelo fato de seu protagonista ser essencialmente passivo, "sua principal atividade é precisamente a de *passar*, não a de confrontar"[12]. De Malory a Milton, de Cervantes a Bunyan, as metáforas do caminhar e da viagem são básicas na narrativa, tão básicas, na verdade, que quase não as notamos. De fato, exatamente do mesmo modo como o ato de escrever expressa uma viagem pelo campo da imaginação, assim também o próprio ato de ler reflete essa jornada, na medida em que o leitor é conduzido numa jornada com o autor como guia. Desse modo, pode-se considerar que a distinção entre caminhar e ler se dissolve à medida que o ato de caminhar se torna o meio de "ler" uma paisagem, e em nenhum outro lugar essa omissão da leitura e da caminhada é mais aparente do que n'*A divina comédia* de Dante, o arquetípico poema da peregrinação.

"Ocorre-me a questão", escreve o caminhante e escritor Bruce Chatwin, "e muito seriamente: quantas solas de sapato, quantas solas de couro de boi, quantas sandálias Dante Alighieri gastou ao longo da sua obra poética, vagando pelas trilhas de cabras da Itália"[13], pois a jornada de Dante pelos três reinos da alma depois da morte, com Virgílio e posteriormente Beatriz como seus guias (e do leitor), é também uma excursão pela paisagem imaginativa da Itália do século XIV, a paisagem em que o próprio Dante vagou durante mais de duas décadas no exílio de Florença, sua terra natal. Notoriamente complexa em sua estrutura e sofisticada

---

[11] Joseph A. Amato, op. cit., 2004, p. 52.
[12] Roger Gilbert, *Walks in the World: Representation and Experience in Modern American Poetry*, Princeton, Princeton University Press, 1991, p. 36.
[13] Chatwin, *The Songlines*, p. 227. Ilustrando o grau em que a poesia de Dante estava ligada ao ato de caminhar, Chatwin cita Osip Mandelstam em seu artigo "Conversation about Dante": "O Inferno e especialmente o Purgatório glorificam o andar humano, a medida e o ritmo da caminhada, o pé e sua forma. O passo, ligado à respiração e saturado de pensamento: isso Dante entende como tendo sido o início da prósodia". Osip Mandelstam, 'Conversation about Dante', trad. de Clarence Brown (1965) e citado em Chatwin, *The Songlines*, p. 228.

no significado simbólico, *A divina comédia* é, no fundo, uma história de viagem na qual o movimento da narrativa é ditado pelo movimento dos personagens enquanto completam sua jornada circular pelo Inferno, Purgatório e Céu. E, como todos os bons peregrinos, Dante realiza sua viagem a pé, partindo na noite da véspera da Sexta-Feira Santa e voltando uma semana depois, na quarta-feira depois da Páscoa de 1300. Um poema épico alegórico que aparentemente se distancia do âmbito da experiência direta que o caminhar literário geralmente habita, *A divina comédia* é, na verdade, uma jornada dupla em que a luta do homem comum para atingir o conhecimento de Deus é associada às lembranças que Dante guarda do seu eu jovem e de sua jornada pela vida. Essa duplicação se reflete também na divisão entre o Dante peregrino e o Dante poeta, o primeiro como um personagem dentro da história contada pelo segundo. Assim, verdade, lembranças e ficção estão entrelaçadas desde o início, quando Dante se vê sozinho na floresta escura:

> A meio caminhar de nossa vida
> fui me encontrar em uma selva escura:
> estava a reta minha via perdida[14].

Não é o escopo deste livro tentar explorar em detalhes a obra de Dante. Sua inclusão aqui é simplesmente um meio de ilustrar como o peregrino acaba simbolizando não somente a jornada alegórica em direção a Deus, mas também a jornada pela própria vida, uma jornada que, na Idade Média, inevitavelmente se fazia – fosse qual fosse a posição da pessoa na sociedade – em grande parte a pé. Assim, do mesmo modo que a celebrada abertura do poema de Dante pode perfeitamente simbolizar a existência pecaminosa do homem enquanto ele tropeça pelo caminho da redenção, ela pode também lembrar a descrição que o próprio Dante faz das suas lutas antigas, como um homem degredado, banido de sua terra natal e forçado a levar uma vida de vagabundo: "Eu errei por quase todas as regiões pelas quais se estende a nossa língua, um estranho, quase um mendigo [...] Na verdade, tenho sido um navio sem

---

[14] Dante Alighieri, *Divine Comedy*, Oxford, Oxford World's Classics, 2008, Inferno, p. 25, canto I, vv. 1-3, p. 47 [*A divina comédia*, São Paulo, Editora 34, 2007, v. 1: Inferno, p. 25, canto I, vv. 1-3].

marinheiro nem leme, flutuando em direção a portos, enseadas e praias, levado pelo vento abrasador que exala dolorosa pobreza"[15].

Enquanto o poema de Dante enfatiza a dimensão espiritual da peregrinação, usando a alegoria para distanciar a sua jornada das realidades da vida cotidiana, Chaucer de certo modo reverte o processo em *Contos da Cantuária* (1380-92), nos quais (com exceção do "Conto do pároco"); o lado espiritual é quase totalmente ignorado, cedendo lugar aos aspectos mais seculares e cotidianos da peregrinação. No entanto, na exposição de Chaucer os peregrinos que se afastam da Hospedaria Tabard tendem a fazê-lo a cavalo, e com isso não somente invalidam as suas próprias tentativas de cumprir penitência como também impedem que os *Contos da Cantuária* ganhem um lugar nesse registro. Uma alternativa mais rigorosamente pedestre à obra de Chaucer, contudo, e que compartilha a sua visão quase idealizada do peregrino é o *Piers Plowman* (cerca de 1360-87), de William Langland.

Pouco se sabe sobre o autor de *Piers Plowman* [Piers, o Lavrador], e grande parte do que sabemos se baseia nos indícios autobiográficos do poema que, como *A divina comédia* de Dante, é narrado pelo personagem do próprio autor. Impresso pela primeira vez no século XVI e atribuído equivocadamente a vários autores, entre eles Chaucer, *Piers Plowman* deve menos ao poema de Chaucer que ao de Dante, pois, como *A divina comédia*, o poema de Langland também é um misto de alegoria e comentário social, e descreve igualmente uma peregrinação circular, um processo transformador que conduz o peregrino a si mesmo pelo conhecimento de Deus. Escrito em versos com aliterações e sem rima, e dividido em seções chamadas *passus*, palavra latina para "passos" – o que condiz com um relato de peregrinação –, *Piers Plowman* é estruturado em torno de três formas distintas de peregrinação dispostas uma sobre a outra, todas ridicularizando implicitamente a instituição: a primeira delas descreve o narrador Will e sua busca para encontrar a Santa Verdade e ganhar a salvação; a segunda é a busca pelos personagens alegóricos Faça-Bem, Faça-Melhor e Faça-o-Melhor; e na terceira, que está no final do livro, começa a busca por *Piers Plowman*. Esses três objetivos entrelaçados

---

[15] Dante, "Il Convivio" (1, 3), in Paolo Milano (org.), *The Portable Dante*, Harmondsworth, Penguin, 1977, p. XIV.

representam aspectos da jornada do indivíduo pela vida, combinando a jornada física com a jornada espiritual interior na direção de Deus[16].

O poema começa em Malvern Hills, em Worcestershire, onde, mais uma vez, o peregrino começa sua jornada a pé, uma figura solitária, um vagabundo que perdeu o caminho:

> Num dia de verão, com sol brando, eu me vesti com uma roupa de lã de carneiro, como um eremita de vida ímpia, e vagabundeei por este mundo afora, atento aos seus acontecimentos estranhos e maravilhosos. Mas numa manhã de maio, em Malvern Hills, vinda do desconhecido, uma coisa maravilhosa me aconteceu. Eu estava cansado de caminhar perdido e me pus à parte para descansar ao pé de um barranco, na margem de um regato. E ao me deitar e olhar para a água eu fiquei sonolento e caí no sono, de tal forma era a doce a música do regato[17].

Desde o início, assim, o motivo da jornada é dominante, e por todo o poema somos lembrados de que "a atividade própria de um poeta, sonhador e leitor é viajar"[18]. Novamente a narrativa é dirigida pelo movimento incessante dos personagens, um movimento deliberado que ocorre ao longo da vida, encapsulado na figura do simples andarilho, talvez o símbolo mais evocativo em toda a literatura da Idade Média. Aqui a atividade de caminhar assume um significado moral, como símbolo de pobreza e simplicidade, e, ao converter um mero arador em herói do seu poema, Langland implicitamente questiona a estrutura social vigente na Inglaterra do século XIV, contrastando a vida cotidiana do povo com os abusos da Igreja estabelecida.

O sonho de Will no prólogo é um prelúdio de uma série de visões em que se mostra que a "Terra Média" da Inglaterra do século XIV existe precariamente entre os extremos do céu e do inferno, pois o mundo que *Piers Plowman* explora é, ao mesmo tempo, atemporal e enraizado no cotidiano: "A Inglaterra e nenhum lugar. Nunca e sempre"[19]. Na sua jornada

---

[16] Barbara A. Johnson, *Reading Piers Plowman and The Pilgrim's Progress: Reception and the Protestant Reader*, Carbondale, Southern Illinois University Press, 1992, p. 115.
[17] William Langland, op. cit. 1992, p. 1.
[18] Elizabeth Salter, *Piers Plowman: An Introduction*, Oxford, Blackwell, 1969, p. 90.
[19] A. V. C. Schmidt, "Introduction", in William Langland, op. cit., 1992, p. XXVLL.

por uma paisagem sobrenatural e ao mesmo tempo reconhecidamente a sua, Will encontra uma série de personagens, alguns dos quais são personificações alegóricas de ideias, como Razão e Consciência, ao passo que outros seriam uma visão conhecida para o viajante da Idade Média:

> Ele estava segurando um bastão em torno do qual uma tira larga de tecido se enrodilhava de alto a baixo como uma madressilva. Trazia no flanco uma tigela e uma bolsa; no seu chapéu estava pousada centena de garrafinhas minúsculas e conchas trazidas como lembrança da Galícia, ornamentos se cruzavam na sua capa, um modelo das chaves de Roma, e no seu peito havia uma imagem de Cristo, como a de Verônica. Esses emblemas tinham a intenção de informar ao mundo de modo geral que ele havia visitado todos aqueles santuários de peregrinação. A primeira coisa que as pessoas lhe perguntavam era de onde ele vinha.
>
> – Do Sinai – respondia ele –, e do túmulo de Nosso Senhor. Eu estive em Belém, na Babilônia, na Armênia, em Alexandria e em muitos outros lugares. Pelas lembranças que estão no meu chapéu você pode ver que eu caminhei até muito longe em busca de muitos santos, para o bem da minha alma[20].

"Palmeira", um peregrino que visitou a Terra Santa, não consegue ajudar Will na sua busca da santa Verdade, pois, apesar de todas as suas insígnias e relíquias de peregrino, ele não avançou nem um pouco na verdadeira jornada em direção a Deus, sendo sua presença meramente simbólica da hipocrisia da instituição da peregrinação.

O poema termina quando o sonhador acorda, e a palavra final é dada não a Will, mas à Consciência: "Querido Cristo!", gritou a Consciência, "vou me tornar peregrino, então. Vou caminhar até os limites distantes do horizonte e caçar a terra inteira por Piers, o Lavrador"[21]. Não há epílogo ou posfácio no poema, pois nesse ponto a voz da Consciência é a do sonhador desperto, e sua promessa de continuar "caminhando pelo

---

[20] William Langland, op. cit., 1992, p. 59-60.
[21] Ibidem, p. 254.

mundo" pode ser considerada a verdadeira mensagem do poema – a convocação para embarcar na peregrinação interior em direção a Deus – e também uma exortação para que o leitor faça o mesmo[22].

Essa exortação para o possível peregrino encontra uma confirmação mais explícita na "apologia de seu livro pelo autor" com que John Bunyan começa *O peregrino* (1678):

> Este livro de ti fará verdadeiro viajante.
> E se por ele te deixares guiar adiante,
> Até a Terra Santa te levará, nas monções,
> Desde que compreendas as suas orientações.
> Sim, fará os inertes ativos, rijos,
> E aos cegos, pudera, fará ver prodígios[23].

O livro de Bunyan é de fato uma convocação para a luta, desenvolvendo a metáfora cristã da vida como peregrinação para fornecer apoio concreto para o leitor em sua própria jornada em direção a Deus. E novamente a figura simbólica do andarilho que avança firmemente por um ambiente inóspito é empregada desde o início: "Andando pelas regiões desertas deste mundo, achei-me em certo lugar onde havia uma caverna; ali deitei-me para dormir e, dormindo, tive um sonho"[24]. A jornada revelada nesse sonho, no qual o peregrino, cristão, viaja de sua cidade natal, a Cidade da Destruição, para a Cidade Celestial do Mundo Vindouro, talvez seja a obra alegórica mais famosa da língua inglesa, garantindo que marcos tão conhecidos quanto Feira das Vaidades e Atoleiro do Desânimo adquirissem uma sobrevida que transcende os limites do texto.

"A peregrinação", escreve Rebecca Solnit, "tem como premissa a ideia de que o sagrado não é inteiramente imaterial e que há uma geografia do poder espiritual", e, nessa literatura da peregrinação, os marcos topográficos de Bunyan continuam sendo os mais amplamente reconhecíveis[25]. Mas, apesar da familiaridade desse ambiente, tanto para Bunyan quanto para o seu público leitor posterior, o caminho do peregrino é

---

[22] Ibidem, p. 351, nota 254.
[23] John Bunyan, *The Pilgrim's Progress*, Londres, Penguin, 1965, p. 8 [*O peregrino*, São Paulo, Mundo Cristão, 2006, p. xvi].
[24] Ibidem [p. 3].
[25] Rebecca Solnit, 2001, p. 50.

ainda inimaginavelmente difícil, como se Bunyan quisesse, de propósito, enfatizar a traição inerente que encerram as paisagens familiares mais tranquilizadoras[26]. Afinal, o ato de caminhar não é sempre tão natural quanto parece, lembra-nos Bunyan, e frequentemente pode tirar um peregrino do seu caminho certo enquanto o faz avançar:

> Ora, reparei no meu sonho que logo adiante o rio e o caminho se separavam. O fato muito desgostou os peregrinos, que nem por isso se desviaram do caminho. Agora a trilha, longe do rio, era acidentada, e seus pés se achavam doloridos em razão de tanta viagem, motivo por que a alma dos peregrinos se abateu bastante [...]. No íntimo desejavam vereda melhor.
>
> Um pouco adiante havia do lado esquerdo da estrada um prado, e uma escada que, passando por sobre o muro, chegava até lá. O prado se chama Atalho. Cristão disse ao companheiro:
>
> – Já que esse prado fica rente ao nosso caminho, vamos passar para lá. – Foi até a escada para olhar, e eis que havia uma trilha do outro lado do muro. – É isso o que eu queria. Eis aqui um caminho mais fácil. Vamos, meu bom amigo, passemos para o outro lado[27].

Ao tomarem o caminho mais fácil, os peregrinos se condenam a um sofrimento maior, e obviamente o atalho que tomam leva não à Cidade Celestial, mas ao Castelo da Dúvida e às terras do gigante Desespero, pois o peregrino com o pé dolorido precisa não só completar sua árdua jornada como também completá-la da maneira certa, já que qualquer desvio do caminho termina não na salvação, e sim na danação.

Apesar de Bunyan desconhecer a tradição literária, *O peregrino* apresenta semelhanças claras com *A divina comédia*, de Dante, e o *Piers Plowman*, de Langland[28]. A teologia puritana de Bunyan pode estar em desacordo com a dos seus predecessores, mas *O peregrino* compartilha muitos

---

[26] Kim Taplin, *The English Path, Woodbridge, Suffolk*, The Boydell Press, 1979, p. 134.
[27] John Bunyan, op. cit., 2006 p. 156-157.
[28] Na verdade, as semelhanças são tão claras, particularmente entre as suas primeiras linhas e as d'*A divina comédia*, que Bunyan foi forçado a se defender de acusações de plágio.

dos recursos alegóricos dessas duas obras mais antigas, como a visão de sonho e a personificação das características humanas. E do mesmo modo que Langland, e em grau menor Dante, baseiam-se nas paisagens familiares da sua terra natal na descrição das jornadas imaginárias, assim também a jornada cristã se origina numa "estrada do século XVII, lamacenta e com poucas indicações, que sobe por colinas, atravessa vales escuros e brejos lúgubres" nos quais "o cansaço das pernas doídas nunca está muito longe"[29]. A paisagem imaginária de Bunyan se baseia nas realidades físicas adversas da sua própria Bedfordshire rural, e os obstáculos que o cristão precisa superar originam-se nas jornadas que ele próprio deve ter empreendido. É por essa razão que outro caminhante literário, Iain Sinclair, classificou a obra de Bunyan como "o supremo livro de caminhada em língua inglesa, em que a jornada física que ele realiza se torna fábula nessa mitologia cristã, mas na verdade todos os lugares podem ser mapeados"[30]. De fato, houve muitas tentativas de identificar os equivalentes topográficos dos pontos de referência imaginários de Bunyan: acredita-se que as Montanhas Aprazíveis se baseiam nas Chilterns, e toda a peregrinação do cristão pode muito bem encontrar as suas raízes na jornada que Bunyan sempre fazia de Bedford a St. Albans, e de lá até Londres. Mas o grande sucesso da obra de Bunyan (houve uma época em que esse era o livro em inglês mais lido e traduzido, sem considerar a Bíblia) deve-se precisamente à sua capacidade de transcender as especificidades da sua época e do seu lugar, e foi a força imaginativa de *The Pilgrim's Progress* que garantiu o seu encanto.

À medida que – pelo menos nas sociedades ocidentais predominantemente cristãs – o impulso religioso para a peregrinação perdeu força, o mesmo aconteceu com a literatura que ele inspirava. No entanto, o ato da peregrinação continua, embora os objetivos espirituais que animavam seus participantes medievais tenham gradualmente cedido lugar a alternativas culturais e políticas, com o resultado de que essas peregrinações agora não se distinguem de outras formas de viagem ou protesto político mais amplos[31]. Mas duas figuras cuja obra

---

[29] N. H. Keeble, "Introduction", in John Bunyan, *The Pilgrim's Progress*, Harmondsworth, Penguin, 1965, p. XIV.
[30] Nicholson, *The Lost Art of Walking*, Chelmsford, Harbour Books, 2010, p. 52.
[31] Rebecca Solnit escreve: "Nos últimos cinquenta anos, mais ou menos, houve a evolução de uma grande variedade de peregrinações seculares e não tradicionais que estenderam a ideia da peregrinação até as esferas política e econômica [...] partindo do pedido de intervenção divina ou milagre até a exigência de mudança

até agora raramente, ou talvez nunca, apareceram na mesma página oferecem um adendo inesperado à literatura da peregrinação: Hilaire Belloc e Werner Herzog.

A obra de Hilaire Belloc (1870-1953), o anglo-francês convertido ao catolicismo que era um escritor prolífico e um caminhante prodigioso, está hoje quase totalmente esquecida, sua reputação se mantendo, em grande parte, graças ao livro de poesia infantil *Cautionary Tales* (1907). Na virada do século passado, entretanto, ele era, com seus contemporâneos H. G. Wells e G. K. Chesterton, um dos autores mais lidos de sua época. No ensaio "The idea of a Pilgrimage" (1904), Belloc reconhece que o peregrino da época moderna pode ser motivado por pouco mais do que um desejo de ver o mundo e de compartilhar as suas experiências com os outros:

> Pois um homem que faz uma peregrinação se sai melhor se começa [...] com o coração de um vagabundo, ansiando pelo mundo tal como ele é, esquecido de mapas ou descrições, mas faminto de cores e homens reais e da aparência das coisas [...] a peregrinação deve ser nada mais do que um tipo de viagem mais nobre em que, conforme nossa idade e inclinação, contamos as nossas histórias, fazemos nossos desenhos ou compomos nossas músicas[32].

Para Belloc, um católico empenhado, a peregrinação era um ato de devoção religiosa e fonte de estímulo criativo, estando o ato de caminhar intimamente ligado às histórias que essa atividade inevitavelmente gerava. Por essa razão, Belloc despreza as outras formas de locomoção, classificando o ciclismo como "agitado", ao passo que via dirigir carros como algo luxuoso demais e também perigoso (embora não no sentido convencional, e sim "porque constantemente nos põe diante de serviçais e bajuladores")[33]. Somente quando caminhamos podemos superar as divisões de classe social e nos pôr em sintonia com o ambiente: "o melhor modo entre todos é a pé, quando se é um homem como qualquer outro,

---

política. Com isso a audiência deixou de ser Deus ou os deuses para ser o público". (op. cit., 2001, p. 54-57.)
[32] Hilaire Belloc, "The Idea of Pilgrimage", in *Hills and the Sea*, Londres: Methuen, 1906, p. 230-231.
[33] Ibidem, p. 234.

com o céu acima e a estrada abaixo, e o mundo por todos os lados, e tempo para ver tudo"[34].

Belloc certamente praticava o que pregava, tendo publicado uma série de livros que documentavam suas andanças, entre eles um relato das muitas visitas que fez aos Pirineus (*The Pyrenees*, 1909), assim como uma árdua recriação da peregrinação medieval entre Winchester e Cantuária (*The Old Road*, 1904). O Caminho dos Peregrinos, como é conhecido esse percurso de 192 quilômetros, foi percorrido por Belloc e seu companheiro em pleno inverno, sem mochila, numa média de 19 a 32 quilômetros por dia, "para que ele pudesse tentar sentir o que sentiram aqueles que, seiscentos ou setecentos anos antes, viajaram pelo Caminho dos Peregrinos e resgatar até certo ponto as experiências vividas por eles"[35]. Anterior a esses relatos, contudo, é o livro que firmou a reputação de Belloc, vendendo mais de 120 mil exemplares e revivendo quase sozinho o mercado adormecido da literatura sobre peregrinação.

*The Path to Rome* (1902) rememora a jornada feita por Belloc no ano anterior, começando em Toul, na França, onde ele tinha cumprido o serviço militar, e seguindo por um caminho o mais direto possível até Roma, onde ele concluiria a viagem assistindo à missa na Praça de São Pedro. Antes de partir, Belloc, como gerações de peregrinos antes dele, fez um voto: "Vou andar durante todo o caminho, e não me valer de nada que tenha rodas; vou dormir ao relento, e percorrer cinquenta quilômetros por dia, e vou assistir à missa toda manhã"[36].

Se Belloc tivesse se aferrado a essas resoluções, *The Path to Rome* teria sido um livro muito diferente – bem menor, talvez – e certamente menos divertido; mas por sorte ele logo se viu incapaz de manter o regime severo que havia se proposto, e, tendo passado a primeira noite ao relento, na maioria das outras dormiu numa cama[37]. Às vezes ele também optou por carroças e ocasionalmente pelo trem, em detrimento do caminhar. Viajando quase sem bagagem, com uma roupa de linho e o indefectível bastão, Belloc efetivamente "levava uma vida dura", o que ele próprio admitiu, embora isso se devesse não a um ascetismo autoimposto, mas

---
[34] Idem.
[35] Marples, op. cit., 1959, p. 160.
[36] Hilaire Belloc, *The Path to Rome*, Londres, George Allen, 1902, p. VIII.
[37] Belloc rejeitou prontamente o seu "plano livresco" de dormir ao relento, e de um total de 26 noites passou dezessete em hotéis ou hospedarias (Marples, op. cit., 1959, p. 157).

ao planejamento insuficiente e à falta de dinheiro. De qualquer forma, Belloc não se afastou do seu plano, indo pelo caminho mais direto e frequentemente se afastando da estrada se ela o levasse a se desviar muito do seu rumo. Mas, assim como o peregrino de Bunyan, ele aprendeu com os próprios erros: eventualmente os atalhos acarretavam consequências terríveis, tendo Belloc certa vez vivido uma "aventura maravilhosa e horripilante", quando tentou atravessar da França para a Itália por um desfiladeiro alpino, escapando por um triz da morte numa nevasca[38]. Forçado a voltar pelo mesmo caminho, ele completou a jornada, mas suas experiências pelas paisagens rurais da Europa e particularmente pelas montanhas deixaram uma marca indelével nos seus escritos, transformando o catolicismo ardoroso em algo próximo da adoração à natureza:

> As grandes nuvens pairavam no céu, separadas, como pessoas; e não havia vento, mas tudo estava cheio de noite. Eu as adorei até onde é permitido adorar coisas inanimadas. Lá em cima elas abobadavam na pura luz do ar, invioláveis. Pareciam paradas na presença de uma majestade poderosa que as ordenava. A visão me deixou cheio de uma grande calma [...] eu adormeci, pensando ainda nas formas das nuvens e no poder de Deus[39].

A fé de Belloc sobreviveu à sedução das montanhas, e a jornada reafirmou suas crenças espirituais, mas esse componente não foi o único e nem mesmo o predominante em sua peregrinação; ele admite que termina a jornada com uma boa história para contar, e é isso, o benefício da criação, e não o religioso, que ele reconheceria como o principal objetivo durante toda a jornada[40].

Cerca de setenta anos depois, Werner Herzog atravessaria a Europa a pé, na direção oposta, novamente concedendo ao ato de caminhar um significado muito além do seu uso cotidiano. Herzog é mais conhecido como diretor de cinema, mas ele também expôs seu caminhar em *Of Walking in Ice* [*Caminhando no gelo*] (1978), um dos mais estranhos e sinceros relatos já publicados sobre essa atividade. A obra tem a forma de

---

[38] Marples, op. cit., 1959, p. 156.
[39] Hilaire Belloc, op. cit., 1902, p. 328-329.
[40] Marples, op. cit., 1959, p. 155.

diário, registrando uma jornada épica a pé durante um período de três semanas no inverno de 1974, de sua casa, em Munique, até o hospital parisiense onde estava a alemã Lotte Eisner, sua amiga e colega de profissão.

> No final de novembro de 1974, um amigo ligou e me disse que Lotte Eisner estava gravemente doente e talvez não resistisse. Eu disse que não poderia ser, não naquele momento em que o cinema alemão não se sairia bem sem ela, que nós não permitiríamos que ela morresse. Peguei um paletó, uma bússola e uma mochila com o indispensável. Minhas botas eram tão resistentes e novas que eu confiei nelas. Parti, tomando o caminho mais direto para Paris e acreditando plenamente que ela continuaria viva se eu fosse a pé[41].

Talvez em nenhum outro texto da literatura sobre o caminhar essa atividade tenha sido dotada de uma força tão extraordinária, pois Herzog achava que essa caminhada cumpriria uma função sagrada, um ato de vontade que, de algum modo, impediria a morte da amiga e mentora. Caminhando em condições frequentemente atrozes e submetido a uma espantosa série de problemas físicos, Herzog elaborou um relato que muda drasticamente, do eufórico – "Um arco-íris diante de mim subitamente me enche da maior confiança. Que sinal magnífico, acima e diante de quem caminha. Todos deveriam Caminhar" – ao mal-humorado – "Enquanto eu cagava, uma lebre veio e, sem me notar, ficou ao alcance da mão. Aguardente clara sobre a minha coxa esquerda, que dói desde a virilha a cada passo que eu dou. Por que o caminhar é tão cheio de desgraças?"[42]. Essas mudanças súbitas no registro à medida que Herzog tropeça na direção de seu objetivo emprestam ao livro um tom febril, quase delirante, em que observações aparentemente mundanas – "Passa-se por muito lixo descartado enquanto se anda" – intercalam-se com momentos de consciência ampliada, em que os detritos do cotidiano assumem um aspecto surreal, embora levemente sinistro – "Os maços de cigarros à margem da estrada me fascinam muito, sobretudo quando não estão amassados, mas ligeiramente destruídos, assumindo um caráter

---

[41] Werner Herzog, *Of Walking in Ice* (1978), Nova York, Free Association, 2007, Prefácio. [*Caminhando no gelo*, Rio de Janeiro, Paz e Terra, 1982]
[42] Ibidem, p. 42, 17.

cadavérico, as quinas tendo perdido a rigidez, e o celofane, que a umidade fez turvar a partir do interior, formando pingos de água no frio"[43]. A jornada se completa quando um Herzog de pés doloridos chega a Paris para encontrar Eisner viva e se recuperando da sua doença:

> Ademais, apenas isto: fui até a casa de Madame Eisner, ela estava ainda cansada e marcada pela doença. Alguém deve ter-lhe contado por telefone que eu viajara a pé – eu não queria mencionar isso. Fiquei constrangido e coloquei minhas pernas doídas na segunda poltrona, que ela havia arrastado até onde eu estava. Naquele embaraço, passou pela minha cabeça uma ideia e, uma vez que de qualquer maneira a situação era estranha, eu lhe contei o que havia pensado. "Juntos", eu disse, "vamos acender o fogo e parar de pescar". Então ela olhou para mim e sorriu com muita delicadeza, e, sabendo que eu era um pedestre e, portanto, desprotegido, me entendeu. Durante um momento esplêndido e fugaz, uma suavidade fluiu por meu corpo mortalmente cansado. Eu lhe disse: "Abra a janela. Desses dias em diante eu posso voar"[44].

O feitiço lançado pela monumental peregrinação de Herzog era altamente potente – Eisner não somente sobreviveu como viveu mais uma década. Na verdade, parece que ela poderia ter vivido para sempre se Herzog não tivesse intercedido a seu favor, libertando-a do encanto que ele havia operado:

> Lotte viveu até os noventa e alguns, e, anos depois da viagem a pé, quando estava quase cega, não andava nem lia e nem assistia a filmes, ela me disse: "Werner, aquele encanto lançado sobre mim não me permite morrer. Eu estou cansada da vida. Agora seria uma boa hora para mim". Brincando, eu disse: "Tudo bem, Lotte, eu agora retiro o encanto". Três semanas depois ela morreu[45].

Herzog é uma espécie de filósofo a respeito do caminhar, se é que podemos chamá-lo assim, ao afirmar que não há de fato uma expressão em

---
[43] Ibidem, p. 7, 14.
[44] Ibidem, p. 6.
[45] Werner Herzog, *Herzog on Herzog*, Londres, Faber, 2002, p. 281.

inglês, preferindo *"travelling on foot"*[46]. Ele discutiu com alguma minúcia o tema, afirmando que a atividade tem uma qualidade fundamental que é essencial à nossa verdadeira natureza, uma natureza em crescente desacordo com o aspecto sedentário da vida moderna:

> Os seres humanos não são feitos para se sentar diante de uma tela de computador ou viajar de avião. O destino planejou algo diferente para nós. Estamos há tempo demasiado afastados do essencial, que é a vida nômade: viajar a pé. É preciso traçar uma distinção entre *hiking* e viajar a pé. Na sociedade atual – embora fosse ridículo defender a viagem a pé para todos e para todos os destinos possíveis –, eu pessoalmente preferiria fazer a pé as coisas existencialmente essenciais da minha vida. Se você mora na Inglaterra e sua namorada na Sicília, e está claro que você quer casar-se com ela, então você deve caminhar até a Sicília para pedi-la em casamento. Para essas coisas, viajar de carro ou de avião não é o certo. O volume, a profundidade e a intensidade do mundo só são experimentados pelos que estão a pé[47].

Em 1999, Herzog publicaria um manifesto sofrível, a "Declaração de Minnesota"[48]. Aparentemente uma carta de doze pontos que exporia os fundamentos do documentário cinematográfico, trata-se na verdade de um documento altamente excêntrico que apresenta declarações como "A lua é sem graça. Mãe Natureza não chama, não fala com você, embora uma geleira acabe peidando. E não ouça a Canção da Vida". No número sete da relação, há um resumo felizmente conciso da sua filosofia do caminhar: "Turismo é pecado, e viagem a pé é virtude". Para Herzog, caminhar é um ato de peregrinação e, ao contrário da afirmação de seus precursores medievais, o sagrado compõe o próprio ato de

---

[46] Em conversa com Paul Holdengraber, Herzog comenta: "Eu teria cuidado em chamar isso de caminhar. Não há uma expressão correta em inglês. Eu diria "viajar a pé". E viajar a pé é algo que nós perdemos na nossa civilização. Mas nós somos feitos para viajar a pé – fisicamente somos feitos para viajar a pé, e na nossa mente nos movermos a certo ritmo, vendo as coisas com intimidade, vendo os detalhes, e estando *en route* temos apenas encontros notáveis" (*Werner Herzog: The Legend Returns*, 23/mar./2011. Disponível em: http://www.intelligencesquared.com/micro-site/herzog).
[47] Werner Herzog, op. cit., 2002, p. 280.
[48] Werner Herzog, *Minnesota Declaration: Truth and Fact in Documentary Cinema*, Walker Art Center, Minneapolis, 30/abr./1999. Disponível em: http://www.wernerherzog.com/52.html.

caminhar, e não sofre a mediação do alcance de um objetivo espiritual. Bruce Chatwin, seu amigo e companheiro de viagens a pé, compartilhava dessa filosofia, descrevendo o que chamava de aspecto "sacramental" do caminhar e confirmando a crença de Herzog de que caminhar "não é somente terapêutico para a pessoa, mas também uma atividade poética que pode curar o mundo de seus males"[49]. Foi em consequência dessa crença que o próprio Chatwin pediu ajuda ao amigo quando estava muito doente, esperando, sem dúvida, que Herzog pudesse mais uma vez convocar os poderes de cura que empregara com tão bom resultado em Lotte Eisner. No fim das contas, Herzog pouco pôde fazer para evitar a morte de Chatwin, mas o relato do último encontro que eles tiveram é, ao mesmo tempo, uma reflexão pungente sobre o papel fundamental que o caminhar desempenhara na relação entre os dois e também uma lembrança da poderosa reação emocional que essa atividade ainda é capaz de despertar:

> Bruce havia chamado Werner Herzog porque achava que o diretor tinha poderes de cura [...] Ele estava um esqueleto, já não restava mais nada dele, e de repente ele gritou para mim: "Eu preciso ir para a estrada outra vez, eu preciso ir para a estrada outra vez". E eu lhe disse: "Isso, o seu lugar é lá". E ele disse: "Você pode vir comigo?". E eu disse: "Posso, claro, nós vamos caminhar juntos". E então ele disse: "A minha mochila é muito pesada". E eu disse: "Bruce, eu carrego a mochila". E nós conversamos sobre aonde iríamos a pé, e ele, de repente, teve um momento de lucidez quando a sua coberta não o estava agasalhando, e a todo momento eu o virava, porque seus ossos doíam, e ele chamava as suas pernas de "os meninos". Ele disse: "Você pode pôr o menino da esquerda desse lado, e o menino da direita por cima dele?". E ele olhou para o seu corpo, e viu que as pernas eram dois espetos, e então olhou para mim nesse momento de lucidez e disse: "Eu nunca mais vou voltar a andar". Ele disse: "Werner, eu estou morrendo". E eu disse: "É, eu sei". E então ele disse: "Você precisa carregar a minha mochila, você é a pessoa que deve

---

[49] Bruce Chatwin, "Werner Herzog in Ghana", in *What Am I Doing Here*, Londres, Vintage, 2005, p. 138-139.

carregá-la". E eu disse: "Carrego, sim, vou fazer isso com orgulho". E eu tenho a mochila, e ela é uma coisa que eu prezo muito. Se a minha casa pegar fogo, eu vou atirar meus filhos pela janela, mas entre todos os meus bens seria a mochila que eu me preocuparia em salvar[50].

---
[50] Nicholas Shakespeare, *Bruce Chatwin*, Londres, Vintage, 2000, p. 530-531.

Capítulo 3

# O caminhante imaginário

❦

*Não é preciso ter pernas para ser nômade.*
Zygmunt Bauman[1]

18 de setembro de 1955. *Hoje terminei o segundo ano da minha excursão a pé [...] Se continuar minha andança, devo permanecer equilibrado.*
Albert Speer[2]

Na apresentação de *The Pleasures of Walking* (1934), Edwin Valentine Mitchell observa: "Um tipo de caminhar que eu não me lembro de ser mencionado em nenhum lugar da literatura sobre o assunto é o caminhar imaginário"[3]. Embora ignorado por Mitchell, o ato do caminhar imaginário tem uma história ilustre, com suas raízes na popular prática da viagem na poltrona, na qual a imaginação do pretenso viajante lhe permite transcender os limites do tempo e do espaço. Richard Holmes identificou o poeta pré-romântico William Cowper como um dos pioneiros dessa técnica, um processo que o ajudou a superar uma depressão incapacitante, possibilitando-lhe fugir momentaneamente dos limites

---
[1] Zygmunt Bauman, "Desert Spectacular", in Keith Tester (org.), *The Flâneur*, Londres, Routledge, 1994, p. 155.
[2] Albert Speer, *Spandau: The Secret Diaries*, Londres, Collins, 1976, p. 295.
[3] Edwin Valentine Mitchell, Introductory Note, in Edwin Valentine Mitchell (org.), *The Pleasures of Walking*, Bourne End, Bucks, Spurbooks, 1975, p. 7.

da sua casa na aldeia de Olney, em Buckinghamshire. Transportado pelo relato de Cook sobre a sua segunda expedição, *A Voyage Towards the South Pole and Round the World* (1777), Cowper escreveu:

> Minha imaginação é tão cativada nessas ocasiões que parece que estou junto com os navegadores em todos os perigos que eles enfrentaram. Perco a âncora, minha vela principal se desfaz em farrapos, eu mato um tubarão e converso por sinais com um patagônio, e tudo isso sem me afastar da lareira[4].

Cowper daria um bom uso a esses devaneios, acompanhando Cook a bordo do navio imaginário *Resolution*, em seu longo poema reflexivo *The Task* (1784):

> Ele viaja, e eu também. Eu piso no seu convés,
> Subo no seu mastro mais alto através dos seus olhos perscrutadores
> Descubro países, com um coração aparentado
> Sofro os seus infortúnios e compartilho as suas fugas,
> Enquanto a imaginação, como o dedo de um relógio,
> Percorre o grande Circuito, e ainda está em casa[5].

Se Cowper oferece para o viajante na poltrona uma viagem marítima de descoberta em 1784, um equivalente pedestre doméstico, mas igualmente aventuroso apareceria logo depois na forma de *Viagem em volta do meu quarto*, de 1795:

> Meu quarto está situado no quadragésimo quinto grau de latitude [...]: sua orientação é entre o levante e o poente; forma um quadrado longo com trinta e seis passos em toda a volta, beirando a parede bem de perto. Minha viagem terá, entretanto, mais que isso, porque eu o atravessarei frequentemente ao longo e ao largo, ou mesmo diagonalmente, sem seguir nenhuma regra nem método. – Eu farei

---

[4] William Cowper, 6 out. 1783, apud Richard Holmes, *The Age of Wonder*, Londres, Harper Collins, 2008, p. 51-52.
[5] William Cowper, *The Task*, 1784, livro 4, "The Winter Evening", vv. 17-119, apud Richard Holmes, op. cit., 2008, p. 52.

até ziguezagues, e percorrerei todas as linhas possíveis em
geometria, se a necessidade o exigir[6].

Nascido em 1763, em Chambéry, na Savoia, de pais franceses, Xavier de Maistre era irmão caçula do filósofo escritor e contrarrevolucionário Joseph-Marie de Maistre, que, tendo lido o manuscrito, providenciou a sua publicação em 1795. Militar, Xavier de Maistre era também um viajante no sentido mais convencional, tendo visitado a Itália e os Alpes e sobrevivido a uma campanha militar russa no Cáucaso. Contudo, é como pioneiro da viagem dentro do quarto que ele é mais lembrado, e foi na primavera de 1790, enquanto estava confinado em casa, em Turim, durante 42 dias em prisão domiciliar por causa de um duelo, que ele começou uma viagem em torno do seu quarto – uma viagem tão árdua quanto a de Magellan e a de Cook, mas que aconteceu quase inteiramente dentro dos limites de sua imaginação. O resultado foi *Viagem em volta do meu quarto*, seguido pelo igualmente aventuroso *Expedição noturna em volta do meu quarto* (1825). Esses relatos, como De Maistre proclamou orgulhosamente, apresentariam ao mundo uma nova forma de viagem que envolvia pouco do risco ou das despesas enfrentados pelo viajante convencional. "O ser mais indolente", pergunta ele, "hesitaria em se pôr na estrada para buscar um prazer que não lhe custaria nem pena nem dinheiro?"[7].

Esse modelo pioneiro de viagem é um híbrido curioso em que o viajante pedestre e o viajante da poltrona se encontram, pois embora De Maistre inicie a sua viagem a pé pelo quarto, "Depois da minha poltrona, indo na direção norte, descobre-se minha cama", ele também incentiva o leitor a "saber fazer sua alma viajar sozinha", deixando as pernas chegarem sem ajuda ao seu destino enquanto a mente está em outro lugar[8]. Além disso há outra forma de locomoção, na qual a viagem na poltrona encontra uma interpretação mais literal:

> [...] estava em minha poltrona em que tinha me inclinado de forma que seus dois pés dianteiros ficassem levan-

---
[6] Xavier de Maistre, *A Journey Around my Room*, Londres, Hesperus, 2004, p. 7 [*Viagem em volta do meu quarto*, São Paulo, Hedra, 2009, p. 28-29].
[7] Ibidem, p. VIII [p. 26].
[8] Ibidem, p. 8, 13 [p. 29-30, 34].

tados a dois dedos do chão e, balançando-me para a esquerda e para a direita, ganhando terreno, tinha sem perceber chegado muito perto da parede. – É minha forma de viajar quando não estou apressado[9].

Empregando todas essas técnicas, De Maistre segue um caminho aleatório pelo quarto, sua falta de direção refletindo-se numa narrativa igualmente serpeante e digressiva:

> Não há nada mais atraente, para mim, que seguir as ideias pelo rastro, como o caçador persegue a caça, sem pretender tomar alguma estrada. Assim, quando viajo no meu quarto, percorro raramente uma linha reta: vou da minha mesa para um quadro colocado em um canto; de lá parto obliquamente para ir até a porta; mas, ainda que no momento em que parto minha intenção seja ir para lá, se encontro uma poltrona no caminho, não me faço de rogado e lá me arranjo imediatamente[10].

Quando o seu período de cárcere privado estava prestes a acabar, De Maistre finalmente aproxima da lareira a sua cadeira de braços, e essa jornada épica chega à conclusão. Ansioso para justificar a nova forma de viagem que inaugurou, De Maistre se esforça em enfatizar que a sua viagem não sofreu a influência da limitação da liberdade: "Não gostaria que, por nada neste mundo, desconfiassem que eu empreendi essa viagem unicamente por não saber o que fazer", escreve ele, pois, pelo contrário, "Esta licença forçada foi apenas uma ocasião de me colocar na estrada mais cedo"[11]. Na verdade, o leitor se enganaria se supusesse que a prisão domiciliar de De Maistre havia de algum modo restringido a sua liberdade ou limitado os seus movimentos. Em vez de puni-lo, as autoridades na realidade o libertaram, permitindo-lhe explorar um mundo que geralmente se ignora:

> [...] pretendem me devolver a liberdade, como se a tivessem tirado de mim! [...] Impediram-me de percorrer uma cidade, um ponto; mas me deixaram o universo

---

[9] Ibidem, p. 14 [p. 35].
[10] Ibidem, p. 7 [p. 29].
[11] Ibidem, p. 41 [p. 59].

> inteiro: a imensidade e a eternidade estão à minha disposição [...] Seria para me punir que me confinaram em meu quarto? – nesta região deliciosa que guarda todos os bens e todas as riquezas do mundo? Exilar um camundongo num celeiro seria uma punição semelhante[12].

Ao voltar para Turim alguns anos depois, De Maistre descobriu que seu quarto havia sido destruído, mas, passando a noite em outro lugar, retomou o fio e continuou sua jornada em *Expedição noturna em volta do meu quarto* (1825). Nessa ocasião, contudo, empregou uma técnica ligeiramente diferente para explorar o espaço do quarto:

> Quatro horas seriam bastante suficientes para a execução da minha empreitada, não desejando fazer dessa vez mais que uma simples excursão em volta do meu quarto. Se a primeira viagem durou quarenta e dois dias é porque não pude decidir fazê-la mais curta. Não quis tampouco sujeitar-me a viajar muito em carro, como antes, persuadido de que um viajante a pé vê muitas coisas que escapam àquele que se move muito mais rápido. Resolvi então ir, alternadamente e seguindo as circunstâncias, a pé ou a cavalo: novo método que ainda não dei a conhecer e de que veremos logo a utilidade[13].

Viajando ao lado da janela, as observações do céu noturno feitas por De Maistre desencadeiam um devaneio em que sua imaginação o transporta pelo céu, levando-o sem esforço "a uma distância aonde poucos viajantes chegaram antes de mim"[14]. Cansando-se da sua aplicação, contudo, ele continua a viagem a cavalo, montado na janela, "deixando minhas pernas se pendurarem à direita e à esquerda", e é nessa posição que ele passa a noite, até finalmente, achando a sua sela menos confortável do que o imaginado, ele é obrigado a descer do cavalo às pressas. Ele desmonta e volta para a cama.

Alain de Botton afirmou que a viagem de De Maistre no seu quarto se inspirou num único e profundo *insight*: "Que o prazer proporcionado pelas viagens talvez dependa mais da atitude mental com que viajamos

---
[12] Ibidem, p. 66-67 [p. 85].
[13] Ibidem, p. 83 [p. 97].
[14] Ibidem, p. 94 [p. 107].

que do destino para o qual viajamos"[15]. De Maistre simplesmente segue essa observação até a sua conclusão lógica, para não dizer absurda, em que nosso ambiente, por mais trivial ou familiar que pareça, pode com pouco mais que um ato de vontade ser transformado em algo novo e inesperado. A principal característica dessa atitude mental é uma receptividade maior ao nosso meio, em que tratamos os lugares novos (e conhecidos) com humildade, refreando nossas reações habituais para favorecer uma disposição de ver as coisas de modo renovado[16]. "De Maistre tentou sacudir nossa passividade", escreve de Botton, e pondo em prática as suas palavras – ou melhor, as de De Maistre – tenta andar pelo seu caminho familiar até a estação do metrô de Hammersmith como se estivesse vendo pela primeira vez o que o cercava. Os resultados são variados[17].

De Maistre também foi comparado com outro grande caminhante, John Bunyan: como De Maistre, Bunyan também esteve preso, embora num ambiente menos confortável, e os dois escritores foram forçados a suplementar a penúria de sua situação recorrendo a lembranças, imaginação, devaneio e relato de histórias. Na verdade, como todos os prisioneiros, eles foram forçados a superar a claustrofobia da sua situação com um salto imaginativo que lhes permitia transcender seu ambiente e o isolamento da sua condição[18].

Entre seus muitos sucessores literários, o tradutor inglês de De Maistre, Andrew Brown, localizou o artista Daniel Spoerri e também o escritor Georges Perec, que estudaram em detalhe as minúcias da vida cotidiana. Mas um praticante talvez menos óbvio dos voos mentais domésticos empreendidos por De Maistre é Arthur Rimbaud. Os vários caminhares reais, e não imaginários, de Rimbaud foram bem documentados, e neste livro ele será discutido mais extensamente em outro capítulo. Mas a sua contribuição menos conhecida para o campo da viagem imaginária é lembrada pelo verbo "*Robinsonner*", cunhado por Rimbaud e que significa "deixar a mente vagar – ou viajar mentalmente"[19]. No poema "Roman" (1870), Rimbaud escreve: "Le Coeur fou Robinsonne à

---

[15] Alain de Botton, *The Art of Travel*, Londres, Hamish Hamilton, 2002, p. 246.
[16] Idem.
[17] Ibidem, p. 251.
[18] Andrew Brown, Introduction, in Xavier de Maistre, *A Journey Around my Room*, p. xi-xv.
[19] John Sturrock, Céline: *Journey to the End of the Night*, Cambridge, Cambridge University Press, 1990, p. 37.

travers les romans", ou "O coração louco robinsona pelos romances"[20]. O termo de Rimbaud evidentemente vem da viagem imaginária de Robinson Crusoé, remetendo aos seus temas essenciais do isolamento e da fuga imaginária. E Robinson efetivamente fugiu, como indica Rimbaud, para se tornar o símbolo do viajante imaginário nas obras de Defoe, Céline e Kafka, entre outras[21].

Contudo a representação literária do viajante de poltrona mais frequentemente citada é a de Joris-Karl Huysmans, contemporâneo e conterrâneo de Rimbaud, cujo romance notoriamente decadentista *Às avessas* apresentou o mundo ao duque Jean Floressas des Esseintes, um *flâneur* superdândi e afeiçoado à vida do lar. Publicado pela primeira vez em 1894, o romance de Huysmans foi usado por Oscar Wilde como modelo para o seu *Dorian Gray*, ao retratar um esteta bobo e indolente cercado pelas armadilhas de sua casa fantasticamente equipada em Paris e cada vez menos disposto a sair dela. Ao passo que De Maistre explora o seu quarto enquanto está confinado em prisão domiciliar, Des Esseintes é um cativo espontâneo, que se retira voluntariamente do mundo exterior para dedicar mais tempo às viagens da mente. Isso até que, influenciado pelos romances de Charles Dickens, Des Esseintes formula um plano impetuoso e enérgico de visitar Londres sozinho. Pedindo um táxi, ele parte, parando no caminho para uma pesquisa de última hora numa taberna:

> Des Esseintes deixou sua mente vaguear, imaginando, sob a influência do tom carmesim do vinho do porto que enchia as taças, os personagens dickensianos que tanto gostavam de bebê-lo, e mentalmente povoando o porão com seres muito diferentes [...] A cidade dos romances, as casas dos romances, bem iluminadas, bem aquecidas, bem mantidas [...] surgiram-lhe na forma de um grande barco aconchegante que navegava numa inundação de lama e fuligem. Ele se acomodou confortavelmente nessa Londres ficcional, feliz por estar entre quatro paredes, ouvindo as buzinas sepulcrais dos rebocadores que desciam o Tâmisa atrás das Tulherias, perto da ponte[22].

---

[20] Arthur Rimbaud, *Rimbaud Complete*, Londres, Scribner, 2003, p. 30.
[21] Para um relato sobre as viagens literárias de Robinson de Defoe até hoje, cf. Merlin Coverley (*Psychogeography*, Harpenden, Pocket Essentials, 2006, p. 66-72).
[22] Joris-Karl Huysmans, *Against Nature*, Oxford, Oxford University Press, 1998, p. 110.

Gradualmente, contudo, enquanto a inércia começa a tomar conta dele, Des Esseintes torna-se incapaz de distinguir entre a Londres da sua mente e a do seu suposto destino, pois a viagem imaginativa não é apenas uma atraente alternativa à realidade; pelo menos para Des Esseintes ela até lhe é bem superior:

> Des Esseintes se sentia incapaz de mexer as pernas. Um abatimento suave, quente, fluía por seus membros [...] Ele ficava dizendo para si mesmo: "Vamos, fique de pé, você precisa se apressar." Mas imediatamente surgiam objeções para contrariar as suas ordens. Que sentido havia em se mexer, quando sentando numa cadeira era possível viajar tão esplendidamente? [...] Afinal de contas, que tipo de aberração era aquela, que me fazia me sentir tentado a renunciar a convicções antigas e desdenhar as dóceis fantasias da minha mente, que me fazia, como um rematado boboca, acreditar que uma viagem era necessária ou poderia encerrar uma descoberta ou um interesse[23]?

Evidentemente, Des Esseintes nunca chega a Londres, e, exausto por causa de sua aventura, volta para casa. Se de fato é melhor viajar do que chegar, então ele aplicou uma lógica própria, sugerindo que é melhor viajar mentalmente do que sair de casa. Des Esseintes foi definido como "a Greta Garbo do universo ficcional"[24], e sua viagem sedentária é uma viagem para os confins de sua própria cabeça, uma viagem virtual em que a imaginação assume precedência sobre a realidade, criando um universo altamente pessoal com apenas um habitante, pois o viajante imaginário, necessariamente, viaja sozinho.

Esses temas gêmeos do encarceramento e do isolamento, sempre presentes neste capítulo, encontram sua expressão definitiva na obra de alguém que, considerando-se a sua situação desagradável, produziu aquele que é certamente o relato mais fascinante de como o ato de caminhar pode agir como um anteparo contra a desintegração mental. À primeira vista, *Spandau: The Secret Diaries* (1975), de Albert Speer, pode parecer um acréscimo estranho à literatura do caminhar. Examinado

---
[23] Ibidem, p. 114.
[24] Nicholas White, "Introduction", in Joris-Karl Huysmans, op. cit., 1998, p. xxvi.

melhor, entretanto, o sumário revela que as coisas não são exatamente como se pode imaginar, sugerindo um aparente grau de licença em considerável desacordo com o fato histórico dos vinte anos de prisão do autor. Dividido em vinte capítulos, para corresponder a cada um dos seus anos como prisioneiro em Spandau, o sumário do nono ano, por exemplo, contém, com os itens "Embolia pulmonar" e "Minha opinião sobre a arquitetura moderna", a interessante "A ideia da circundeambulação do globo". Um quebra-cabeça ainda maior são os itens "Chegada a Pequim" (décimo terceiro ano), "Passagem por Seattle" (décimo nono ano) e, logo antes do final da sua sentença, "Travessia da fronteira mexicana" (vigésimo ano). A chave, claro, desses itens está no fato de que durante o seu longo período de prisão Speer se tornou um caminhante obsessivo, que, compilando um estudo detalhado da rota que pretendia percorrer e mantendo uma rotina diária rigorosa de caminhar no jardim da prisão, conseguiu realizar o que é certamente o caminhar imaginário mais longo, prolongado e sofisticado de todos os tempos. No entanto, ele não foi o primeiro a usar essa técnica, pois o escritor John Finley, autor do ensaio "Travelling afoot", adotou um regime semelhante na década de 1930:

> Você pode achar interessante saber que eu tenho um pequeno jogo que jogo sozinho: o de caminhar em alguma outra parte do mundo tantos quilômetros quantos eu de fato caminho aqui todo dia, resultando disso que eu caminhei quase 32 mil quilômetros nos últimos seis anos, o que significa que cobri a parte de terra do planeta num circuito do globo. Ontem à noite, completei 3.200 quilômetros iniciados no dia 1º de janeiro de 1934 e, ao fazer isso, cheguei a Vancouver vindo do norte. Meu primeiro ano caminhando foi pelos Estados Unidos, depois eu fui para a costa ocidental da França. Não vou aborrecê-lo com o resto do itinerário, mas só direi que atravessei a Europa, a Ásia meridional, e depois subi e atravessei a China e partes do extremo norte, até o estreito de Bering e do Alasca, e, para o sul, até Vancouver[25].

---

[25] Apud Edwin Valentine Mitchell, op. cit, 1975, p. 7.

A descrição de Finley está na apresentação de *The Pleasures of Walking*, publicado pela primeira vez em 1934; no entanto, é difícil acreditar que Speer, um leitor voraz, teria se deparado com esse título na biblioteca da prisão de Spandau, a menos que a inclusão do livro ali fosse um ato de tormento deliberado para ele e seus colegas. Mas embora o "pequeno jogo" de Finley se pareça claramente com a rota escolhida por Speer, e embora ele possa ter acumulado uma milhagem inegavelmente impressionante, representa um pouco mais que um passeio imaginário se comparado à viagem épica que Speer realizaria. Como demonstra o item seguinte, tirado de seu diário, em 1959 (décimo terceiro da sentença, quinto da excursão a pé), Speer considerava que sua jornada era mais do que um simples jogo:

> *13 de julho de 1959.* Cheguei hoje em Pequim. Quando me aproximei do Palácio Imperial, uma manifestação estava acontecendo na enorme praça diante dele. Duzentas, trezentas, quatrocentas mil pessoas – quem pode dizer quantas eram? Naquela multidão cada vez maior eu logo perdi todo o senso de direção. A uniformidade das pessoas também me assustou. Saí da cidade o mais rápido que pude[26].

Evidentemente, Speer não estava em Pequim naquele dia. Em 13 de julho de 1959 ele podia ser visto, como nos demais dias, no jardim da prisão que ele próprio projetou, caminhando por uma rota bem determinada em volta do seu perímetro. A tarefa que ele se havia imposto era caminhar todo dia sete quilômetros diários, ao longo de uma jornada que lhe garantiria completar 2.296 circuitos dessa rota. As distâncias percorridas, as médias diárias, os déficits e o terreno para inventar, tudo isso era registrado nos mínimos detalhes, um projeto compartilhado inicialmente com seu colega de presídio Rudolf Hess, que assistia a tudo cada vez mais perplexo.

Com uma sentença de vinte anos de prisão estabelecida no Julgamento de Nuremberg, em 1946, Speer tinha plena consciência das necessidades psicológicas que o esperavam durante o seu longo período de prisão. Determinado a se manter "equilibrado", ele empregou in-

---
[26] Albert Speer, op. cit. 1976, p. 337.

contáveis estratagemas para ficar ocupado física e mentalmente[27]. Ele escreveu em papel higiênico e outros pedaços de papel a história monumental, *Inside the Third Reich* (1969), e a contrabandeou para fora da prisão; além disso, sendo muito interessado por arquitetura, projetou uma casa para um dos seus guardas. Mas foi a "Circundeambulação do Mundo" que passou a dominar a sua vida, o que o fez – e, além dele, os seus colegas de prisão – questionar a sua sanidade. "Eu insisto na minha alegação de ter um parafuso a menos", escreve Speer, ao que Hess, seu confidente aparentemente despreocupado, respondeu: "Isso simplesmente é o seu passatempo. Os demais têm outros"[28].

Speer começou a sua jornada em setembro de 1954, com o objetivo relativamente modesto de caminhar da sua cela de prisão em Berlim até Heidelberg, uma distância de cerca de 620 quilômetros. "Tenho uma nova ideia para poder me exercitar regularmente até o ponto de exaustão", escreve ele.

> Para isso, marquei um trajeto circular no jardim. Como não tinha fita métrica, medi meu sapato, contei quantos passos eu dava para cobrir a distância e multipliquei a medida pelo número de passos. Colocando um pé diante do outro mais 870 vezes, com 31 centímetros para cada passo, o resultado foram 270 metros para uma volta [...] Esse projeto é um treinamento da vontade, uma batalha contra o tédio interminável, mas é também uma expressão dos últimos resquícios da minha necessidade de status e atividade.[29]

---

[27] Speer não foi o único a usar a caminhada imaginária como uma técnica para combater o início da doença mental. Na verdade, a caminhada foi usada, com graus diversos de sucesso, não só como medida preventiva mas também como meio de aliviar os sintomas do distúrbio mental. Em *The Wild Places*, por exemplo, Robert Macfarlane discute o caso do poeta e músico Ivor Gurney, internado num manicômio em Kent, na década de 1920. Ele foi visitado por Helen Thomas, mulher do seu ex-amigo e também poeta Edward Thomas. Na primeira visita, ela quase não conseguiu se comunicar com Gurney, tal a gravidade do seu estado. Na visita posterior, no entanto, ela tratou de levar um dos mapas do seu marido representando o campo de Gloucestershire, pelo qual ela e Gurney tinham caminhado, e juntos eles reconstruíram os trajetos que haviam feito: "Durante uma hora ou mais essa caminhada imaginária prosseguiu, Gurney vendo não o mapa, mas olhando através do que estava nele para ver a própria terra. Ele passou aquela hora", lembrou-se Helen, "revisitando o seu lar amado [...] localizando [...] uma trilha, uma colina ou um bosque e vendo tudo com o olho da mente, uma visão mental mais aguda e mais real, graças à maior intensidade. De um modo que nós, sãos, não podemos imitar, ele andou pelas alamedas e campos que tanto conhecia e adorava, tendo como guia o dedo que traçava o caminho no mapa [...] Nessa estranha perambulação seu companheiro era Edward [...] Durante algum tempo, eu me tornei o elemento que trouxe Edward de novo à vida para ele e para o campo onde os dois podiam perambular juntos" (Robert MacFarlane, *The Wild Places*, Londres, Granta, 2007, p. 110).
[28] Albert Speer, op. cit., 1976, p. 255.
[29] Ibidem, p. 255.

Speer planejou meticulosamente o trajeto, usando a biblioteca da prisão para suplementar a sua memória, o que lhe permitiu criar uma experiência admiravelmente detalhada e profundamente sentida que eliminava por algum tempo os muros de Spandau. Ele chegou a Heidelberg dia 19 de março de 1955, o dia do seu quinquagésimo aniversário, e no registro desse dia no seu diário há o seguinte diálogo com Hess:

> – Agora estou de partida para Munique – disse eu ao passar por ele na penúltima volta. – Depois sigo para Roma, e então desço até a Sicília. Como a Sicília fica no Mediterrâneo, não vou poder continuar avançando a pé.
> Terminada a última volta, eu parei e me sentei ao lado dele.
> – Por que você não vai pelos Bálcãs até a Ásia? – indagou Hess.
> – Tudo lá é comunista – respondi. – Mas talvez eu possa ir até a Grécia, passando pela Iugoslávia. E da Grécia passo por Salonica, Constantinopla e Ancara até a Pérsia.
> Hess anuiu com a cabeça.
> – Assim você poderia chegar até a China.
> Eu balancei a cabeça.
> – Comunista também.
> – Mas depois atravessar o Himalaia até o Tibete.
> Rejeitei igualmente esse último roteiro.
> – Também comunista. Mas seria possível atravessar o Afeganistão até a Índia e Mianmar. O itinerário mais interessante seria por Aleppo, Beirute, Bagdá e atravessando o deserto até Persépolis e Teerã. Um passeio longo e quente. Muito deserto. Espero encontrar alguns oásis. De qualquer forma, eu tenho agora um bom programa. Por enquanto deve servir: é uma distância de mais de 4 mil quilômetros. Você me ajudou a sair de uma dificuldade embaraçosa. Muitíssimo obrigado, sr. Hess[30].

Com o passar dos anos e a diminuição do envolvimento de Hess, o relato de Speer se tornaria mais minucioso e descritivo, com o registro das suas observações sobre o clima, a vida animal e a paisagem:

---

[30] Ibidem, p. 268.

*24 de fevereiro de 1963.* Ao lado do estreito de Bering, relevo ainda escarpado, com colinas, um panorama infinito de paisagem rochosa e sem árvores [...] Às vezes vejo passar arrastando-se uma dessas raposas árticas cujos hábitos investiguei recentemente. Mas eu também cruzei com focas e com o castor de Kamchatka, conhecido como *kalan* [...] se chegar no tempo previsto, vou poder atravessar o estreito de Bering. Acho que serei o primeiro europeu a entrar nos Estados Unidos a pé.

*5 de setembro de 1965.* Hoje passei por Los Angeles e segui para o sudoeste [...] Sol inclemente em estradas poeirentas. Minhas solas queimaram no chão quente por meses sem chuva. Que estranha excursão a pé, da Europa através da Ásia até o estreito de Bering e os Estados Unidos – com marcos quilométricos para marcar minha triste passagem[31].

A peregrinação imaginária de Speer era tão obsessiva que começou a se tornar contagiosa, e, quando ele chegou a Seattle, em 1964, viu que seu passeio havia infectado muitos dos guardas: "Há dias em que eu vejo quatro ou cinco pessoas no trajeto, com olhares decididos no rosto. 'Vou contar-lhe qual é a diferença entre mim e você', disse-me Hess hoje. 'As suas loucuras são contagiosas'"[32].

Na época em que Speer finalmente foi solto, em 1966, ele havia caminhado por quase doze anos. No que afirmou ser o único resultado palpável do tempo passado em Spandau, ele cuidadosamente somou anualmente os resultados, chegando ao número de 31.816 quilômetros. Em sua última noite como detento, mandou um telegrama para um velho amigo dizendo: "Por favor, me pegue 35 quilômetros ao sul de Guadalajara, no México"[33]. Speer escreveu que "Se alguém tivesse me falado, no início do meu percurso para Heidelberg, que meu caminho me levaria para o Extremo Oriente, eu teria achado que essa pessoa estava louca, ou que eu enlouqueceria"[34]. Mas, no final das contas, o que aconteceu foi o oposto. A "excursão a pé" de Speer,

---
[31] Ibidem, p. 387, 429.
[32] Ibidem, p. 420.
[33] Ibidem, p. 445-447.
[34] Ibidem, p. 338.

ao mesmo tempo um extraordinário ato de vontade e um monumental feito imaginativo, sustentou-o física e mentalmente durante a sua longa prisão. Depois de solto, ele continuou sentindo a compulsão de "andar os meus quilômetros", até mesmo repetindo em sonhos as suas voltas no jardim da prisão. Mas ele havia sobrevivido, e, depois de ter a fortuna restaurada pela publicação das suas memórias, morreu aos 76 anos, em 1981.

Capítulo 4

# O caminhante como errante

*Errante, s. Pessoa que vai de lugar para lugar; pessoa que não tem moradia fixa; viandante ocioso; mendigo robusto; patife incorrigível; vagabundo*[1].

*Alguns homens nascem com uma tendência errante no sangue, uma curiosidade insaciável sobre o mundo que está além de sua porta.*
Arthur Rickett[2]

De acordo com a Lei da Vadiagem de 1824,

> [...] toda pessoa que estiver vagando e se alojando em qualquer celeiro ou anexo, ou em qualquer prédio abandonado ou desocupado, ou ao ar livre, ou sob uma tenda, ou eu qualquer carroça ou charrete, que não tenha nenhum meio de subsistência visível e não dê boa impressão de si mesma [...] deve ser considerada um patife e vagabundo[3].

---

[1] *Webster's Revised Unabridged Dictionary*, Springfield, Massachusets, G&C Merriam, 1913, p. 1591. (tradução livre)
[2] Arthur Rickett, *The Vagabond in Literature*, Londres, Dent, 1906, p. 3. "Às vezes o vagabundo é um peregrinador físico; outras, apenas intelectual", escreve Rickett. Ele prossegue identificando uma "irmandade espiritual" dessas figuras, que, em suas fileiras, inclui Hazlitt, De Quincey, Thoreau, Whitman e Stevenson.
[3] *Vagrancy Act* 1824. Disponível em: http://www.legislation.gov.uk/ukpga/Geo4/5/83/contents.

Punível por um período de três meses de prisão, a lei continua vigente, embora com muitas emendas. De fato, desde a Revolta Camponesa de 1381 e o posterior estatuto de 1383, os viajantes a pé, urbanos e rurais, incapazes de provar que têm um meio de subsistência, estão sujeitos a detenção e prisão[4].

Em um artigo intitulado "Radical Walking", Donna Landry escreve: "Pode-se seguir o rasto da ambiguidade do caminhar até a sua associação com a vadiagem, que, na Inglaterra do final do século XVI, era a quintessência do crime social". Durante esse período, o infeliz errante se via preso numa situação sem saída, sem ter cometido nenhum crime além de ser vagabundo; o que se considerava condenável não eram as suas ações, e sim a sua própria situação, que agora era de criminoso. "Uma suspeita semelhante incidiu sobre aqueles que viajavam a pé no meio rural nos séculos XVIII e XIX", prossegue Landry. "Com o cercamento e a privatização das terras comuns, a possibilidade de transgressão se ampliou. Por que perambular pelas florestas e campos sem um objetivo?"[5].

Depois da introdução das Leis da Caça, de 1671, o suposto vadio passou a ter de lidar também com a suspeita de caça ilegal, que efetivamente mantinha o indivíduo sem terra dentro dos limites do seu local de trabalho imediato, sendo o emprego o único indicador da legitimidade do seu movimento. Constrangido pela lei, o ato de caminhar adquiriu inevitavelmente uma conotação política, desafiando os limites impostos pela sociedade, e cada vez mais alinhado "com um clamor rebelde por direitos comuns, com o sonho de liberdade liberal, com o ideal de democracia"[6]. Assim, a figura do errante desenvolveu uma forte carga simbólica, indicando a existência de um indivíduo em desacordo com o nosso senso familiar de lugar e questionando a distinção imposta entre espaço público e privado. Foi por isso, tal-

---

[4] Joseph A. Amato escreve: "A vadiagem, proibida desde o início da Idade Média, importunou sistematicamente a sociedade europeia, e continuou a fazê-lo ao longo da história europeia moderna. Os problemas vinham a pé, literalmente. Sobretudo durante os tempos mais desfavoráveis, vinham dos campos ao redor, na figura de indivíduos errantes necessitados e famílias oprimidas inteiras que carregavam nas costas todos os seus bens terrenos. O que aterrorizava ainda mais era a ameaça parecia-se com exércitos independentes, grupos itinerantes de camponeses e bandidos determinados a saquear a cidade". (op. cit., 2004, p. 68)
[5] Donna Landry, "Radical Walking", in openDemocracy, Londres, 2001. Disponível em: http://www.opendemocracy.net/ecology-climate_change_debate/article_465.jsp.
[6] Idem.

vez, que o errante passou a representar ideias românticas de liberdade, tanto política quanto esteticamente. Quem melhor expôs essa ideia foi o poeta que deu voz "à estranha meia-ausência da vagabundagem perambulante e murmurante"[7].

A figura em quem esses temas se aglutinaram pela primeira vez e em cujos textos encontramos uma vigorosa voz de protesto contra o cercamento, aliada a um espírito errante, é o poeta John Clare. Nascido em 1793 na aldeia de Helpston, em Northamptonshire, Clare desenvolveu um extraordinário, e até mesmo visionário, senso de lugar, em que a sua identidade se firmou dentro das paisagens rurais em que passou a juventude. Encantado pelo seu meio imediato e ao mesmo tempo desejoso de explorar além do horizonte do seu mundo conhecido, Clare rememorou mais tarde a sua primeira tentativa de transcender o perímetro da infância, quando, aos cinco anos de idade, partiu para Emmonsales Heath, nas vizinhanças da sua casa:

> Eu havia imaginado que o fim do mundo ficava na orla do horizonte, e que em um dia de viagem poderia encontrá-lo [...] assim eu continuei [...] esperando que quando chegasse ao limite do mundo poderia [...] penetrar nos seus segredos do mesmo modo que podia [...] ver o céu ao olhar para a água, e assim eu continuava ansiosamente vagando e passeando por entre o tojo [...] quando voltei para casa meus pais estavam aflitos, e metade da aldeia estava me procurando[8].

É exatamente essa impressão de encantamento que caracterizaria muitos dos primeiros poemas de Clare sobre a vida em Helpston, mas essas imagens da inocência pastoral foram temperadas por uma crescente consciência do modo como essa paisagem estava sendo destruída, pois entre 1809 e 1820 as antigas paróquias de campo aberto como Helpston foram submetidas ao cercamento parlamentar. Muito já se escreveu sobre os efeitos do cercamento do cenário rural, em

---

[7] Celeste Langan, *Romantic Vagrancy: Wordsworth and the Simulation of Freedom*, Cambridge, Cambridge University Press, 1995, p. 223.
[8] John Clare, "Sketches in the Life of John Clare by Himself", in Anne Tibble (org.), *John Clare: The Journal, Essays, The Journey from Essex*, Manchester, Carcanet New Press, 1980, p. 9-10.

particular sobre o papel enfático que esses acontecimentos tiveram na vida e na obra de Clare[9]. Está fora do âmbito deste livro explorá-los em detalhe, mas as consequências, pelo menos até onde Clare as vivenciou, são claras:

> Liberdade ilimitada dominava a cena do passeio
> Nem cerca de propriedade surgia no meio
> Para ocultar a perspectiva do olho que seguia
> Sua única sujeição era o céu arqueado [...]
> O cercamento chegou e espezinhou o túmulo
> Dos direitos dos trabalhadores e fez do pobre um escravo
> E o orgulho da memória antes da privação se curvou à riqueza
> É agora a sombra e também a substância [...]
> Esses caminhos acabaram – o rude domínio dos filisteus
> Se instalou neles e os destruiu um a um
> Cada tiraninho com sua plaquinha
> Mostra que a terra não mais brilha divina onde o homem reivindica
> Nos caminhos da liberdade e da infância querida
> Uma placa se destaca para avisar "aqui não há estradas"
> E na árvore com hera aderida
> A placa odiada pelo gosto vulgar está dependurada
> Como se até os pássaros devessem tratar de saber
> Que quando vão ali não podem avançar mais
> Isso foi um adeus para a pobre liberdade amedrontada
> E no suspiro sufocado há muito pesar por isso
> E pássaros e árvores e flores sem nome
> Todos suspiraram quando as leis sem lei vieram cercar
> E sonhos de pilhagem em imperfeitos planos rebeldes
> Descobriram com demasiada realidade que não passavam de sonhos[10]

Os sentimentos expressos em *The Mores* são característicos de muitos de seus poemas escritos em Helpston (cerca de 1812-1831), em que o caminhante se vê progressivamente confinado e redirecionado, suas atividades questionadas e tolhidas. Essa perda da liberdade do pedestre é

---

[9] A obra definitiva sobre esse assunto é de John Barrell. Barrell escreve: "Cercar uma paróquia de campo aberto significa, em primeiro lugar, pensar nos detalhes de sua topografia como um tanto apagados do mapa. O sistema de estradas hostil e misterioso foi domado e tornado não misterioso pela sua destruição" (*The Idea of Landscape and the Sense of Place 1730-1840: An Approach to the Poetry of John Clare*, Cambridge, Cambridge University Press, 1972, p. 94).

[10] John Clare, "The Mores", in Eric Robinson e David Powell (org.), *Major Works*, Oxford, Oxford University Press, 2004, p. 167-169.

sentida por Clare como sintomática da escravidão gerada pelo cercamento, pois, ao ser a paisagem física mapeada e os direitos de propriedade, distribuídos, Clare e seus companheiros de caminhada se viram cada vez mais sujeitos à acusação de transgressão:

> Eu temia caminhar onde não havia caminho
> E pisava com passo cauteloso o trigo cortado
> E sempre me virava para olhar preocupado
> E sempre temia ver o proprietário se aproximando,
> E, no entanto, tudo à minha volta aonde eu tinha ido
> Parecia tão belo que eu continuava me arriscando
> E quando chegava à estrada onde todos estão livres
> Eu imaginava que todos os estranhos franziam o cenho para mim
> E cada olhar afável parecia dizer
> "Hoje no seu passeio você transgrediu"[11].

Clare pertencia a uma classe rural para a qual o ato de caminhar era uma parte instrumental da vida cotidiana e também um meio de garantir a coesão social; mas era igualmente uma atividade que ele valorizava precisamente por significar uma liberdade em relação ao trabalho, pois o que o distinguia dos seus colegas românticos, e de Wordsworth em particular, é que, apesar da reverência que eles compartilhavam pelo mundo natural e da sua consciência aguda das liberdades que este gerava, Clare era também consciente do fato de que a terra fornecia a ele e aos seus contemporâneos seu meio de sustento. Desde muito novo, ele trabalhou alternadamente caçando, colhendo, debulhando, cuidando de jardins e do gado, atividades para as quais retornou apesar do sucesso do seu primeiro livro de poesia, *Poems Descriptive of Rural Life and Scenery* (1820). Assim, o caminhar necessário ao seu trabalho diário se distinguia nitidamente dos "passeios descuidados" e das "andanças sem rumo", mais tranquilas e contemplativas, que ocupavam seus dias de lazer:

> Um prisioneiro por seis dias que ganha a vida
> Nas poeirentas teias de aranha e no celeiro sombrio

---

[11] John Clare, "I dreaded walking where there was no path", in R. K. R. Thornton (org.), *John Clare: Everyman's Poetry*, Londres, Phoenix, 1997, p. 9-10.

O exaurido debulhador tem o repouso que lhe cabe
E que aprazível o alivia na bênção do céu
E com passeios pelos campos ele se deleita no dia de descanso[12].

Se então o caminhar por puro lazer era uma atividade vista com crescente desconfiança e considerada uma provável precursora da transgressão ou da caça em propriedade alheia, no caso de Clare isso era agravado por suas preocupações poéticas[13]: o sucesso dos seus primeiros poemas o colocou numa situação cada vez mais precária, em que ele se via não totalmente aceito pelo círculo literário de Londres e ao mesmo tempo incapaz de manter a relação que tinha anteriormente com a sua comunidade agrícola. Vendo-se crescentemente isolado e distanciado do seu lugar, a carreira poética de Clare se desenvolveu paralelamente à sua desorientação mental, um processo que acabou levando-o ao manicômio. Em 1837, foi internado no manicômio particular do dr. Mathew Allen, em High Beach, aldeia pertencente a Epping, onde a sua "permanente solidariedade com os ciganos e os errantes se aprofundou"[14]. E foi ali, quase quatro anos depois, no dia 20 de julho de 1841, que John Clare fugiu para começar uma das mais celebradas jornadas inglesas. Tanto pessoalmente quanto como poeta, 1841 foi o ano mais tumultuado da sua vida; foi também o seu período mais produtivo, um ano em que ele escreveu mais de três mil versos. No que diz respeito à sua contribuição para a literatura sobre o caminhar, no entanto, foi o breve relato em prosa *The Journey out of Essex* (1841) que se tornou a sua obra mais significativa[15].

Com mais de 150 quilômetros e levando cerca de três dias e meio para se completar, a viagem a pé que Clare fez de High Beach até Northborough, em Northamptonshire, é desde o início um relato alucinatório de deslocamento e desespero. Tendo inicialmente, para o planejamento da sua fuga, recebido ajuda de ciganos do lugar, Clare

---
[12] John Clare, "Sunday Walks", in Eric Robinson e David Powell (org.), op. cit., 2004, p. 78.
[13] Donna Landry escreve: "Andar pelos bosques e campos escrevendo poesia afastou John Clare dos seus conterrâneos a ponto de ele ser vítima de fofocas, alguns tomando-o por 'louco' e outros alegando razões criminosas para as suas perambulações, como, por exemplo, que ele era 'um caminhante noturno ligado aos ciganos que roubavam lebres e faisões nos bosques'". (*The Invention of the Countryside*, Basingstoke, Palgrave, 2001, p. 83.)
[14] Robin Jarvis, *Romantic Writing and Pedestrian Travel*, Basingstoke, Macmillan, 1997, p. 178.
[15] Embora tenha sido escrito em 1841, Journey from Essex só teve um público maior depois da sua inclusão na biografia de Clare escrita por Frederick Martin, publicada em 1865, que "levou o público a saber das terríveis aflições de que Clare sofreu". (Jonathan Bate, *John Clare: A Biography*, Londres, Picador, 2003, p. 538.)

partiu sozinho e na direção errada. Mas logo corrigiu esse erro, e não tardou a tomar a Great York Road, passando a sua primeira noite num barracão nos arredores de Stevenage: "Eu me deitei com a cabeça para o norte", escreve ele, "para mostrar a mim mesmo a direção que devia tomar de manhã"[16]. Mas no dia seguinte, à medida que ele avança por Bedfordshire, sua condição física rapidamente se deteriora. Com os pés feridos pelo cascalho e um dos sapatos quase sem sola, Clare, ainda sem comer, não consegue encontrar um lugar para dormir e se sente cada vez mais desorientado:

> Então eu de repente esqueci onde ficava o norte ou o sul, e embora examinasse com cuidado ambos os caminhos, não via nenhuma árvore ou arbusto ou pilha de pedras pela qual eu me lembrasse de ter passado, e assim continuei milha após milha, quase convencido de que estava indo pelo mesmo caminho que viera, e esses pensamentos eram tão fortes na minha cabeça que a dúvida e a desesperança me debilitaram a ponto de eu quase não ser capaz de andar, ainda que eu não pudesse me sentar ou desistir, mas fui arrastando os pés até ver uma luz brilhando tanto quanto a lua[17].

Ao encontrar um alpendre para dormir, Clare prossegue na manhã seguinte, acompanhado em parte do caminho por outra cigana que encontra na estrada, e essa jovem o adverte sobre a sua aparência, opinando que ele seria notado. Mas, visível ou não, Clare agora esquece o seu ambiente, com a mente dissociada das pernas que o estão levando para casa:

> Tenho apenas uma vaga lembrança da minha jornada de Stilton até aqui, porque eu estava extenuado e pouco ou nada observei – uma noite me deitei no fundo de um dique protegido do vento, e depois de ter ali dormido por meia hora acordei de repente e vi que, de um lado, estava molhado desde a meia, então me levantei e saí [...] entrei numa cidade [...] me sentia tão fraco que foi difícil sentar no chão para descansar,

---

[16] John Clare, "Journey out of Essex", in Eric Robinson e David Powell (org.), op. cit., 2004, p. 433.
[17] Ibidem, p. 434.

> e enquanto estava sentado ali, uma carruagem que parecia muito carregada se aproximou ruidosamente e parou na depressão que havia abaixo de mim, e eu não me lembro de em algum momento ela ter passado por mim. Eu então me levantei e me forcei a avançar sem ver quase nada que me chamasse a atenção, pois a estrada muitas vezes parecia tão tola quanto eu, e muitas vezes eu estava meio dormindo enquanto andava[18].

No terceiro dia, Clare satisfez a sua fome comendo a grama da beira da estrada, "que parecia ter um sabor semelhante ao do pão. Eu estava faminto e comi com vontade até me sentir saciado, e na verdade parece que a refeição me fez bem"[19]. Quando chegou a Stilton, contudo, estava "esgotado e com os pés completamente imprestáveis"[20]. Pouco antes de Peterborough passou por ele uma carroça com pessoas que eram seus vizinhos em Helpston e que, vendo a sua situação, juntaram e lhe atiraram cinco centavos, com os quais ele comprou pão e queijo. Àquela altura somente a vergonha de se sentar na rua o fazia continuar andando, mas ao chegar a Werrington ele encontra uma carroça com uma mulher que insiste que ele suba: "Eu recusei, e achei que ela estava bêbada ou era louca, mas me disseram que era a minha segunda mulher Patty; eu subi, e logo estava em Northborough"[21]. Clare não demorou a chegar em casa, onde viu que as coisas não eram exatamente como pareciam, pois Patty não era a sua segunda mulher, e sim a primeira, e sua viagem tinha sido em vão. Alimentando a fantasia de estar voltando para casa, para a sua primeira "mulher" Mary (na verdade ela nunca foi sua mulher, e sim o primeiro amor da sua infância, em Helpston), Clare não sabia que ela já havia morrido muitos anos antes, e ao se confrontar com a notícia simplesmente se recusou a acreditar nela. Fora Mary quem o acompanhara silenciosamente na sua longa caminhada para casa, a pessoa com quem ele sonhava e o objetivo de sua fuga de High Beach. O último item da *Journey out of Essex*, datado de 24 de julho de 1841, diz: "Partindo de Essex voltei para casa, e não encontrei nenhuma Mary – agora ela e a família dela não são nada

---
[18] Ibidem, p. 435-436.
[19] Ibidem, p. 436.
[20] Idem.
[21] Ibidem, p. 437.

para mim, embora no passado tenha sido ela a mais querida – e como eu poderia esquecer?"[22]. Não há registro do que, exatamente, a recém-rebaixada "segunda" mulher de Clare fez disso, mas logo ao chegar em casa Clare começou a tarefa de transcrever as anotações feitas durante a viagem, às quais acrescentou a seguinte carta para sua mulher ("Mary Clare", não Patty):

> Minha querida esposa,
>
> Para a sua diversão escrevi um relato da minha jornada, ou melhor, fuga de Essex, que espero que a entretenha em suas horas de lazer – devo ter-lhe dito antes que fui daqui para Northborough na noite de sexta-feira passada, mas sem poder ver você ou saber onde você estava eu logo comecei a me sentir desabrigado em casa, e devo em breve me sentir quase sem esperança, mas não tão sozinho quanto em Essex [...] meu lar não é lar para mim, minhas esperanças não são totalmente desesperançadas enquanto a lembrança de Mary viver tão perto de mim[23].

"Desabrigado em casa" talvez seja a síntese perfeita do espírito errante que animava Clare e o impulsionava na jornada compulsiva que ele empreendeu de volta à sua casa. No prólogo da biografia de Clare, Jonathan Bate reconstitui a viagem de Essex pela Great York Road, hoje A1: "Dirigindo hoje pelas suas duas pistas", escreve Bate, "é impossível imaginar um homem caminhando por essa estrada à noite, cansado, confuso, com frio e faminto de dia"[24]. E, no entanto, em 2004, o escritor e andarilho Iain Sinclair fez exatamente isso, refazendo os passos de Clare desde High Beach e revelando no percurso uma paisagem assustadoramente alterada:

> Parti de High Beach no inverno, registrando as curvas de nível de latinhas de cerveja, embalagens de hambúrguer, maços de cigarros, peças de carros. O lixo aumentava à medida que eu me aproximava da rotatória onde quatro estradas se encontram [...] Um tabermeiro

---
[22] Idem, p. 437.
[23] Ibidem, p. 496.
[24] Jonathan Bate, op. cit., 2006, p. 3.

de Enfield pôs Clare na direção certa, mostrando-lhe o caminho mais curto. Sua versão contemporânea é menos segura da topografia local. Os cervejeiros fizeram circular uma instrução impondo uma proibição total à cortesia. Um deles me respondeu: "High Beach, John? Se eu quisesse ir para essa droga de High Beach eu não começaria daqui". Outro, um trabalhador em horário de almoço, com um único olho na cara vermelha de cerveja, me disse: "Tinha uma estrada. Acho que tinha. Algum dia"[25].

Questões políticas de propriedade da terra e de direitos de acesso conferem às caminhadas de Clare uma afinidade com os caminhantes do século xx, e talvez seja essa percepção compartilhada de uma paisagem ameaçada de extinção que ajude a explicar o reconhecimento de Iain Sinclair de que a *Journey out of Essex* de Clare foi "uma das minhas obsessões", uma jornada cuja própria existência serve de "provocação para os futuros caminhantes"[26]. Sinclair se refere à caminhada de Clare como um "*O peregrino renovado*"; uma "peregrinação frenética" e uma "viagem xamânica para uma realidade mais persuasiva"[27]. Em seus comentários, ele lembra as palavras de um caminhante e suposto errante mais antigo, Stephen Graham, para quem "vagar e vagabundear é um atalho para a realidade"[28]. Certamente parece claro que a jornada de Clare não foi somente uma tentativa de se distanciar de um ambiente hostil, pois ele estava descartando uma identidade indesejada e um presente inóspito por um passado reimaginado livre de realidades difíceis. Mas evidentemente a jornada de Clare foi malsucedida: estava morto o objeto que há tanto ansiava em sua ilusão, sua sanidade se perdeu pelo caminho. A princípio, sua mulher, Patty, achou que ele estava melhor, dizendo "que queria testá-lo por algum tempo", mas, em dezembro de 1841, Clare foi novamente internado, dessa vez no Northampton General Lunatic Asylum[29]. Ele escreveu ali parte de seus melhores poemas,

---

[25] Iain Sinclair, *Edge of the Orison: In the Traces of John Clare's "Journey out of Essex"*, Londres, Hamish Hamilton, 2005, p. 126-127.
[26] Ibidem, p. 15, 31.
[27] Ibidem, p. 11, 122.
[28] Stephen Graham, "The Literature of Walking", in The Tramp's Anthology, p. x.
[29] Tom Paulin, "Introduction", Eric Robinson e David Powell (org.), op. cit., 2004, p. xxiii.

mas seus dias de perambulação se acabaram e ele nunca mais saiu do manicômio, morrendo aos setenta anos, em 1864.

Se a Lei da Vadiagem de 1824 pode ser identificada como o momento histórico em que se deu reconhecimento formal ao vagabundo na Grã-Bretanha, a data equivalente para os Estados Unidos é 1873, o ano da crise econômica que gerou o andarilho. Como indica Christine Photinos em *The Tramp in American Literature (1873-1939)*, a palavra *"tramp"* (andarilho) significava anteriormente uma jornada feita a pé, mas como a associação da expansão das ferrovias a uma série de crises econômicas a partir de 1873 resultou na criação de uma ampla população transitória de homens marginalmente empregados, pela primeira vez o andarilho se tornou um tipo social distinto[30]. Foi a própria escala dessa nova classe social que, nos Estados Unidos do final do século XIX, levou a figura do andarilho a se tornar objeto de temor e ao mesmo tempo fascínio para as classes médias, e isso logo se refletiu numa série de livros que procuravam revelar o verdadeiro modo de vida dessas figuras misteriosas. Na primeira linha de seu romance *A Tight Squeeze* (1879), o autor George A. Baker pergunta: "O que é um andarilho?". E tanto nesse livro quanto em romances como *Tony, the Tramp* (1876), de Horatio Alger, *The Man who Tramps* (1878), de Lee O. Harris, e o mais influente de todos, *Tramping with Tramps: Studies and Sketches of Vagabond Life* (1899), de Josiah Flynt, essa questão foi debatida. Apresentando o andarilho como vítima da má-sorte econômica ou participante voluntário de um modo de vida aventureiro, foi, sem surpresa, a visão picaresca do errante que triunfou, e o relato de Flynt, campeão de vendas, a celebrou. A partir de então, e apesar de vozes discordantes, entre as quais a de Jack London, em seu artigo *The Tramp* (1903), o errante gradualmente atingiu um status heroico, se não mítico, como figura que havia aparentemente rejeitado os rigores do sistema econômico, preferindo uma vida de liberdade. Essa figura foi posteriormente celebrada nos Estados Unidos por escritores muito diferentes, como Vachel Lindsay, Sinclair Lewis e John Dos Passos, além de Kerouac, Ginsberg e os *beatniks*[31].

---

[30] Christine Photinos, "The Tramp in American Literature (1873-1939)", in *AmeriQuests*, v. 5, n. 1, 2008. Disponível em: http://ejournals.library.vanderbilt.edu/index.php/ameriquests/article/view/62/59.

[31] Um acréscimo importante a essa relação é o nome de W. H. Davies, autor de *The Autobiography of a Super--Tramp* (1908), na qual ele se refere à sua vida de errante nos Estados Unidos, Canadá e Grã-Bretanha nos últimos anos do século XIX. Apesar de ter perdido uma perna enquanto viajava de trem pelo Canadá, ao

Mas, na literatura norte-americana, a representação romântica do errante tem a sua figura pioneira própria, o homem que pregou o evangelho da estrada aberta:

> A pé e despreocupado, eu ganho a estrada,
> Saudável, livre, com o mundo diante de mim,
> O longo caminho marrom à minha frente levando-me aonde quer que eu escolha.
> Daqui em diante não peço boa sorte, eu próprio sou boa sorte
> Daqui em diante eu não me lastimo mais, não adio mais, não preciso de nada,
> Chega de queixas entre quatro paredes, bibliotecas, críticas ranzinzas,
> Forte e contente eu viajo pela estrada[32].

Walt Whitman (1819-1892) foi o primeiro poeta urbano importante dos Estados Unidos. Em suas próprias palavras, "Walt Whitman, um cosmo, de Manhattan o filho"[33], ele tem com a cidade de Nova York a mesma relação que Baudelaire tem com Paris e Dickens com Londres, e, assim como eles, descreveria a sua cidade do nível da rua e na perspectiva do caminhante. Nascido em Long Island, Whitman viveu e trabalhou de modo um tanto obscuro como professor e jornalista, antes de publicar por conta própria o seu *Folhas de relva*, em 1855. Com a sua foto, mas sem nenhum nome, e apenas 795 exemplares na primeira edição, *Folhas de relva* ainda assim conseguiu provocar uma das reações mais formidáveis da história literária, com Ralph Waldo Emerson louvando-o como "o mais extraordinário exemplo de inteligência e sabedoria que os Estados Unidos já tiveram", e acrescentando: "Eu o saúdo no início de uma carreira brilhante"[34]. Durante muitos anos, no entanto, *Folhas de relva* foi o início, meio e fim da carreira

---

voltar para a Inglaterra Davies continuou "vagabundeando" por enormes distâncias, tendo escrito: "Prefiro caminhar livremente pelo campo, preterindo as estradas pelos caminhos menos palmilhados das colinas e das alamedas, a viajar em um iate ou em uma carruagem" (Oxford, Oxford University Press, 1980, p. 148). No seu registro sobre a vida de Davies, Barbara Hooper expôs os contrastes entre o modo de vida do errante americano da era de Davies e o seu equivalente inglês, comentando que "Mendigar nos Estados Unidos era quase um modo de vida legítimo, bem menos desprezado do que na Inglaterra [...] Com um pouco de retórica", acrescenta ela, "a vida de um vagabundo até poderia ser descrita como respeitável". Essa opinião certamente lhe foi passada pelo próprio Davies, que, logo ao chegar aos Estados Unidos, desistiu de qualquer ideia de ganhar a vida, preferindo vagar pelas estradas, "tentando melhorar minha mente e meu corpo de vagabundo" (Barbara Hooper, *Time to Stand and Stare: A Life of WH Davies, Poet and Super-Tramp*, Londres, Peter Owen, 2004, p. 38-39).

[32] Walt Whitman, "Song of the Open Road", in Jerome Loving (org.), *Leaves of Grass* [*Folhas de relva*], Oxford, Oxford University Press, 2008, p. 120-1.
[33] Walt Whitman, "Song of Myself", ibidem, p. 48.
[34] Carta de Emerson para Whitman, 21 de julho de 1855, ibidem, Appendix B, p. 463.

de Whitman, porque na verdade ele passaria toda a vida revendo, ampliando e republicando o livro em várias edições, a última das quais, a chamada "Edição do leito de morte", tendo aparecido logo antes de seu falecimento, em 1892. Nessa época, os doze poemas originais tinham aumentado para quase quatrocentos.

O motivo recorrente da obra de Whitman é o da estrada, e, em 1855, quando *Folhas de relva* apareceu, a estrada ainda era vista por muitos norte-americanos como um símbolo de oportunidade. De fato, como observou Paul Zweig no seu estudo sobre Whitman, nesse momento da história dos Estados Unidos o símbolo da estrada estava rapidamente se tornando uma realidade concreta, já que elas brotavam da Nova Inglaterra até Ohio e continuavam até os campos de golfe da Califórnia: "O vendedor ambulante norte-americano, Johnny Applessed, a carroça coberta, a frase 'Vá para o oeste, jovem', de Horace Greeley, tudo isso estava na estrada e definiu a estrada"[35]. Assim, se a estrada ou a rua era o símbolo, o modo de transporte preferido era a pé, e em toda a obra de Whitman, e especialmente nos poemas mais celebrados da primeira edição de *Folhas de relva*, o ato de caminhar estava sempre presente. Perambulando para cima e para baixo na Broadway, deslocando-se a esmo pelas ruas da cidade e mais além, Whitman continua levando os louros da tradição americana de vagar:

> Agradavelmente e com dignidade eu caminho,
> Para onde caminho eu não posso definir, mas sei que é bom,
> O universo inteiro indica que é bom,
> O passado e o presente indicam que é bom[36].
> Eu perambulo uma jornada perpétua (venham todos ouvir!)
> Meus sinais são um casaco impermeável, bons sapatos e um bastão cortado no bosque,
> Nenhum amigo se acomoda na minha cadeira,
> Eu não tenho cadeira nem igreja, nem filosofia,
> Não levo ninguém para uma mesa de refeições, biblioteca, bolsa de valores.
> Mas cada homem e cada mulher entre vocês eu levo para uma colina,
> Minha mão esquerda enganchada na cintura,
> E a direita apontando para paisagens de continentes e a estrada pública[37].

---

[35] Paul Zweig, *Walt Whitman: The Making of the Poet*, Harmondsworth, Penguin, 1986, p. 243.
[36] Walt Whitman, "To Think of Time", op. cit., 2008, p. 337.
[37] Walt Whitman, "Song of Myself", ibidem, p. 73.

Evidentemente, os poemas de Whitman expressam mais o espírito de vadiagem do que a realidade implicada nesse modo de vida, e, na sua evocação – frequentemente sentimental demais – da liberdade da estrada, evita qualquer referência ao sofrimento que Clare, por exemplo, experimentou na sua viagem de Essex para casa. A esse respeito, Whitman pertence firmemente à tradição romântica da literatura do caminhar, que vê o errante, vagabundo ou perambulador como uma figura simbólica em desacordo com a ortodoxia da sociedade convencional. Essa é uma perspectiva refletida, se não superada, na obra de Robert Louis Stevenson (1850-1894), cuja celebração ardorosa da perambulação atinge sua apoteose no poema *The Vagabond* (1896).

>Dê-me a vida que eu amo,
>Que o resto passe por mim,
>Dê-me o alegre céu acima
>E o atalho perto de mim.
>A cama no mato com estrelas para ver,
>O pão eu mergulho no rio –
>É essa a vida para um homem como eu,
>É essa a vida para sempre.
>Que a pancada venha cedo ou tarde,
>Que me aconteça o que quer que seja;
>Dê-me a face da terra em toda a sua volta,
>E a estrada diante de mim.
>Riqueza não peço nem esperança nem amor
>Nem um amigo para me conhecer,
>Tudo o que eu peço é o céu acima
>E a estrada abaixo de mim[38].

Durante a vida breve, mas picaresca de Stevenson, suas caminhadas se limitaram quase inteiramente ao período entre 1874, ano da recuperação de um esgotamento nervoso e a partida para a Califórnia, em 1879; e foi durante esse período que surgiram as duas maiores contribuições de Stevenson para a literatura do caminhar: seu artigo

---

[38] Robert Louis Stevenson, "The Vagabond" (1896), in Aaron Sussman e Ruth Goode (org.), *The Magic of Walking*, Nova York, Simon and Schuster, 1980, p. 347. Em sua biografia de Stevenson, Claire Harman observa que ele foi profundamente afetado pelo "fantasma" de Walt Whitman: "Stevenson", escreve ela, "admirava, até mesmo venerava, a filosofia do poeta e o seu projeto enormemente ambicioso. Ele se referiu a Whitman como 'um professor que num momento crucial de sua vida de juventude o ajudara a descobrir a conduta certa'". (Robert Louis Stevenson: *A Biography*, Londres, Harper Collins, 2005, p. 73.)

"Walking Tours" (1876) e as suas *Travels with a Donkey in Cévennes* (1879). Na última, Stevenson pinta novamente um quadro altamente romantizado da vida na estrada, que inclui uma descrição do seu uso pioneiro de um saco de dormir de fabricação caseira, um marco não tanto na literatura da vadiagem, mas na de *camping*, na qual o relato de Stevenson merece estar em primeiro lugar[39]. "De minha parte", escreve Stevenson,

> [...] eu viajo não para ir a algum lugar, mas para ir. Eu viajo por viajar. A grande questão é me mexer; sentir mais de perto as necessidades e os obstáculos da vida; descer dessa cama de plumas da civilização e descobrir sob os pés o granito do globo, juncado de pedras cortantes[40].

Nesse exemplo, contudo, a necessidade de movimento que Stevenson sentia foi gravemente dificultada pelo ritmo de sua relutante companheira, a mula Modestine:

> Não há palavra que descreva satisfatoriamente aquele passo. Era algo tão mais lento que uma caminhada quanto uma caminhada é mais lenta do que uma corrida. Eu ficava esperando a cada passo durante um tempo incrível. Em cinco minutos exauria o espírito e punha em estado febril todos os músculos da perna[41].

Stevenson formaliza a sua filosofia do caminhar em "Walking Tours" (1876), uma resposta para "On Going a Journey" (1822), de Hazlitt, talvez o ensaio mais conhecido de todo o cânone da caminhada, e é nela que ele reafirma a alegação de Hazlitt de que caminhar deveria ser uma ocupação solitária:

---

[39] Marples, op. cit., 1959, p. 152.
[40] Robert Louis Stevenson, *Travels with a Donkey in the Cévennes and the Amateur Emigrant*, Londres, Penguin, 2004, p. 35. Em 1964, o biógrafo Richard Holmes, então com dezoito anos, reconstituiu a viagem de doze dias que Stevenson fez pelas Cevenas. Atormentado por Stevenson e seu relato, a viagem de Holmes, feita inteiramente a pé, "tornar-se-ia uma espécie de perseguição, um rastreamento da trilha física do caminho de uma pessoa no passado, uma busca de pegadas". (Richard Holmes, *Footsteps: Adventures of a Romantic Biographer*, Londres, Hodder e Stoughton, 1985, p. 13-69.)
[41] Stevenson, op. cit., 2004, p. 12.

> Uma excursão a pé deve ser feita sozinho, porque a liberdade está em sua essência; porque você deve poder parar e continuar, e seguir por esse caminho ou aquele, levado por seu capricho [...] E, certamente, de todas as possíveis disposições de ânimo, essa, em que um homem pega a estrada, é a melhor[42].

Para Stevenson, contudo, como para Whitman antes dele, o ato de caminhar nunca é motivado pela necessidade econômica, sendo um meio de romper temporariamente os limites da existência cotidiana. Assim, apesar do seu proselitismo em favor da estrada e da liberdade do vagabundo, o que eles apresentam é sempre um modo de vida, e nunca a vida propriamente dita. Em suma: feito o discurso, permanece a questão de se eles realmente viveram como caminhantes. Talvez mantendo uma existência dupla como escritor e caminhante, as experiências na estrada nunca possam verdadeiramente ser mais do que episódios da vida do escritor. Mas e se a vida do escritor for, ela própria, apenas a precursora de uma vida na estrada, uma vida em que o escritor é suplantado pelo errante?

Nascido em 1854, começou a escrever poesia ainda adolescente, "aposentou-se" da poesia antes de chegar aos 21 anos, viajou pela Europa, Indonésia e África, morreu aos 37 anos, em 1891. Se é possível dizer que Stevenson teve uma vida breve, intensa e exótica, ele é superado em todas essas categorias por Arthur Rimbaud, o poeta e vagabundo *extraordinaire* que foi seu contemporâneo. Nascido naquela que ele posteriormente classificaria como "a mais supremamente idiota de todas as cidadezinhas provincianas"[43], Charleville, em Ardennes, a vida de Arthur Rimbaud tem sido caracterizada como uma série elíptica de fugas ou deserções, pontuadas por voltas periódicas ao lar da sua infância até que finalmente ele vai embora para não voltar nunca mais[44]. Seguindo um modelo conhecido de desenvolvimento adolescente, o sucesso escolar inicial de Rimbaud foi logo seguido por uma típica rebelião ado-

---

[42] Stevenson, "Walking Tours" (1876), op. cit., 1980, 234-240, p. 235.
[43] Apud Charles Nicholl, *Somebody Else: Arthur Rimbaud in Africa 1880-1891*, Londres, Vintage, 1998, p. 21.
[44] Graham Robb escreve: "Era como se todas as estradas devessem voltar elipticamente para Ardennas até que se alcançasse certa velocidade. Marcadas num mapa, as perambulações de Rimbaud assumem a mesma forma palindrômica de algumas das *Illuminations*, repetições em torno de um centro inexistente" (*Rimbaud*, Londres, Picador, 2000, p. 278).

lescente. Em 1870, com quinze anos, seus primeiros poemas foram publicados em revistas, e, no ano seguinte, depois de cabular muitas aulas (resultando, em um dos casos, num breve período de prisão em Paris), fugiu novamente. Voltando a Paris, "dormiu ao relento, comeu em latas de lixo, leu folhetos nas bancas de livros"[45], antes de mudar de ideia mais uma vez e, menos de duas semanas depois de chegar, ir a pé para casa – uma jornada de cerca de 250 quilômetros:

> Na estrada, durante as noites de inverno, desabrigado, sem roupas adequadas, sem pão, uma voz sufocou meu coração gelado: "Fraqueza ou força. São essas as suas opções, então que seja força. Não sabemos aonde você vai nem por que você vai, entrando em qualquer lugar, sem responder a ninguém. A probabilidade de você ser morto não é maior que a de um cadáver". De manhã a minha expressão era tão perdida, tão morta, que as pessoas que eu encontrava *podem nem mesmo ter me visto*[46].

Alguns meses depois ele já havia partido novamente, voltando para Paris a pé para participar – pelo menos é o que se afirma – da breve Comuna de Paris, em 1871. Não há certeza quanto ao seu real envolvimento no levante, mas decididamente essas primeiras experiências da vida na estrada o marcaram. Como observou Charles Nicholl, esse período assinala a primeira das muitas transformações na vida de Rimbaud, uma vez que o escolar estudioso e introvertido se tornou outra pessoa: um jovem bruto, sujo e de cabelos compridos, que "escandaliza" os parisienses com o seu "penteado romântico que chega ao meio das costas", seu cachimbo e suas arengas contra a Igreja e o Estado, pontuadas de obscenidades"[47]. Ou, como Jack Kerouac cantou em seu hino a Rimbaud:

> Nasce o Vagabundo
> o profeta demente faz seu primeiro Manifesto [...]
> Rimbaud passeia a pé[48].

---

[45] Charles Nicholl, op. cit., 1998, p. 24.
[46] Arthur Rimbaud, "A Season in Hell" (1873) ["Uma estação no Inferno"], in *Rimbaud Complete*, Londres: Scribner, 2003, p.198.
[47] Charles Nicholl, op. cit., 1998, p. 26.
[48] Jack Kerouac, *Rimbaud*, São Francisco, Califórnia, City Lights Books, 1960. De acordo com seu biógrafo,

Errante, vagabundo ou, no dizer de Rimbaud, *voyant*,[49] o poeta seria caminhante e visionário: "Eu lhe digo: o poeta precisa ser profeta, tornar-se profeta por meio de um longo, imenso e sistemático desarranjo de todos os sentidos"[50].

Na breve vida de Rimbaud, 1871 foi um divisor de águas, pois foi o ano em que ele conheceu Paul Verlaine, o poeta e amante com quem continuaria o seu desarranjo dos sentidos e também sua experiência de estrada. Com Verlaine, Rimbaud trocou Paris por Londres, num período caótico de "caminhadas, farras e estudos"[51]. A primeira dessas ocupações foi captada no poema "Operários", contido em *Iluminuras* (1872-1874), em que Rimbaud escreve:

> Dávamos um giro nos subúrbios. Tempo nublado,
> e esse vento sul excitava todos os odores ruins de jardins
> arrasados e campos secos. [...]
> A cidade, com suas fumaças e ruídos de ofícios,
> nos seguia tão longe nos caminhos[52].

É difícil superestimar a importância da caminhada para Rimbaud e Verlaine nessa época, quando eles saíam do centro de Londres procurando dissipar os mistérios da metrópole. Numa carta a Émile Blémond, Verlaine escreveu: "Todo dia fazemos enormes caminhadas nos subúrbios e no campo vizinho a Londres [...] Vimos Kew, Woolwich e muitos outros lugares [...] Drury Lane, Whitechapel, Pimlico, a City, Hyde Park: esses lugares já não têm nenhum mistério para nós"[53].

Em "Vagabundos", que também integra *Illuminations*, Rimbaud escreve: "e vadiamos, alimentados pelo vinho das cavernas e pelo biscoito do caminho"[54], e é interessante comparar o seu relato nada sentimental

---

Graham Robb, desde muito cedo Rimbaud revelou interesse pela figura do vagabundo, conversando habitualmente com "estranhos que encontrava na estrada, marinheiros, mineiros e vagabundos [...] Até mesmo quando estavam bêbados", disse ele ao amigo Ernest Delahaye, "eles eram 'mais próximos da natureza', e mais verdadeiramente inteligentes do que os hipócritas educados de sua classe. Eram os homens que, como o capitão Rimbaud [o pai de Rimbaud], poderiam pegar a estrada e nunca mais voltar" (Graham Robb, op. cit., 2000, p. 40).

[49] Aqui Rimbaud faz um trocadilho com "*voyou*" e "*voyant*", o primeiro significando "um brigão, um criminoso, um inútil", e o último "um profeta ou visionário" – literalmente: um vidente ou visionário" (Charles Nicholl, op. cit., 1998, p. 26).
[50] Rimbaud numa carta para Paul Demeny, maio de 1871, in Charles Nicholl, op. cit., 1998, p. 26.
[51] Charles Nicholl, op. cit., 1998, p. 54.
[52] Arthur Rimbaud, "Workers", op. cit., 2003, p. 239 ["Operários", in *Iluminuras*, São Paulo, Iluminuras, 1996, p. 41].
[53] Carta de Verlaine para Émile Blémond, in Charles Nicholl, op. cit., 2003, p. 53.
[54] Arthur Rimbaud, "Vagabonds", op. cit., 2003, p. 51 ["Vagabundos", op. cit., 1996, p. 51].

Capítulo 4 *O caminhante como errante* **87**

sobre a vida na estrada com a versão de Stevenson, que tem uma tendência bem mais romântica. Ao passo que Whitman e Stevenson representam o caminhante como invariavelmente bem alimentado e bem calçado, Rimbaud descreveu, já em 1870, no poema "Ma bohème", seus "sapatos feridos" e representou uma figura "com punhos enfiados nos bolsos rasgados de um casaco que se mantinha inteiro graças apenas ao seu nome"[55].

Nos anos que se seguiram à sua partida de Londres (e também à separação de Verlaine), as viagens de Rimbaud se tornaram mais irregulares e, consequentemente, menos documentadas: Reading, Scarborough, Stuttgart, Milão, Marselha. Conforme a relação de destinos confirmados (e não confirmados) aumenta, a produção poética de Rimbaud cessa de repente. Na verdade, exatamente quando aparece seu último poema datado, em 1875, logo depois do seu vigésimo primeiro aniversário, ele começa o período de viagens mais prolongado e ininterrupto; assim como a metamorfose anterior, em que se via o estudante se transformar em *voyant*, 1875 parece ter marcado outra reencarnação do mesmo tipo, em que Rimbaud, o poeta, tornou-se Rimbaud, o vagabundo, pondo de lado a caneta, final e irrevogavelmente, para privilegiar as jornadas, feitas muitas vezes sozinho e quase sempre a pé, que caracterizariam grande parte de sua vida posterior.

Desde as suas primeiras fugas de Charleville, Rimbaud parecia ter descoberto o método ideal de viajar, uma técnica que lhe seria útil em suas jornadas futuras. Para complementar a sua predileção por façanhas de maratonas de pedestrianismo de longa distância, Rimbaud também descobriu que a expulsão legal era um modo econômico de circular: mendigando na rua até ser inevitavelmente preso, ele se viu repetidas vezes mandado para um território vizinho, onde podia recomeçar o processo. Desse modo, observa Graham Robb, ele conseguiu ser expulso na Europa inteira, sendo certa vez transportado por todo o sul da Alema-

---

[55] Rimbaud, "My Bohemia: A Fantasy" (1870) [Minha boêmia], in *Rimbaud Complete*, Londres, Scribner, 2003, p. 49. "Para Rimbaud", escreve Graham Robb, "a questão era sentir a pancada regular da 'dura realidade'. Em 'Ma bohème' ele havia escrito sobre os seus 'sapatos machucados' com o apego compassivo que um caminhante de longa distância sente pelo seu equipamento. Eles eram as ferramentas simples que transformavam o mundo num espetáculo. Em menos de três meses ele andou mais de mil quilômetros num dos terrenos mais cansativos do sul da Europa. O resultado habitual dessas maratonas – embora isso dificilmente possa ser atribuído a um plano consciente – era que ele se reduzia a um estado de privação indefesa". (op. cit., 2000, p. 269)

nha antes de caminhar os mais de trezentos quilômetros até a sua cidade natal, Charleville[56]. Mas as caminhadas de Rimbaud não eram simplesmente um capricho ou afetação: ele estava inegavelmente em busca de aventura, mas estava também sem dinheiro. Em duas ocasiões registradas, pelo menos, sua caminhada foi quase fatal. No final de 1877, determinado a ir à África, ele começou uma caminhada para Alexandria. Quando chegou a Marselha, contudo, estava tão doente que foi forçado a abandonar a tentativa. A causa, de acordo com Ernest Delahaye, era "febre gástrica e inflamação da mucosa do estômago, em razão da fricção das paredes laterais contra o abdômen em caminhadas excessivas: esse foi, textualmente, o diagnóstico do médico"[57]. No ano seguinte, num passeio que prenunciou o que Hilaire Belloc faria cerca de vinte anos depois, Rimbaud tentou outra jornada, dessa vez rumo a Gênova, pelas montanhas Vosges e seguindo pelos Alpes, pelo desfiladeiro de Saint-Gothard: "Agora se caminha a vau pela neve, que chega a mais de três metros de altura. Já não dá para ver os pés. Fica-se agitado. Avança-se ofegante, porque em meia hora a nevasca poderá sem dificuldade enterrar uma pessoa"[58]. Em 1880 Rimbaud finalmente deixou a Europa, voltando para Marselha somente em 1891, para morrer. Ele andara "trafegando no desconhecido", numa aventura africana tão extraordinariamente picaresca que hoje parece mais mito do que história. Nesse período final da vida ele se transformou para viver a sua última fase, o errante e o vagabundo dando lugar ao comerciante, o contrabandista de armas, o explorador[59].

No que diz respeito ao presente relato, contudo, Rimbaud continua sendo acima de tudo um caminhante. Verlaine descreveu Rimbaud como *"l'homme aux semelles de vent"* – seus pés, ou sapatos, tinham "solas

---

[56] Graham Robb, op. cit., 2000, p. 277.
[57] Ernest Delahaye, apud Charles Nicholl, op. cit., 1998, p. 80. No entanto, Graham Robb questionou esse diagnóstico, afirmando que ele poderia ser um produto da imaginação de Rimbaud: "Essa afecção incomum pode ter sido inventada por Rimbaud. A ideia de que caminhar desgasta o estômago e o afina estaria muito bem situada entre os paradoxos das suas *chansons*: até a disposição dos órgãos internos é autodestrutiva". (op. cit., 2000, p. 292)
[58] Charles Nicholl, op. cit., 1998, p. 81.
[59] Os anos de Rimbaud na África, entre 1880 e a sua morte em 1891, permanecem quase completamente sem documentação. Mas mesmo aqui há mais indícios do pendor de Rimbaud para a caminhada, com um amigo desse período, Dimitri Righas, lembrando: "Ele era um ótimo caminhante. Ah, um caminhante fantástico!". (Charles Nicholl, op. cit., 1998, p. 261.)

de vento"; outro apelido era *"l'oestre"*, a mosca[60]. Mas foi Ernest Delahaye, em 1976, que fez o retrato definitivo do vagabundo, (ex-)poeta, perpetuamente em trânsito, para sempre de movimento:

> Rimbaud ainda era então robusto. Tinha o aspecto forte, flexível, de um caminhante resoluto e paciente que está sempre de partida, as pernas compridas se mexendo calmamente e com muita regularidade, o corpo ereto, a cabeça erguida, os belos olhos fixos na distância e o rosto com uma expressão de rebeldia domada, um ar de expectativa – pronto para qualquer coisa, sem raiva, sem temor[61].

---

[60] Charles Nicholl, op. cit., 1998, p. 71.
[61] Rimbaud descrito por Ernest Delahaye em Nicholl, p. 74-75. Graham Robb, comentando a descrição de Delahaye, escreve: "Agora seu corpo estava ajustado para grandes distâncias, embora nem sempre fosse capaz de cobri-las. Como o verso ou a música, o caminhar era uma habilidade rítmica, uma combinação de transe e atividade produtiva. A descrição que Delahaye faz do pedestre atlético indica um estado especial de existência, uma alegre delegação de responsabilidade ao sangue e aos músculos". (Graham Robb, op. cit., 2000, p. 277.)

Capítulo 5

# O caminhante e o mundo natural

*Quando caminhamos, vamos naturalmente para os campos e as florestas: o que seria de nós se caminhássemos somente num jardim ou numa alameda?* Henry David Thoreau[1]

*Ser um caminhante sem pressa na chamada zona rural é historicamente um comportamento incomum [...] Quase sempre se considera pobre, louco ou criminoso quem caminha na zona rural.*
John Urry[2]

Nas últimas décadas do século XVIII, as atitudes populares com relação à caminhada passaram por uma profunda mudança. No intervalo de uma única geração, uma atividade que até então se considerava pouco mais que consequência da necessidade econômica tornou-se algo totalmente diferente: a caminhada passou a ser um prazer, e não uma tarefa, adotada pelos pobres e também pelas classes ociosas. Essa redescoberta da caminhada foi, em parte, resultado de uma visão recém-surgida do viajante como um tipo distinto, uma consequência das melhorias nas estradas e no transporte, o que permitiu que se desenvolvessem na

---
[1] Thoreau, "Walking", in Edwin Valentine Mitchell (org.), *The Pleasures of Walking*, 1975, p. 135.
[2] John Urry, *Mobilities*, Cambridge, Polity Press, 2007, p. 77.

Inglaterra tipos equivalentes de excursões anteriormente praticadas na Europa continental. Essas mudanças se revelariam profundamente enraizadas, pois, por trás das flutuações superficiais da moda, a percepção comum da própria natureza estava passando por uma transição, com as paisagens até então consideradas insatisfatórias começando a ser vistas como espirituais e libertadoras.

As bases filosóficas que sustentaram essa mudança da consciência visual se originaram na influência de Rousseau e logo encontraram expressão com o surgimento do Romantismo. Mas quem expressou esses sentimentos com maior clareza foi o reverendo William Gilpin, figura influente da época. Foi Gilpin quem, na década de 1770, desenvolveu pela primeira vez a ideia do pitoresco, popularizando um novo método de ver o nosso ambiente em que o viajante intrépido era mandado para a floresta inglesa para dedicar-se à comunhão sublime com as paisagens vigorosas e indomadas que encontraria ali. A obra de Gilpin fazia parte de uma tendência mais ampla das narrativas de viagem, que, no final do século XVIII, começou a transformar a nossa compreensão das Ilhas Britânicas, particularmente da Escócia, norte do País de Gales e Distrito dos Lagos. O ato de caminhar não tardou a ceder lugar à excursão a pé, e, pela primeira vez, a figura do pedestre pôde ser observada em seu habitat natural.

> Lamento muito não ter tido conhecimento do seu desejo de empregar as férias numa excursão pedestre, tanto por você – já que isso teria contribuído muito para melhorar o seu humor – quanto por mim, já que ganharíamos muito com sua companhia[3].

Esse trecho da carta de Wordsworth para seu amigo William Mathews, datada de 1791, contém o primeiro uso da palavra "pedestre" como adjetivo para captar o sentido literal de estar a pé. E poucas pessoas – se é que alguma, antes ou depois – chegaram perto de Wordsworth em reproduzir o quanto o poeta se tornaria uma expressão viva do termo. A posição dominante de Wordsworth no cânone dos caminhantes literários não é contestada. Seu papel fundamental na moldagem das

---

[3] Carta de William Wordsworth para William Mathews, Plas-yn-Llan, 13 de agosto de 1791, in William Knight (org.), Letters of the *Wordsworth Family: from* 1787 to 1855, Londres, Ginn e Company, 1907, v. 1, p. 31.

nossas percepções da paisagem inglesa é indiscutível. Na verdade, estamos tão acostumados a associar a poesia de Wordsworth a uma imagem idealizada do campo inglês, preservada pela representação crescentemente simbólica de uma paisagem há muito tempo diminuída, que ele foi chamado de Padroeiro da Reserva Natural[4]. Mas se a descrição de De Quincey for confiável, a estatura de Wordsworth como poeta e caminhante não se refletia no seu aspecto físico:

> Comecemos com sua figura: Wordsworth não era, no geral, um homem bem acabado. Suas pernas eram enfaticamente condenadas por todas as conhecedoras de pernas que ouvi palestrarem sobre esse tópico. Não que fossem ruins em algum sentido que as fizesse chamar atenção. Não havia nelas nenhuma deformidade, e sem dúvida elas prestaram um serviço além do padrão médio da exigência humana, pois eu calculei, baseado em bons dados, que com aquelas pernas Wordsworth deve ter percorrido uma distância entre 175 mil a 180 mil milhas – uma forma de esforço que para ele se igualava ao vinho, à aguardente e a todos os outros estimulantes do espírito animal, ao qual ele foi devedor por uma vida de felicidade sem nuvens, e nós, por seus escritos mais excelentes. Mas, por mais que lhe tenham sido úteis, as pernas de Wordsworth certamente não eram ornamentais, e, de fato, foi uma pena, no que eu concordo com a opinião de uma senhora, ele não ter outras para as festas a rigor, quando as botas não nos prestam a sua ajuda solidária para mascarar nossas imperfeições aos olhos das mulheres exigentes[5].

Se a extraordinária carreira de Wordsworth como poeta e pedestre pode ser captada em uma única obra, é no seu prodigioso feito de resistência textual, *The Prelude* (1850), que registra com a maior fidelidade sua dupla obsessão pelos indissolúveis atos de caminhar e criar. Concluído em 1805 e, como *Leaves of Grass*, de Whitman, posteriormente

---

[4] Donna Landry, op. cit., 2001, p. 213.
[5] Thomas De Quincey, *Recollections of the Lake Poets*, Harmondsworth, Penguin, 1970, p. 135. Deve-se lembrar que Wordsworth estava com apenas 65 anos na época da estimativa de De Quincey, tendo ainda pela frente mais quinze anos de caminhadas.

polido e revisto durante toda a sua vida, *The Prelude* foi publicado pela primeira vez em 1850, depois da morte de Wordsworth. Sendo em muitos sentidos a autobiografia de um caminhante, *The Prelude* oferece um retrato do jovem andarilho, quando Wordsworth rememora as andanças noturnas da época da escola, dizendo que:

> [...] era a minha alegria
> vaguear metade da noite pelos Penhascos e pelas lisas Baixadas [...]
> Pois eu caminhava sozinho
> Com vento forte e na tempestade ou em noites estreladas
> Sob o céu tranquilo [...][6]

ao passo que, mais adiante nesse mesmo poema, ele expressa a sua boa sorte por ter estado perto da natureza desde uma idade muito tenra:

> Feliz nisto, ter caminhado com a natureza
> Sem ter uma relação demasiado precoce
> Com as deformidades da vida abarrotada[7].

E foi a continuação desse hábito de infância, além da sua relação quase mística com o mundo natural, que forneceu a base para a sua filosofia de toda a vida:

> Eu adoro uma estrada pública: poucas coisas
> Me agradam mais ver; ela teve poder
> Sobre a minha imaginação desde a aurora
> Da infância, quando a sua linha que sumia,
> Vista diariamente muito ao longe, numa escarpa desguarnecida
> Além dos limites pisados pelos meus pés,
> Era como um guia para a eternidade,
> Pelo menos para coisas desconhecidas e sem limite[8].

---

[6] William Wordsworth, "The Prelude", in *The Major Works*, Oxford, Oxford University Press, 2008, livro 11, vv. 313-323, p. 383, 400.
[7] Ibidem, livro XIII, vv. 463-465, p. 498.
[8] Ibidem, livro XII, vv. 145-152, p. 572. Nesses versos Wordsworth expressa um sentimento que mais tarde ecoaria em Whitman ("Song of the Open Road") e Stevenson ("Roads"). No entanto, ele encontrou a sua confirmação mais enfática na poesia de Edward Thomas (1878-1917), que escreve: "Adoro as estradas:/ As deusas que moram/ Longe no invisível/ São meus deuses prediletos" (Edward Thomas, "Roads", in *Collected Poems*, Londres, Faber, 1979, p. 163).

Capítulo 5 *O caminhante e o mundo natural* **95**

O ponto de virada na vida de Wordsworth – ou pelo menos o primeiro marco de sua carreira como poeta e pedestre – ocorreria em 1790, quando, aos vinte anos de idade, ele começou sua primeira grande excursão a pé, feita na companhia do amigo e colega de estudos Robert Jones. Esse tipo de excursão logo se tornaria parte importante da vida dos universitários, mas em 1790 a viagem de Wordsworth foi considerada "louca e impraticável"[9]. Percorrendo 550 quilômetros na primeira quinzena, nos dois meses seguintes ele e seu companheiro atravessaram a Europa num ritmo de cerca de cinquenta quilômetros diários pela França, Itália, Alemanha e Suíça, uma incursão pela Europa continental que seria, novamente, lembrada em *The Prelude*:

> Não é meu objetivo agora reconstituir
> Passo a passo essa jornada diversificada:
> Foi uma marcha de velocidade militar,
> E a terra mudou suas imagens e formas
> Diante de nós, tão rapidamente quanto as nuvens mudam no Céu.
> Dia após dia, de pé bem cedo e dormindo tarde,
> De vale para vale, de colina em colina nós seguimos,
> De província em província passamos,
> Caçadores entusiasmados numa caça de catorze semanas[10].

O auge dessa excursão foi uma visita à ilha de Saint-Pierre, na Suíça, descrita por Rousseau no quinto passeio de *Os devaneios* como uma espécie de paraíso natural. De fato, Wordsworth parece ter sido dominado por um enlevo semelhante, tendo escrito para a irmã ao voltar: "Sou um perfeito entusiasta na minha admiração pela Natureza em todas as suas várias formas"[11].

Assim, se Wordsworth pode ser visto como um sucessor natural de Rousseau, ele também herda algo da perspectiva melancólica de seu predecessor, pois, apesar do devaneio do jovem, a figura do caminhante nas primeiras obras de Wordsworth não tem nada da embriaguez com o mundo natural que ele próprio experimentaria. Pelo contrário, o caminhante é invariavelmente retratado como uma imagem do dis-

---
[9] Marples, op. cit., 1959, p. 34.
[10] Wordsworth, op. cit., 2008, livro VI, vv. 426-434, p. 461.
[11] Carta para Dorothy Wordsworth, setembro de 1790, in Ernest de Selincourt (org.), The *Letters of William and Dorothy Wordsworth: The Early Years*, 1787-1805, Oxford, Clarendon Press, 1967, p. 35.

tanciamento social, divorciado de sua sociedade e também de seu meio. Por conseguinte, em lugar do vigoroso pedestre, os primeiros poemas de Wordsworth são povoados pelos marginalizados e despossuídos: o proscrito e o assassino, a mulher abandonada, soldados dispensados, mendigos e ciganos[12].

Diferentemente de John Clare, Wordsworth não tinha grandes motivos para temer que, quando estivesse viajando pelas estradas, o confundissem com um cigano caçando em território alheio ou o perseguissem por ser vagabundo, e sua poesia mostra um fascínio por essas figuras e identificação com o seu sofrimento. Na verdade, é precisamente essa consciência do terreno comum entre eles que lhe permite elevar a caminhada ao status de ato democrático, uma prática unificadora pela qual as divisões sociais da época podem ser rejeitadas e vencidas[13]. Mas a poesia de Wordsworth também enfatiza a distinção entre o turista e o viajante, o caminhante ocioso e o trabalhador, quando ele tenta redefinir o ato de caminhar criando um tipo totalmente novo de verso peripatético em que esse ato assume o ritmo regular, repetitivo, não do pedestre, mas do trabalhador. Nesse último caso, o ato de caminhar se tornou uma metáfora para o trabalho na terra, uma atividade incansável, mecânica, divorciada dos processos mentais, um ato de produção física cujo resultado é medido em versos:

> Uma extensão de espaço aberto onde eu posso caminhar
> Para frente e para trás o quanto quiser
> Numa irreflexão fácil e mecânica[14]

As caminhadas de Wordsworth logo passaram a refletir essa nova estética, e após os trinta anos a viagem épica da juventude cedeu lugar a uma forma de movimento igualmente prodigiosa, porém mais obsessiva e metronômica em sua caminhada diária. Depois de 1799, quando os Wordsworths se estabeleceram em Grasmere, no Distrito dos Lagos, sabia-se que ele quase sempre compunha seus versos enquanto seguia em linha reta para cima e para baixo pelo caminho de cascalho do seu jardim. Nessa pequena faixa, Wordsworth realizava seus trabalhos de

---
[12] Jeffrey Robinson, 1989, p. 25.
[13] Solnit, op. cit., 2001, p. 112.
[14] Wordsworth, "When First I Journeyed Hither", op. cit., 2008, livro vi, vv. 36-39, p. 221.

pedestre, e o caminhar e a criação se tornaram, por fim, sinônimos e indistinguíveis.

Wordsworth continuou caminhando pelo resto de sua longa vida, e foi essa atividade que o sustentou. Os amigos vieram e se foram à medida que a política radical de sua juventude cedeu lugar ao conservadorismo da velhice. A excelente reputação de que ele desfrutava acabou sofrendo uma queda prolongada, mas, durante essas flutuações da sorte, ele continuou sua incrível odisseia pedestre. Caminhar tinha se tornado seu estado natural, sendo o deslocamento a pé aquele que, mais que todos os outros, lhe permitia (e aos que estavam com ele) experimentar o mundo natural com uma intensidade que seus predecessores não conheceram.

> Como pedestre, pura e simplesmente, Wordsworth poderia ter conquistado um espaço numa época de pedestrianismo. Ele não via problema em caminhar longas distâncias no curso normal de suas atividades cotidianas: doze quilômetros de ida e doze de volta para buscar a correspondência, 25 quilômetros para tomar chá com um amigo. Além disso, andava durante muito tempo num ritmo muito veloz (como fazia a sua irmã Dorothy quando era moça). Em 1799 os dois caminharam, certa vez, dezessete quilômetros por uma estrada de montanha alta, com um vento forte soprando nas suas costas, durante duas horas e meia "marcadas no relógio", e, depois de descansar por quinze minutos em uma hospedaria, outros doze quilômetros em uma hora e 35 minutos – ao todo, 29 quilômetros em quatro horas: um bom ritmo para um homem, e admirável para uma mulher daquela época[15].

Ao passo que os prodigiosos feitos de Wordsworth no pedestrianismo foram tema de infindáveis comentários, os de sua irmã Dorothy, como quase todos os aspectos de sua vida, permaneceram em grande parte ocultos. Isso é uma grande injustiça, pois na verdade ela ocupa uma posição pioneira no cânone da caminhada, não somente em razão das suas impressionantes façanhas como caminhante como também

---

[15] Marples, op. cit., 1959, p. 37.

graças aos seus diários, em que ela revela a real extensão em que o caminhar dominaria sua vida e a de seu irmão.

Tendo chamado a atenção para as deficiências do físico de William, De Quincey estendeu o mesmo tratamento à sua irmã, observando que Dorothy andava curvada – desconjuntada, segundo ele –, o que dava "um caráter assexuado à sua aparência quando ela está ao ar livre"[16]. Mas se o seu modo de andar nada tinha de ortodoxo, por outro lado ele era altamente competente, pois Dorothy logo mostrou todos os sinais de compartilhar a aptidão inata do irmão para a caminhada, além de – é preciso acrescentar – uma personalidade forte o suficiente para ignorar as críticas da família e da sociedade, para a qual, além de excêntricos, seus hábitos de caminhada devem ter sido considerados vergonhosos[17].

Dorothy Wordsworth desenvolveu o hábito de caminhar durante a infância passada com o irmão William, mas o início de sua carreira de caminhante de longa distância pode ser marcado em 1794, quando ela passou uma temporada numa fazenda pertencente a William Calvert, perto de Keswick, no Distrito dos Lagos. Ela contou posteriormente que, para chegar à fazenda, caminhou junto com o irmão de Kendal até Grasmere, uma distância de mais de trinta quilômetros, e de Grasmere até Keswick outros 25 quilômetros. Como observa corretamente Morris Marples: "Hoje não são muitas as mulheres que caminhariam sem dificuldade 55 quilômetros em um único dia"[18].

Sua primeira "excursão a pé", e muito provavelmente a primeira excursão a pé realizada por uma mulher, foi feita junto com Wordsworth e Coleridge em novembro de 1797. Saindo de Alfoxden, eles foram até Lynmouth, e depois voltaram[19]. Essa foi a famosa jornada que inspirou Coleridge a escrever *A balada do velho marinheiro* e que viria a integrar as *Lyrical Ballads* (1798) de Wordsworth e Coleridge, publicado no ano seguinte. Mas 1798 também iria produzir outra obra, bem menos celebrada, não escrita para publicação ou para um público maior, mas que ilumina

---

[16] De Quincey, op. cit., 1970, p. 132.
[17] Foi em resposta a essas críticas à conduta da irmã que Wordsworth escreveu seu poema "To a Young Lady, who had Been Reproached for Taking Long Walks in the Country", de 1802 (*Collected Poems of William Wordsworth*, Ware, Hertfordshire, Wordsworth Editions, 1994, p. 256-257).
[18] Marples, op. cit., 1959, p. 90.
[19] Ibidem, p. 91.

esse extraordinário período no qual Wordsworth, sua irmã e Coleridge abrem a pé seu caminho na história literária.

O *Alfoxden Journal* (1798), de Dorothy Wordsworth, se refere ao período entre julho de 1798, quando Wordsworth alugou Alfoxden, uma casa grande que ficava a cinco quilômetros do chalé de Coleridge em Nether Stowey, em Somerset. O diário cobre apenas os quatro meses seguintes ao final de janeiro de 1798 e contém muito pouca ação e quase nenhuma presença da autora em qualquer sentido. Com seu estilo de prosa abrupto, sucinto, em que ao lado de descrições curtas da paisagem estão rotinas de caminhada diária, tem-se considerado que ele pode ser lido como "uma caderneta de registro do pedestre"[20]. Mas esse diário pequeno e com pouco texto revela um fascínio pelo mundo natural e enfatiza a ligação entre as três figuras, que parecem estar em perpétuo movimento.

Desde a primeira anotação, que data de 20 de janeiro de 1798, a autora parece extasiada pelo ambiente, falando de um jardim "alegre com flores" e do campo banhado de raios de sol[21]. Esse devaneio vai gradualmente desaparecendo, no entanto, à medida que o jardim é deixado para trás e ela se afasta a pé. Em pouco tempo, todas as anotações passam a ser iniciadas com a mesma palavra: "caminhei". Horas e trajetos são registrados, assim como observações sobre o tempo, o céu e a paisagem. As anotações se tornam mais breves e mais bruscas, como se o ritmo do diário replicasse as caminhadas que ela descreve. Inicialmente, ela está sozinha ou com William, mas Coleridge não demora a também se fazer presente, e, à medida que a paisagem muda com a estação, todas as informações irrelevantes são reduzidas ou totalmente omitidas, até que finalmente se tem apenas o essencial:

> 25 [de março]. Caminhei até a casa de Coleridge depois do chá. Chegamos em casa à uma hora. Noite nublada, mas não escura.

---

[20] Ibidem, p. 89. A brevidade do estilo da prosa talvez se deva menos a Dorothy Wordsworth do que ao primeiro organizador dos diários, William Knight, responsável pela omissão do que considerasse "detalhe trivial". Infelizmente, para o leitor moderno, já não é possível cotejar nenhuma dessas omissões com o manuscrito original, pois, como Pamela Woof comenta em sua apresentação de *The Alfoxden Journal*, "O problema com *Alfoxden Journal* é que não há manuscrito. Entre as leituras do professor William Knight em 1889, 1897, e possivelmente 1913, ele não foi visto. Temos de aceitar um texto reduzido e um tanto inconfiável" (Introduction, in Dorothy Wordsworth, *The Grasmere and Alfoxden Journals*, Oxford, Oxford University Press, 2008, p. xxviii).

[21] Dorothy Wordsworth, *The Grasmere and Alfoxden Journals*, Oxford, Oxford University Press, 2008, p. 141.

> 26. Fomos encontrar Wedgewood na casa de Coleridge depois do jantar. Chegamos em casa à meia-noite e meia, uma bela noite de luar; meia-lua.
> 29. Coleridge jantou conosco.
> 30. Caminhei não sei onde.
> 31. Caminhei[22].

Essa anotação do dia 31 parece, de certo modo, uma condensação do diário inteiro, como se sua principal atividade finalmente aparecesse sozinha. Não sabemos onde ela caminhou, ou por quê, e, no entanto, isso parece não ter importância, pois a atividade ganhou por fim um significado em si e para si, totalmente divorciada de seu trajeto ou dos participantes. E assim prossegue o diário, enquanto os dias restantes passam numa repetição de lugar e movimento:

> 1º de abril. Caminhei ao luar.
> 2. Vento muito forte. Coleridge veio para evitar a fumaça; ficou durante toda a noite. Caminhei na floresta e nos sentamos sob as árvores [...]
> 3. Caminhei para Crookham com Coleridge e William [...]
> 3. Caminhei para Crookham.
> 4. Caminhei à beira-mar à tarde [...][23]

O diário se encerra muito abruptamente em sua anotação: "22 [17] de abril. *Quinta-feira*. Caminhamos até Cheddar. Dormimos em Cross"[24]. Mais uma vez o dia foi reduzido às suas partes constitutivas – caminhar e dormir –, e sobre o restante não há uma única palavra.

O *Alfoxden Journal* recebeu muito menos atenção do que a obra bem mais importante de Dorothy Wordsworth, *Grasmere Journal* (1800-1803), o que, do ponto de vista puramente literário, não é surpreendente. Pois o *Alfoxden Journal* não tem o interesse humano, a exploração da personalidade e os detalhes da vida doméstica cotidiana que caracterizam o *Grasmere Journal*, e muitos o consideram um pouco mais do que uma introdução à obra maior. Mas no que diz respeito à literatura

---
[22] Ibidem, p. 150.
[23] Ibidem, p. 151.
[24] Ibidem, p. 153.

da caminhada o *Alfoxden Journal* tem uma posição bem mais significativa, pois, apesar de sua brevidade e da forma quase esquemática, ou talvez por essas duas características, não há nenhum outro texto que, com tanta clareza, traga para o primeiro plano o ato de caminhar ou que dê a essa atividade uma posição tão preeminente no processo de composição literária.

Assim, se 1798 é notável pela publicação das *Lyrical Ballads* e pelos acontecimentos registrados no *Alfoxden Journal*, esse ano ganha uma importância ainda maior por ser aquele em que Coleridge e Wordsworth foram apresentados a William Hazlitt. As pretensões do próprio Coleridge como caminhante foram bem documentadas, especialmente por sua ligação com Wordsworth, e se a descrição do físico de Wordsworth feita por De Quincey parece cruel, não é nada se comparada à descrição que Carlyle faz de Coleridge, apresentando-o como

> [...] um homem gordo, flácido e arqueado, e, ao mesmo tempo, baixo, rotundo e descontraído [...] Ele está sempre com os joelhos meio dobrados. Ele se inclina com os ombros gordos e mal torneados, e, ao caminhar, não pisa, mas avança o pé como se fosse uma pá, e desliza[25].

Quando jovem, Coleridge acompanhava Wordsworth passo a passo, mas aos trinta anos a doença e a depressão levaram sua carreira de caminhante a um final prematuro. E, embora ele frequentemente escrevesse enquanto caminhava, sua poesia não expressa a mesma necessidade física primordial dessa atividade que encontramos nos versos of Wordsworth.

Hazlitt conheceu Coleridge durante uma caminhada, acompanhando-o pelos primeiros dez quilômetros de sua viagem para casa saindo de Wem, em Shropshire, onde o pai de Hazlitt era ministro unitário, e onde Coleridge havia pregado[26]. Esse encontro resultou em um convite para que Hazlitt visitasse Coleridge em sua nova residência em Nether Stowey, um percurso de cerca de 255 quilômetros. Hazlitt fez essa viagem caminhando, e, durante as três semanas que passou com Coleridge, eles percorreram a pé a área acompanhados de um admirador local chamado

---

[25] Thomas Carlyle, carta a John A. Carlyle de 24 de junho de 1824, apud Gary Dexter (org.), *Poisoned Pens: Literary Invective from Amis to Zola*, Londres, Frances Lincoln, 2009, p. 64.
[26] Marples, op. cit., 1959, p. 47.

John Chester. Hazlitt evidentemente estava à altura da capacidade de Coleridge para caminhadas de longa distância. Os dois percorreram mais de 50 quilômetros juntos no dia da partida de Hazlitt, mas o rapaz, que tinha vinte anos de idade, estava pasmo na companhia de Coleridge, e "quase não abriu a boca para falar, nunca emitindo uma opinião"[27]. Hazlitt nunca registrou claramente esses primeiros passos na sua carreira de caminhante, e suas lembranças do itinerário podem não ser confiáveis, mas foi ele, e não seus contemporâneos românticos mais celebrados, que nos legou a condensação mais aplaudida da filosofia do caminhante:

> Uma das coisas mais agradáveis que há no mundo é fazer uma jornada a pé, mas eu gosto de ir sozinho. Posso ter companhia no quarto, mas, ao ar livre, a natureza é companhia suficiente para mim. Assim, eu nunca estou menos sozinho do que quando estou sozinho [...] Não vejo graça em andar e conversar ao mesmo tempo. Quando estou no campo, eu gosto de vegetar como o campo. Não tenho vontade de criticar cercas-vivas e gado preto. Saio da cidade para esquecer a cidade e tudo o que está nela. Há quem com esse objetivo vá para balneários, levando consigo a metrópole. A mim me agrada mais amplidão e menos carga [...] A alma de uma jornada é a liberdade, liberdade perfeita, para pensar, sentir e fazer somente o que se quer. Vamos a uma jornada principalmente para nos livrarmos de todos os impedimentos e de todas as inconveniências, para nos esquecermos de nós mesmos, e, mais ainda, para nos livrarmos dos outros [...] Dê-me o céu azul sem nuvens sobre a minha cabeça e a relva verde sob os meus pés, uma estrada serpeante à minha frente e uma caminhada de três horas para o jantar [...] eu rio, corro, salto, canto de júbilo[28].

Publicado pela primeira vez em 1821 no periódico *Table Talk*, "On Going a Journey" foi o primeiro ensaio que tratou diretamente da ideia de caminhar como uma atividade por si mesma, e, apesar dos muitos sucessores e imitadores que se seguiriam, entre eles Robert Louis Stevenson

---

[27] Marples, op. cit., 1959, p. 48.
[28] William Hazlitt, "On Going a Journey", in *Selected Essays*, Cambridge, Cambridge University Press, 1917, p. 141-142.

e Leslie Stephen, o ensaio de Hazlitt é até hoje o exemplo eminente do gênero. "On Going a Journey" apresenta uma visão idealizada da caminhada e do caminhante, e apresenta de modo prescritivo as normas segundo as quais essa atividade deveria ser realizada. A caminhada, tal como ele a entende, é puramente uma questão rural, um meio de escapar dos limites da cidade para experimentar a liberdade irrestrita do mundo natural, uma experiência a ser desfrutada sozinho: "Gosto de estar inteiramente comigo", escreve Hazlitt, "ou então inteiramente à disposição dos outros, conversar ou ficar em silêncio, caminhar ou ficar parado, ser sociável ou solitário"[29]. Mais adiante no ensaio, contudo, ele abre duas exceções a essa regra: a primeira se aplica às viagens no exterior, onde uma companhia é uma necessidade – "Eu gosto de vez por outra ouvir o som da minha língua"[30]; a segunda diz respeito às caminhadas para um lugar específico – ele dá os exemplos de "ruínas, aquedutos, paisagens". Em ambos os casos, um "partícipe do prazer" é aceitável, pois parece que somente quando se caminha sem rumo é que a solidão se torna um pré-requisito.

O ensaio de Hazlitt tem exatamente o estilo divagante, digressivo, que ele recomenda para o próprio caminhar, e é adornado com muitas citações literárias, de Shakespeare a Wordsworth[31]. Na verdade, ficamos com a impressão de que o ato de caminhar se torna uma atividade tão nobre e elevada que começa a parecer não tanto uma oportunidade de experimentar a natureza quanto uma tentativa de reproduzir a arte. Na prática, no entanto, parece difícil seguir essa fórmula idealizada e romântica, e, apesar de seus protestos em contrário, tem-se a impressão de que o próprio Hazlitt não era avesso a caminhar acompanhado, e geralmente tendia a caminhar com um acompanhante[32]. Seu ensaio, embora exteriormente otimista, mostra uma ambiguidade em relação ao campo em que seu gosto pela solidão, apesar de ser proclamado frequentemente, não consegue convencer, pois, conservando o ponto de vista do morador da

---

[29] Ibidem, p. 142.
[30] Ibidem, p. 145.
[31] Como Anne D. Wallace observou: "Na verdade a narrativa de Hazlitt perambula, passeando de um ponto para outro por uma linha, com poucas tentativas aparentes de comentar sinteticamente ou moldar intencionalmente. Tem-se uma espécie de choque quando ele fala em 'voltar' para a sua investigação principal, pois o leitor desavisado foi levado por um atalho passo a passo" (*Walking, Literature, and English Culture: The Origins and Uses of the Peripatetic in the Nineteenth Century*, Oxford, Clarendon, 1993, p. 178).
[32] Marples, op. cit., 1959, p. 53.

cidade, suas observações ardorosas sobre a pureza rural são neutralizadas pela impressão de que anseia por voltar para casa e expor o que observou. Rebecca Solnit criticou como um todo o gênero do ensaio sobre caminhada, afirmando que mais do que enfatizar a liberdade representada pela caminhada, o ensaio tende a reduzir a atividade a praticamente uma demonstração de sentimento piedoso, retirando o elemento que mais a torna atraente: o inesperado.

> O ensaio sobre a caminhada e o tipo de caminhada descrito nele têm muita coisa em comum [...] tanto a caminhada quanto o ensaio pretendem ser agradáveis, até mesmo encantadores, e assim não acontece jamais de alguém se perder, se alimentar com comida ruim e tomar chuva numa floresta sem trilhas, fazer sexo sobre um túmulo com uma pessoa desconhecida, se deparar com um tiroteio ou ter visões de outro mundo. A excursão a pé ficou muito associada a padres e religiosos protestantes, e o ensaio sobre a caminhada tem algo da afetação desses tipos[33].

Mas é preciso ser justo com Hazlitt: não é provável que os tipos de infortúnio imaginados por Solnit surpreendessem o suposto caminhante na Inglaterra do início do século XIX, e entre a descrição dela e a dele há margem suficiente para abranger toda a literatura sobre o assunto.

Assim como as melhorias no transporte e na infraestrutura facilitaram a ascensão do pedestre no final do século XVIII, essas mudanças acabaram por substituir o ato de caminhar. Nos Estados Unidos, o desenvolvimento das ferrovias rapidamente derrubou a supremacia da caminhada como modo comum de viagem, e a caminhada foi logo relegada à esfera doméstica, sendo um modo de locomoção ligado principalmente às mulheres, aos pobres, aos doentes e àqueles que optaram por rejeitar decididamente a velocidade e o barulho da vida metropolitana. Uma dessas figuras, que escolheu a vida de pedestre em protesto contra as intrusões da cidade e a destruição do mundo natural, foi Henry David Thoreau (1817-1862).

---

[33] Rebecca Solnit, op. cit., 2001, p. 120.

Thoreau, o perfeito romântico americano e o maior de todos os caminhantes do continente, é uma figura cuja apreciação transcendente, até mesmo mística, do mundo natural torna descendente direto de Wordsworth e Coleridge, e, como veremos adiante, progenitor de caminhantes e naturalistas posteriores, como John Muir.

> Eu gostaria de dizer uma palavra em nome da Natureza, da liberdade e da rusticidade absolutas, em contraste com uma liberdade e uma cultura apenas civis: que se considere o homem como habitante ou parte integrante da Natureza, e não como membro da sociedade[34].

Com essas linhas, Thoreau começou seu ensaio "Walking", publicado inicialmente em 1862, no *Atlantic Monthly*, com o título "Walking and the Wild". Nesse texto, ele, naturalista, poeta e crítico social, esboça a sua crença de que o ato de caminhar é uma expressão da liberdade e da rusticidade, e, como tal, opõe-se à expansão da sociedade urbana. No seu caso, essa ameaça vinha da cidade de Boston, que ficava a cerca de trinta quilômetros de sua casa, em Concord, estado de Massachusetts. Nas décadas anteriores, ele fazia suas caminhadas nessa região, atravessando incontáveis vezes a floresta de Walden e contornando o lago Walden. Quando jovem, Thoreau tinha caminhado de Concord até Boston e de volta para casa numa única noite para ouvir uma preleção dada por Ralph Waldo Emerson, e foi a mensagem de solidão e autoconfiança dada por Emerson que moldou a sua filosofia particular[35]. Emerson era transcendentalista – acreditava que, por trás do mundo empírico da nossa observação cotidiana, estaria o mundo espiritual, um domínio que podia ser acessado por meio da vida em harmonia com o mundo natural. Thoreau iria transplantar para o seu próprio ambiente esse sentido de desligamento místico, convertendo suas caminhadas diárias pelo campo vizinho – uma área que, longe de ser floresta virgem, tinha sido colonizada há duzentos anos – numa jornada para o desconhecido.

> Duas ou três horas de caminhada me levarão a um lugar tão estranho quanto eu jamais esperaria ver. Uma casa

---
[34] Henry David Thoreau, op. cit., 1975, p. 129.
[35] Joseph A. Amato, op. cit., 2004, p.142.

> de fazenda que eu não tinha visto antes é às vezes tão boa quanto os domínios dos reis de Daomé. Há de fato uma espécie de harmonia que se descobre entre os recursos da paisagem em um círculo de dez milhas de raio, ou nos limites de uma caminhada noturna, e a duração da vida humana. Nunca se estará muito familiarizado com ela[36].

Entre julho de 1845 e setembro de 1847, Thoreau poria em prática a filosofia de Emerson, vivendo numa cabana no lago Walden (na propriedade de Emerson) e dando as costas para a sociedade moderna. O resultado foi *Walden, or Life in the Woods*, publicado pela primeira vez em 1854, que muitos consideram até hoje um dos textos sagrados do movimento preservacionista. Tanto nesse livro quanto no ensaio "Walking", Thoreau esposaria a ideia do homem renascido, forjado novamente numa América primordial que pode perfeitamente ser encontrada além das margens da sociedade urbana. Esse homem seria autossuficiente e solitário, pioneiro e visionário, um representante dessa ordem rara de homens, o Caminhante:

> Meu companheiro e eu [...] nos comprazemos em nos imaginarmos nobres de uma ordem nova, ou melhor, de uma ordem antiga – não Equestres ou Cavaleiros, mas Caminhantes, uma classe ainda mais antiga e honrada [...] Ele é uma espécie de quarto estado, não pertence à Igreja, ao Estado nem ao Povo [...] É preciso uma decisão direta do Céu para se tornar cavaleiro. A pessoa tem de nascer na família dos Caminhantes. *Ambulator nascitur, non fit*[37].

Esse gênero de homens é obviamente raro, e, no início de seu ensaio, Thoreau admite ter encontrado apenas "uma ou duas pessoas no decorrer da minha vida que compreendiam a arte de caminhar, ou seja, de fazer caminhadas – que tinham talento, por assim dizer, para *perambular*"[38]. O próprio Emerson se referiu a Thoreau como um homem que "não suportava ouvir o som dos próprios passos, o barulho do cascalho, e

---

[36] Henry David Thoreau, op. cit., 1975, p. 135-136.
[37] Ibidem, p. 130-131.
[38] Ibidem, p. 129.

por isso nunca se dispunha a andar na estrada, mas apenas na grama, nas montanhas e na floresta"[39]. Como Hazlitt e seus contemporâneos românticos, Thoreau via o ato de caminhar como um meio de fugir da sociedade urbana e uma oportunidade de desfrutar da solidão. Além do mais, assim como o ensaio divagante de Hazlitt reproduz o ato de caminhar que ele descreve, Thoreau também evita uma narrativa direta, privilegiando uma série de caminhos sinuosos em torno do seu tema, como se seu ensaio refletisse as voltas que ele dava em torno do lago Walden. Na verdade, já se considerou que Thoreau "pensava com os pés", dado que o ato de caminhar chegou a determinar a forma de todos os seus livros, estruturados não pelo argumento lógico, e sim pela sucessão de observações que se apresentavam a ele durante uma caminhada[40]. No entanto, a atitude de Thoreau em relação ao caminhar difere da de Hazlitt e da de seus ancestrais românticos quanto ao grau de valorização do ambiente selvagem e da liberdade que este representa. Assim, como americano no início do século xix, Thoreau tinha acesso direto a uma fronteira que fora fechada há muito tempo para os seus congêneres europeus, um espaço não mapeado no qual um homem, se assim decidisse, poderia caminhar e nunca voltar:

> É verdade, nós não passamos de cruzados covardes, mesmo os caminhantes, nos dias de hoje, que não realizam nenhuma empreitada perseverante, infinita. Nossas expedições são apenas excursões, e voltam à noite para a velha lareira de onde partimos. Metade da caminhada é apenas refazer os nossos passos. Devíamos continuar avançando depois da caminhada menor, talvez jamais voltar, no espírito da aventura imperecível – preparados para enviar de volta para o nosso desolado reino, apenas como relíquia, nosso coração embalsamado. Se você está disposto a deixar pai e mãe, irmão e irmã, mulher e filho e amigos, e nunca voltar a vê-los – se você pagou suas dívidas e fez seu testamento, resolveu todas as suas questões e é um homem livre, então você está pronto para uma caminhada[41].

---
[39] Joseph A. Amato, op. cit., 2004, p. 142.
[40] Ibidem, p. 143.
[41] Henry David Thoreau, op. cit., 1975, p. 130.

Considerando que o espaço selvagem estava à sua porta e que isso abria a possibilidade de retorno a uma existência primitiva, real ou imaginada, Thoreau estava conscientemente colocando-se não numa tradição de caminhadas e caminhantes contemporâneos, mas numa linhagem bem mais antiga: "Eu caminho numa Natureza", escreveu ele, "semelhante àquela em que os profetas e poetas antigos, Manu, Moisés, Homero e Chaucer, caminharam"[42].

Para Thoreau, o Novo Mundo representava tanto o futuro quanto o desenvolvimento de uma nova nação, mas também uma volta a um passado livre dos malefícios da civilização urbana. "Walking" é um ensaio que trata, obviamente, de muito mais do que sugere seu título, e, depois de identificar o papel que tem na sua própria vida o caminhar e de expor os atributos exigidos do caminhante, o ensaio de Thoreau atinge uma encruzilhada, um ponto em que o caminhante, encara uma escolha: leste ou oeste? Para ele, a direção é clara:

> Para o leste eu só vou forçado, mas para oeste vou por vontade própria. Lá nenhuma ocupação me dirige. É difícil acreditar que vou encontrar belas paisagens ou suficiente espaço selvagem e liberdade atrás do horizonte oriental. Não me entusiasma a perspectiva de uma caminhada ali, mas eu acredito que a floresta que vejo no horizonte ocidental se estende ininterruptamente na direção do sol poente, e as vilas ou cidades que ali existem não são importantes o suficiente para me atrapalhar [...] eu preciso caminhar para o Oregon, e não para a Europa. É nessa direção que está indo a nação, e eu posso dizer que a humanidade progride de leste para oeste [...] Vamos para o leste a fim de sentir a história e estudar as obras de arte e a literatura, voltando sobre os passos da espécie; vamos para o oeste como se para o futuro, com um espírito de ousadia e aventura[43].

"Jardins de frente não são feitos para caminhar, e sim, no máximo, caminhar através deles"[44], escreve Thoreau, em total contradição com

---
[42] Ibidem, p. 138.
[43] Ibidem, p. 142-143.
[44] Ibidem, p. 153.

a rotina diária de Wordsworth, e o ensaio de Thoreau, com seu espírito de avançar por regiões inexploradas e as visões de um continente indomado, pode, em contraste, fazer seus congêneres ingleses parecerem singularmente domesticados e um tanto reduzidos em âmbito e ambição. Mas, do mesmo modo como celebrou o espaço selvagem e o lugar do caminhante em si mesmo, Thoreau também escreveu contra as inexoráveis intrusões nessas regiões inexploradas, e, embora o seu ensaio represente o auge de uma literatura que enfatiza o espaço selvagem e a liberdade, parece que Thoreau também prenuncia o seu fim[45], pois uma geração depois de sua morte, em 1862, a região inexplorada que ele havia exaltado já não existia mais. A expansão da ferrovia e da sociedade urbana que cresceu na sua esteira acabaram eclipsando o espaço selvagem que ele via, e a atividade de caminhar foi substituída sucessivamente por outras formas de transporte. Embora as paisagens que ele descreveu não tenham demorado a se transformar, a influência do espírito que animou o seu ensaio permaneceu imensa. De fato, cinco anos depois de sua morte, uma pessoa que Thoreau teria sem dúvida reconhecido como alguém que compartilhava, ou talvez superasse, o seu talento para a caminhada iniciaria por sua vez uma jornada épica no espaço selvagem.

Nascido na Escócia em 1838, John Muir emigrou com sua família para os Estados Unidos em 1849 e lá começou uma fazenda perto de Portage, em Wisconsin. Homem profundamente religioso, Muir era também um botânico entusiasmado, para não dizer obsessivo, e foram essas paixões gêmeas por Deus e pela natureza que deram vida à sua escrita. Como Emerson e Thoreau antes dele, Muir se inspirou no zelo botânico de Alexander von Humboldt e nas provações que este experimentou como pedestre durante uma expedição de cinco anos (1799-1804) que percorreu mais de 10 mil quilômetros na América Central e do Sul, a maior parte deles a pé, em busca de novos espécimes[46]. Recuperado de um grave ferimento que quase lhe custou a visão, Muir

---

[45] Joseph A. Amato escreve: "A vida de Thoreau parece localizar-se no final da caminhada americana pelo campo. Ele viu o cavalo, o barco a vapor, o trem e o telégrafo substituírem a caminhada – primeiro e principal modo de locomoção nativa e colonial americano. Caminhante romântico, Thoreau contornou a pé círculos cada vez mais apertados – como no passado um camponês em torno de um campanário – enquanto grandes sistemas de transporte, comunicação, comércio e energia nacional circunscreviam o globo" (op. cit., 2004, p. 151).

[46] "Humboldt fez a sua ciência a pé", escreve Amato. "Humboldt moldou o intelecto apaixonado que dirigia o pé sempre fiel rumo à natureza numa viagem pedestre que deu passos alternados entre a admiração romântica e o conhecimento científico" (ibidem, p. 116).

finalmente resolveu realizar seu antigo sonho e seguir as pegadas de Von Humboldt, partindo de Indianápolis em 1867 rumo ao sul:

> Há muito tempo eu estava nas florestas e jardins selvagens dos estados do norte olhando para os do cálido sul, e, por fim, superados todos os inconvenientes, parti [de Indianápolis] no primeiro dia de setembro de 1867, alegre e livre, numa caminhada de 1.600 quilômetros até o golfo do México [...] Meu plano era simplesmente avançar rumo ao sul pelo caminho mais selvagem, mais tomado por vegetação e menos percorrido que eu pudesse encontrar, prometendo a maior extensão de floresta virgem. Dobrando meu mapa, pus no ombro minha sacolinha e a prensa de folhas, e fui caminhando entre os velhos carvalhos de Kentucky, regozijando-me com esplêndidas visões de pinheiros, palmeiras e flores tropicais numa disposição gloriosa, não sem, contudo, umas poucas sombras frias de solidão, embora os magníficos carvalhos parecessem estender seus braços acolhendo-me[47].

Considerado "o primeiro relato importante de uma caminhada de longa distância feita por amor à caminhada", o livro de Muir, *A Thousand-Mile Walk to the Gulf* (1914), se baseou no diário que ele escreveu durante toda a sua caminhada épica, mas permaneceu sem publicação até a morte do autor[48], em 1914. A essas alturas, Muir havia se tornado o naturalista mais famoso dos Estados Unidos, tendo escrito uma dezena de livros, e foi membro fundador do Sierra Club e um conservacionista respeitado cujos esforços levaram à formação dos parques nacionais Yosemite e Sequoia. No entanto, tudo isso ainda estava por acontecer quando, em 1867, Muir, então com 29 anos, começou a cumprir a pé pelos estados de Indiana e Kentucky cerca de 42 quilômetros diários rumo

---

[47] John Muir, *A Thousand-Mile Walk to the Gulf*, Nova York, Mariner Books, 1998, p. 1-2.
[48] Rebecca Solnit, op. cit., 2001, p. 126. Miles Jebb, autor de *Walkers*, questionou a escolha do título feita por Muir, alegando que "o nome dado à sua caminhada é enganador: foram pouco menos de oitocentas milhas percorridas em dois segmentos separados por um trecho marítimo". Ao descrever Muir, entretanto, o tom de Jebb é mais reverente: "O que Abraham Lincoln era para o mundo político, John Muir foi para o mundo natural: um profeta firme, dedicado, autodidata, com sensibilidade para as questões populares, do Meio-Oeste. Assim como devemos a Lincoln os estados do norte durante a Guerra da Secessão, a Muir nós devemos os parques nacionais: assim como Lincoln não tinha medo de estar na linha de fogo, Muir foi na frente mostrando o caminho nas suas descobertas das maravilhas do Yosemite e embrenhando-se a pé na natureza selvagem" (op. cit., 1986, p. 122).

ao arquipélago de Florida Keys. Andando pelos estados do sul "com uma ferida aberta ainda inflamada, sofrida durante a Guerra Civil", Muir pouco tem a dizer sobre o que se seguiu a esses acontecimentos. Na verdade, ele pouco tem a dizer sobre o que quer que seja, com exceção da vida selvagem com que se deparava. Evitando as vilas e cidades, ele prefere as montanhas, florestas e pantanais da América do Sul, e seu diário é, na verdade, um documento surpreendentemente desprovido de ocorrências especiais do qual não aprendemos nada sobre a sua atitude em relação à caminhada em si[49]. Em parte, o diário de Muir pode ser lido como um equivalente evangélico e mais exuberantemente descritivo do *Alfoxden Journal*, de Dorothy Wordsworth, no qual breves itens episódicos tratam de distâncias cobertas e espaços selvagens observados:

> *4 de setembro* – Caminhei dezesseis quilômetros na floresta. Encontrei um carvalho estranho com folhas que pareciam de salgueiro [...] *30 de setembro* – Viajei até hoje perto de 65 quilômetros sem jantar nem ceia [...] *4 de outubro* – Plantas novas surgem constantemente. Durante o dia inteiro uma floresta densa, úmida, escura e misteriosa de taxodiáceas de topo chato[50].

Mas onde o *Alfoxden Journal* é esparso e contido, a prosa de Muir é mais frequentemente animada e exagerada, com ele se esforçando para relatar com uma fraseologia bíblica o puro exotismo das paisagens que encontra:

> Agora estou nos cálidos jardins do sol onde a palmeira encontra a parreira, que ansiamos, pelos quais oramos e que frequentemente visitamos nos sonhos, e embora solitário nesta noite em meio a uma profusão de estranhos, plantas estranhas, ventos estranhos que sopram suavemente, sussurrando, arrulhando numa língua que eu nunca ouvi, e pássaros estranhos também, tudo o que é sólido ou espiritual carregado de influências que eu

---

[49] Rebecca Solnit escreve: "Observador agudo e frequentemente extasiado do mundo natural que o cerca, em *A Thousand-Mile Walk to the Gulf* Muir não diz absolutamente nada sobre por que está caminhando, embora pareça bastante claro que ele o faz por ser forte e pobre, e por ter paixões botânicas que a pé são mais bem satisfeitas. Embora ele seja um dos melhores caminhantes da história, seu tema raramente é o caminhar. Não há uma fronteira bem definida entre a literatura do caminhar e a produção literária sobre a natureza, mas quem escreve sobre a natureza tende a fazer do caminhar implícito na melhor das hipóteses um meio para os encontros com a natureza descrita, mas raramente um tema". (Solnit, op. cit., 2001, p. 127.)
[50] John Muir, op. cit., 1998, p. 6, 55, 63.

nunca senti, ainda assim eu agradeço ao Senhor de todo o meu coração por sua bondade em me conceder entrar nesse reino magnífico[51].

Sente-se que escrever é, para Muir, algo que sempre se subordina ao caminhar, sendo em si unicamente um meio para o fim botânico que ele estabeleceu para si mesmo[52]. Embora lhe falte o estilo de Emerson e Thoreau, o grau de identificação absoluta com o mundo natural alcançado por Muir não tem paralelo na literatura da caminhada, pois há uma imersão total no ambiente, a ponto de todo assunto externo – sociedade, política, história – ser eliminado para revelar a ecologia que lhe é subjacente.

Muir não chegou à América do Sul nessa ocasião (só fez essa jornada em 1911), e, considerando-se que sua pretensão era descer o Amazonas numa jangada, provavelmente foi melhor assim, como ele próprio admitiu mais tarde[53]. Como Humboldt já havia feito antes, de todo modo, ele chegou a Cuba, mas ainda debilitado pela prolongada doença que o acometeu ao chegar à Flórida, ele mudou sua rota e acabou indo para a Califórnia, estado a que se ligaria mais efetivamente, como se sabe. Muir continuaria caminhando vida afora, mas foi a jornada até a costa do Golfo que se tornara icônica. Ao expressar a sua crença de que o verdadeiro lar do homem é o mundo natural, um ambiente superior a qualquer coisa que a civilização humana tem a oferecer, ele não somente continuou a obra de Wordsworth e Thoreau como também contribuiu muito para inspirar a preservação dos nossos espaços selvagens. Nesse sentido, a obra de Muir continuou influenciando os caminhantes e escritores do mundo natural, como Roger Deakin e Robert MacFarlane. Na verdade, é na observação a seguir, empregada como epígrafe em *The Wild Places* (2007), que Muir nos dá o resumo perfeito de sua filosofia e a expressão de um sentimento compartilhado pelas gerações de caminhantes que seguiram seus passos: "Eu só saí para uma caminhada, e finalmente resolvi ficar fora até o sol se pôr, pois sair, descobri, era na verdade entrar"[54].

---

[51] Ibidem, p. 93.
[52] Muir muitas vezes afirmou que sentia muito pouco prazer no processo de escrever, queixando-se de que "essa atividade de escrever livros é longa, cansativa e interminável". (Sally M. Miller e Daryl Morrison, *John Muir: Family, Friends and Adventure*, Albuquerque, University of New Mexico Press, 2005, p. 87-88.)
[53] John Muir, op. cit., 1998, p. 169.
[54] John Muir, *John of the Mountains: The Unpublished Journals of John Muir (1938)*, Madison, Wisconsin, University of Wisconsin Press, 1979, p. 439, apud Robert MacFarlane, The Wild Places, Londres, Granta, 2007, epígrafe.

## Capítulo 6
# O caminhante como visionário

❦

*Presume-se que Blake caminhe sem parar em Londres – ele sabe o que faz.* Iain Sinclair[1]

*Acho que "perambular um pouco" é quase um* hobby *meu.* Arthur Machen[2]

Do mesmo modo como o transcendentalismo de Emerson e Thoreau imbuiria sua apreensão do mundo natural de um sentido de sobrenatural, também ocorria uma mudança semelhante na percepção das ruas de Londres, pois, se Wordsworth e seus colegas românticos celebraram as paisagens sublimes da Inglaterra rural, eles também retrataram os espaços escuros e inamistosos da Londres urbana, presenteando-nos com a imagem de uma cidade labiríntica e impossível de se conhecer[3]. Eles nos oferecem uma imagem da cidade à noite e também a figura do caminhante noturno, que revela com uma intensidade onírica a sua visão do submundo da cidade.

---

[1] Iain Sinclair, *Blake's London: The Topographic Sublime*, Londres, Swedenborg Society, 2011, p. 2.
[2] Arthur Machen, *The London Adventure, or the Art of Wandering*, Londres, Maartin Secker, 1924, p. 69.
[3] Essa metáfora urbana é transmitida de modo sumamente contundente por De Quincey e Dickens, mas é prefigurada por Wordsworth no relato "London Residence", no livro vii do *Prelude*, em que ele escreve: "Pátios Privados,/ Sombrios como caixões, e feias alamedas,/ [...] Possam nos enredar por algum tempo,/ Conduzidos alheios por esses labirintos" (Wordsworth, "The Prelude", op. cit., 2008, p. 473).

A tradição literária da caminhada noturna pela cidade se inicia quase um século antes com a obra de John Gay intitulada *Trivia; or, the Art of Walking the Streets of London* (1716), cujo segundo livro se chama "Of Walking the Streets by Night". Entretanto, o modo como Gay vê a cidade não é onírico nem visionário. Pelo contrário, ele a apresenta como um roteiro de agressões, eriçando-se com uma série de riscos físicos e morais com os quais fisga o viajante desavisado:

> Por Ruas Invernais para orientar o seu Roteiro corretamente,
> Como caminhar ordenadamente de Dia e seguro à Noite,
> Como Prudentemente evitar as Multidões que nos empurram
> Quando se impor no Muro e quando desistir,
> Eu canto: Vós, Trivia, Deusa, ajudai a minha Canção,
> Por Ruas espaçosas conduzi o vosso Bardo;
> Por vós transportado eu vagueio em segurança
> Onde Alamedas serpeantes guiam a Caminhada imprecisa,
> O Tribunal silencioso, e exploram a Praça que se abre,
> E Vielas compridas e desconcertantes nunca pisadas[4].

A paródia de Gay descreve uma arte de caminhada urbana que deve bem pouco a qualquer sentimento estético, revelando, em vez disso, uma técnica apuradamente aprimorada para andar num ambiente hostil. Na verdade, é precisamente a ideia de um pedestre-poeta, com a incongruência indicada por essa figura, que empresta ao poema a sua força satírica, pois o leitor de classe média ao qual se dirigia o poema de Gay certamente considerava com algum desdém o ato de caminhar, uma atividade associada à probabilidade de agressão ou alguma outra indignidade nas mãos de pobres que andam pela cidade com a intenção de roubar.

Assim, *Trivia* é lido como um manual para pedestres, um texto dirigido não ao caminhante despreocupado, e sim ao pedestre resoluto, e não apresenta uma tentativa de sondar sob a superfície ou se distanciar da multidão (a não ser como medida de autoproteção). Tampouco o poema tenta mapear um trajeto de algum modo reconhecível, oferecendo em vez disso uma série de coordenadas discretas que pouco fazem para

---

[4] John Gay, "Trivia; or, the Art of Walking the Streets of London", in Clare Brant e Susan Whyman (orgs.), *Walking the Streets of Eighteenth-Century London: John Gay's Trivia* (1716), Oxford, Oxford University Press, 2007, p. 170.

transmitir uma ideia da cidade como um todo⁵. Talvez seja em razão dessas deficiências que hoje o poema de Gay é tão pouco lido; porém, no trecho a seguir, ele prenuncia um cronista que vê de modo totalmente diferente a cidade e seus habitantes:

> Mas às vezes eu quero deixar as Ruas barulhentas,
> E perambular em silêncio por essas Vilas estreitas
> Onde rodas nunca estremecem o Chão; ali vaguear meditativo,
> Em Pensamento diligente pelo longo Caminho sem multidão.
> Ali eu observo o Rosto diferente de cada Caminhante
> E a marca que a sua ocupação lhe deixa na aparência⁶.

Perto do final do século XIII, William Blake iria percorrer o mesmo caminho de Gay, novamente em busca dos rostos do populacho londrino que passava pelas ruas da cidade:

> Vou por todas as ruas mapeadas,
> Perto de onde corre o Tâmisa que está no mapa.
> E marco em cada rosto que encontro
> Marcas de fraqueza, marcas de infortúnio⁷.

Contudo, enquanto Gay conserva distância e incentiva seus leitores a fazerem o mesmo, a obra de Blake está ligada à sua experiência da cidade a ponto de a sua própria identidade e a de Londres parecerem tornar-se indivisíveis: "Minhas ruas são minhas, Ideias de Imaginação", escreveu⁸, pois também Blake era um perambulador, um poeta cuja criação fantástica nasceu quando ele caminhava pelas ruas da cidade:

> Desde o início ele era filho do sonho de Londres.
> Quando garoto, caminhava por toda parte. Caminhava
> ao sul de Soho em direção a Dulwich e Camberwell.

---

⁵ Por essa razão, quem quiser seguir as pegadas de Gay pela Londres atual provavelmente ficará desapontado: "Na minha tentativa de caminhar por alguns dos espaços representados em *Trivia* ficou absolutamente claro que usar o poema como um mapa era impossível, porque os lugares não são representados de forma ordenada ou lógica – a jornada é um pouco como pregar um alfinete num mapa, está mais próxima disso do que de seguir por uma estrada linear" (Alison Stenton, "Spatial Stories: Movement in the City and Cultural Geography", in *Walking the Streets of Eighteenth-Century London: John Gay's Trivia* [1716], p. 70).
⁶ John Gay, op. cit., 2007, p. 185 .
⁷ William Blake, "London", in Alicia Omiker (org.), *The Complete Poems*, Londres, Penguin, 2004, p. 128.
⁸ William Blake, "Jerusalem" [Jerusalém], op. cit., 2004, p. 700.

> Caminhava para o norte tanto quanto para o sul. Atravessava a Oxford Road em direção a Totteham Court Road, onde virava à esquerda e entrava na St Giles High Street. Passava pela Hanway Street, pela Percy Street e pela Windmill Street antes de chegar à barreira que marcava a travessia da Estrada Nova de Paddington para St Pancras. Tinha tanta energia que não podia evitar caminhar. Entretanto era impulsionado pela sua própria ideia de destino, inescapavelmente adquirida na sua experiência de Londres. Ele foi escolhido para compreender a cidade[9].

Nascido em Londres, a cidade em que passaria a maior parte da vida, William Blake (1757-1827) começou sua carreira como aprendiz de gravurista e aluno da Royal Academy. A paixão que tinha pela gravura e pela poesia resultaria numa obra excepcional – uma série de livros ilustrados em que se revela a luta entre as forças irracionais da imaginação e as forças repressivas e sistemáticas da autoridade. Em sua biografia de Blake, Peter Ackroyd escreve:

> É característico de um menino tão solitário e diferente o fato de a principal lembrança que Blake tem de sua infância ser a de caminhar sozinho [...] Ele tinha uma noção muito forte de lugar, e, durante toda a sua vida, foi afetado profundamente e de várias maneiras por áreas específicas de Londres[10].

Ele é, declara Ackroyd, um "visionário *cockney*" cuja percepção da existência simbólica de Londres através do tempo lhe permitiu notar a realidade imutável da cidade sob o fluxo do cotidiano, uma imagem transcendente da "eterna Londres quádrupla espiritual"[11]. E foi precisamente graças a essa superposição da sua própria visão de mundo altamente individualista à topografia das ruas de Londres que Blake pôde criar justaposições tão surpreendentes entre o conhecido e o transcendente; assim, ele percebeu

---

[9] Peter Ackroyd, "The London that Became Jerusalem", *The Times*, 3 de março de 2007. Disponível em: http://entertainment.timesonline.co.uk/tol/arts_and_entertainment/books/non-fiction/article1461686.ece.
[10] Peter Ackroyd, *Blake*, Londres, Sinclair-Stevenson, 1995, p. 30-31.
[11] Blake, "Milton", op. cit., 2004, p. 521.

anjos nos improváveis ambientes de Peckham Rye e forneceu coordenadas precisas para a Nova Jerusalém:

> Os campos de Islington a Marybone,
> A colina de Primrose e floresta de Saint John:
> Foram construídos com pilares de ouro,
> E ali ficaram os pilares de Jerusalém[12].

Ao passo que mais adiante no mesmo poema, *Jerusalém* (1804-1820), Blake guia o leitor (e caminhante) por um caminho pelo perímetro leste de Londres:

> Ele desceu por Highgate através de Hackney e Holloway em direção a Londres
> Até chegar à velha Stratford, e dali para Stepney e a ilha
> De Leuthas Dogs, dali pelos caminhos estreitos do lado do Rio,
> E viu todos os pequenos detalhes, as joias de Albion, descendo
> Pelos canais das ruas e vielas como se estivessem a bordo[13].

Blake remapeia a cidade enquanto caminha por suas ruas, guiando Iain Sinclair para considerá-lo "o padrinho de todos os psicogeógrafos", e é pela ênfase na reconstrução imaginativa da cidade que Blake toma seu posto em uma tradição de escrita londrina que prenuncia muitos dos temas posteriormente reunidos sob esse rótulo[14]. É o ato de caminhar, entretanto, que permanece implícito nessa tradição, uma atividade que Blake imbuiria de uma força visionária:

> E todo este Mundo Vegetal apareceu no meu Pé esquerdo,
> Como uma brilhante sandália imortal de pedras preciosas e ouro:
> Eu me inclinei e a amarrei para avançar caminhando pela Eternidade[15].

Tendo sido quase totalmente esquecido durante a vida, parece que mais de 150 anos depois de sua morte Blake ainda nos inspira

---

[12] Blake, "Jerusalem", ibidem, p. 686.
[13] Ibidem, p. 725. "Assim, ali estava uma série interessante de instruções", escreve Iain Sinclair referindo-se a esse trecho, "um tipo específico de caminhada, e uma jornada bastante excêntrica traçada, uma trajetória ao mesmo tempo espiritual e física". (Iain Sinclair, op. cit., 2011, p. 17.)
[14] Iain Sinclair, *Lights Out for the Territory*, Londres, Granta, 1997, p. 108. Blake se revelou decisivo na moldagem da percepção de Sinclair sobre a cidade: "O triângulo da concentração. Uma percepção desta e de todas as outras triangulações da cidade: Blake, Bunyan, Defoe, os monumentos divergentes de Bunhill Fields. Tudo aquilo em que eu acredito, tudo o que Londres pode fazer para você, começa ali". (ibidem, p. 34)
[15] Blake, "Milton", op. cit., 2004, p. 554.

a caminhar pela cidade[16], mas no panteão dos visionários londrinos não é ele, e sim alguém que chegou mais tarde à cidade, que talvez possa reivindicar o maior crédito por ter criado na imaginação pública a imagem do caminhante urbano. Nascido em Manchester, em 1785, Thomas De Quincey nunca atingiria a afinidade com Londres lograda por Blake, mas suas representações da cidade revelam exatamente a intensidade visionária que animou a obra de Blake, criando um relato pioneiro do distanciamento entre as pessoas na aglomeração urbana no qual o caminhante solitário passa a simbolizar a cidade moderna.

Em 1802, De Quincey, então com dezesseis anos, fugiu a pé da Manchester Grammar School, percorrendo 61 quilômetros em dois dias a caminho de Chester, onde estava a sua mãe. Resolveu-se que uma excursão a pé seria boa para a saúde de De Quincey, e o deixaram prosseguir pelo País de Gales, onde ele estabeleceu "um ritmo de não mais que entre setenta e cem milhas por semana"[17]. Foi então que De Quincey desenvolveu uma paixão pelo pedestrianismo, conservada durante toda a sua vida. "A vida desse modo era simplesmente prazerosa demais", escreveu ele, "e em especial para mim, que nunca estou perfeitamente bem de saúde, a menos que me exercite em caminhadas de no máximo quinze milhas e no mínimo oito a dez milhas"[18]. De Quincey não sentia nenhum acanhamento quando percorria a pé o País de Gales, porque naquela época a maioria dos galeses viajava assim. Ao atravessar a fronteira, no entanto, a situação mudava, pois na Inglaterra, de acordo com o assumidamente sensível De Quincey, os proprietários de terras consideravam que os adeptos do pedestrianismo tinham "a mais terrível sombra e marca do pária"[19]. Na verdade, De Quincey foi desaconselhado a continuar caminhando até Londres exatamente por temerem as humilhações que ele provavelmente teria de enfrentar. "Quanto a um aspecto, felizmente", escreveu ele, "o escândalo do pedestrianismo está

---

[16] Para um exemplo prático da influência de Blake sobre as caminhadas em Londres, veja "Blakewalking", de Thomas Wright (s.d., disponível em: http://www.timwright.typepad.com/L_O_S/). A "caminhada à Blake" é ali descrita como "um novo modo de conversar, participar, anunciar, fazer performances e criar de improviso. O objetivo da Blakewalking é transformar uma caminhada cotidiana numa experiência visionária. Queremos que você se junte a nós nas estradas, na internet e no seu celular – fazendo anotações, registrando pensamentos e sentimentos, reagindo ao mundo pelo qual caminhamos –, e ao mundo que está dentro".
[17] Morris Marples, op. cit., 1959, p. 59.
[18] Ibidem, p. 60.
[19] Ibidem, p. 63.

em situação menos desfavorável que a escrófula e a lepra: pelo menos ele não está escrito na sua cara"[20].

Evidentemente, De Quincey foi a pé até Londres, e é o relato de sua estadia ali, com as suas aventuras anteriores no País de Gales, que forma a base das *Confissões de um comedor de ópio* (1821). De Quincey escreveu o primeiro esboço dessa obra aos 36 anos, voltando a ela com anotações e correções durante toda a sua vida; assim as experiências narradas ali não somente são coloridas por seu estilo contidamente dramático como também devem ser consideradas através dos espelhos distorcidos da memória e do próprio devaneio do ópio. Portanto, quem quiser encontrar o realismo cruel da espiral do viciado penetrando no desespero e na autodestruição ficará desapontado, pois as *Confissões* estão preocupadas apenas formalmente com o vício, e deve-se lembrar que, na época de De Quincey, o ópio era legal e barato, sem qualquer das conotações provocadoras e repulsivas que hoje podem ser atribuídas às drogas. Em vez disso, as Confissões devem ser lidas principalmente como um relato do papel da imaginação e do poder dos sonhos na transmutação da natureza conhecida do nosso ambiente em algo estranho e maravilhoso. É nisso que reside o verdadeiro legado de De Quincey, como um protótipo para o caminhante obsessivo, que deixa a imaginação moldar e direcionar a percepção de seu ambiente. Seus deslocamentos são sem objetivo e em desacordo com o tráfego comercial, e o aliam à classe dos destituídos cujos movimentos mapeiam os aspectos caóticos e labirínticos da cidade:

> Alguns desses passeios me levaram a grandes distâncias, pois um consumidor de ópio se compraz demasiadamente em observar o movimento do tempo. E, às vezes, em minhas tentativas de me dirigir para casa com base em princípios náuticos, fixando o olho na estrela Polar e procurando ambiciosamente uma passagem do norte para oeste, em vez de circum-navegar todos os cabos que dobrei em minha viagem de ida, subitamente me deparei com problemas tão difíceis de vielas, indicações tão enigmáticas e charadas de vielas tão esfíngicas que devem, imagino, desconcer-

---
[20] Ibidem, p. 63.

tar os recepcionistas de hotel e confundir o intelecto dos cocheiros. Eu quase poderia ter acreditado, às vezes, que devo ser o primeiro descobridor de algumas dessas *terrae incognitae*, e duvidei que elas já estivessem nos mapas modernos de Londres. Por tudo isso, entretanto, eu paguei um alto preço anos atrás, quando o rosto humano tiranizado nos meus sonhos e as perplexidades dos meus passos em Londres voltaram e me assombraram o sono com o sentimento de perplexidades morais ou intelectuais que traziam confusão para a razão ou angústia e remorso para a consciência[21].

A visão onírica de De Quincey de uma Londres desconhecida à espera de ser descoberta é particularmente atraente para quem conhece muito bem as suas ruas, em que há um grande movimento de pedestres[22]; e, dado que o uso de ópio por ele aparentemente resultava em um torpor bem menor do que o geralmente associado à droga, que parecia, pelo contrário, impeli-lo pela cidade, a sua vagabundagem solitária e quase sempre noturna por certo o teria apresentado a um lado da cidade ainda invisível para muitos dos seus habitantes. "Sendo naquela época inevitavelmente um peripatético, ou um caminhante pelas ruas", escreve De Quincey,

eu, como era de se esperar, estava mais frequentemente junto com essas mulheres peripatéticas que são tecnicamente chamadas mulheres da rua. Muitas delas ocasio-

---

[21] Thomas De Quincey, *Confessions of an English Opium-Eater and Other Writings*, Londres, Penguin, 2003, p. 53-54. Assim como Blake é representante simbólico de uma tradição psicogeográfica retrospectiva, De Quincey pode ser considerado o primeiro real praticante da psicogeografia, pois as jornadas que ele fez pela Londres da sua juventude, devidamente abastecido com o combustível da droga, parecem capturar exatamente esse estado de deslocamento sem destino e observação distanciada, características que, 150 anos depois, se tornariam os atributos distintivos do *dérive* situacionista, e, como Phil Baker afirmou, "Quase se pode dizer que a psicogeografia urbana clássica surgiu – retrospectivamente e de uma perspectiva influenciada pelo Situacionismo – com Thomas De Quincey". ("Secret City: Psychogeography and the End of London", in *London from Punk to Blair*, Londres, Reaktion, p. 326.)
[22] Geoff Nicholson escreve: "A fantasia de De Quincey sobre uma Londres desconhecida é atraente, uma vez que Londres é, em todos os sentidos que posso pensar, um território bem palmilhado: um lugar de caminhantes, com uma história de pedestrianismo que já tem dois mil anos [...] Nenhuma parte de Londres é genuinamente desconhecida. Por mais obscuro ou oculto que seja o lugar e a sua história, alguém já o descobriu, andou por ele, reivindicou-o". (op. cit., 2010, p. 4)

nalmente me defenderam quando guardas queriam me tirar da casa onde eu estava[23].

Uma dessas figuras trágicas foi a jovem prostituta Ann, a cuja amizade e apoio De Quincey considerava que devia a vida e cuja perda ele sentiu muito profundamente. Tendo de sair de Londres por um breve tempo, De Quincey havia combinado de se encontrar com Ann na Oxford Street quando voltasse, mas, apesar das prolongadas tentativas de encontrá-la, eles nunca mais voltaram a se ver.

Outra fonte de amizade para De Quincey em Londres foi o lendário caminhante, explorador e rematado excêntrico John "Walking" Stewart (1749-1822). Dizia-se que Stewart tinha percorrido a pé toda a Europa, a Índia e a América do Norte, e mais tarde De Quincey escreveu sobre ele um artigo afetuoso[24]. Contudo, não se sabe grande coisa sobre os fatos da vida de Stewart, pois ele escreveu pouco sobre as suas viagens e era uma testemunha sabidamente pouco confiável sobre os acontecimentos do próprio passado. No entanto, ele efetivamente escreveu, e entre as suas muitas obras de "filosofia" há títulos muito interessantes, como *The Apocalypse of Human Perfectibility* (1808) e *Roll of a Tennis Ball through the Moral World* (1812). Já se especulou que talvez a sua amnésia de detalhes da história de sua vida se deva a uma lesão cerebral, pois parece que "o alto da sua cabeça afundou quase 2,5 centímetros com o golpe de 'um instrumento bélico'"[25]. "Nenhuma região", escreveu De Quincey,

> [...] pérvia aos pés humanos, com exceção, creio eu, da China e do Japão, deixou de ser visitada pelo sr. Stewart no seu estilo filosófico, um estilo que obriga o homem a se mover lentamente por um país e a entrar sempre em contato com seus nativos[26].

Tendo deixado Londres, De Quincey nunca mais foi capaz de obter uma dissociação completa entre o ato de caminhar e a sua crescente

---
[23] Thomas De Quincey, op. cit., 2003, p. 24.
[24] "John 'Walking' Stewart" apareceu em dois artigos escritos por De Quincey, o primeiro publicado em *The London Magazine* (setembro de 1823), e o segundo, em *Tait's Magazine* (outubro de 1840).
[25] Miles Jebb, op. cit., 1986, p. 127.
[26] Thomas De Quincey, "Sketches of Life & Manners" (outubro de 1840), in *The Works of Thomas De Quincey*, Londres, Chatto & Pickering, 2003, v. 11, p. 246, apud Rebecca Solnit, op. cit., 2001, p. 108-109.

dependência de ópio. Ele percebeu que a caminhada mitigava os efeitos adversos da droga e também as perturbações digestivas que pediam o seu uso, e por isso ele caminhava por três ou quatro horas toda noite[27]. Desse modo, a saúde de De Quincey, pelo menos do modo como ele a considerava, passou a depender da caminhada, que se tornou não apenas um prazer, mas uma necessidade. Caminhando para combater a melancolia causada pela droga, sua compulsão para se manter em movimento chegou ao ponto de só poder verdadeiramente dizer que era ele mesmo quando estava caminhando. Mas durante a sua longa vida, à medida que aumentava a sua fé nos poderes curativos do pedestrianismo, De Quincey lutava para permanecer um passo adiante das muitas doenças que o incomodavam. Esse processo atingiu um ponto crítico em 1843, quando ele se viu acometido por um grave mal circulatório, como expõe seu biógrafo Grevel Lindop:

> Ele se decidiu por uma política de "cura ou morte". Andando em volta do minúsculo jardim triangular de sua cabana, assim que conseguiu caminhar novamente ele descobriu que um circuito naquele perímetro media pouco menos de 44 metros, de modo que 40 voltas era o que ele precisava dar para perfazer mil milhas. Ele começou a se exercitar ali diariamente, dando voltas e mais voltas em torno do jardim, contando seus circuitos com a ajuda de um ábaco primitivo feito de cascalhos que ele punha nas travessas de madeira do espaldar de uma cadeira. Ele não demorou a fazer uma média de onze ou doze milhas por dia, de forma que, como disse orgulhosamente, "dentro de noventa dias eu havia caminhado mil milhas"[28].

Como exemplo da crença inabalável de De Quincey no poder curativo do ato de caminhar, sua caminhada de cura de mil milhas é um triunfo da vontade, antecipando em mais de um século o feito de Albert Speer, que circundou de modo igualmente repetitivo o jardim da prisão de Spandau. Mas o período mais ativo de De Quincey como pedestre seriam os seus primeiros anos em Dove Cottage, em Grasmere, que ele

---

[27] Grevel Lindop, *The Opium-Eater: A Life of Thomas De Quincey, Londres*, Dent, 1981, p. 246.
[28] Ibidem, p. 349.

alugou de Wordsworth em 1809 – como admirador de Wordsworth e como aquele que agora vivia na casa que tinha sido desse escritor, durante esse período De Quincey certamente se sentia mais inspirado do que de costume para caminhar[29]. Motivado pelas preocupações com sua saúde ou simplesmente pelo desejo wordsworthiano de se manter em movimento, ele continuou por toda a vida sua rotina de caminhada frequentemente obsessiva. Em 1855, com setenta anos, ainda conseguia fazer doze quilômetros por dia: "Não é muito, claro", escreveu ele, "mas minha coragem só dá para isso"[30].

No seu romance *The Unnamed* (2010), Joshua Ferris fala de um homem que sofre de uma afecção: a incapacidade de parar de caminhar. Empurrado impiedosamente pelos Estados Unidos enquanto sua vida se desintegra ao seu redor, Ferris nos apresenta um homem condenado a um permanente caminho de fuga, um homem cujos pés passaram a dominar sua cabeça. Uma trama dessas é, obviamente, uma extravagância literária altamente imaginativa, mas, além disso, baseia-se em registros anteriores de formas de compulsão peripatética menos extremas, é verdade, mas mesmo assim agudas.

"Se não pudesse caminhar rápido e até um lugar distante", confidenciou Charles Dickens em 1857, "eu explodiria e morreria"[31]. Ao passo que em outra ocasião ele afirmou: "Meu único consolo está no movimento"[32]. E de todos os precursores reais e imaginados do romance de Ferris, certamente é o próprio Dickens quem oferece o exemplo mais surpreendente de um homem cujos esforços como pedestre chegaram a dominar sua vida. Mas na ficção desse caminhante tão prodigioso um episódio importante ligado ao pedestrianismo é algo raríssimo. No entanto, há nos romances várias cenas de caminhada, frequentemente povoadas por uma série de londrinos de pés doloridos, cuja principal função parece ser revelar a cidade para o leitor[33]. Miles Jebb compilou a seguinte seleção: a caminhada de vinte

---

[29] Morris Marples, op. cit., 1959, p. 63.
[30] Morris Marples, op. cit., 1959, p. 66.
[31] Charles Dickens, carta a John Forster (1857), apud Michael Slater, *Charles Dickens*, Londres, Yale University Press, 2009, p. 382.
[32] Charles Dickens, carta a sua mulher de 8 de novembro de 1844, apud Peter Ackroyd, *Dickens, Londres*, Sinclair-Stevenson, 1990, p. 444.
[33] Considerando-o um equivalente urbano de Thoreau, Joseph A. Amato afirma que Dickens queria ilustrar Londres da perspectiva do caminhante, "explicar a metade que caminha para a metade que anda sobre rodas [...] Em mais de um livro", escreve ele, Dickens "explicou a Londres suja, cinzenta, imersa no trabalho duro,

milhas de Oliver Twist para roubar uma casa em Chertsey; a caminhada de 23 milhas feita por David Copperfield, de Blackheath para Chatham; a caminhada de 25 milhas do Pickwick Club em Dingley Dell; Nicholas Nickleby e Smike e sua fuga de Dotheboys Hall, em Yorkshire, para Londres; e, finalmente, a caminhada revigorante de Martin Chuzzlewit e Tom Pinch para jantar em Salisbury, que os leva a exclamar:

> Melhor! Uma caminhada forte, vigorosa, saudável – quatro milhas por hora –, preferível àquela carruagem velha, barulhenta, sacolejante, rangedoura e abominável. Ora!, as duas coisas não admitem comparação. É um insulto à caminhada colocá-las lado a lado[34].

No entanto, o único romance em que Dickens apresenta ao leitor um extenso episódio crucial para a estrutura narrativa do livro é *A loja de antiguidades* (1841), com a longa caminhada de Nell Trent fora de Londres na companhia de seu avô. Na verdade, *A loja de antiguidades* é também admirável pelo seu trecho inicial, em que o narrador age como porta-voz da atitude do próprio Dickens com relação à caminhada:

> A noite é geralmente a minha hora de caminhar. No verão, muitas vezes saio de casa de manhã e vagueio pelos campos e alamedas durante todo o dia, ou até escapo por dias e semanas, mas, a não ser no campo, raramente fico fora até depois de escurecer, embora, graças aos céus, eu adore a luz que eles nos mandam e, tanto quanto qualquer ser vivo, sinta o prazer que ela derrama sobre a terra.
>
> Adquiri imperceptivelmente esse hábito porque ele é bom para a minha enfermidade e porque me dá maior oportunidade de especular sobre a personalidade e a ocupação das pessoas que enchem as ruas. A claridade e a pressa do auge da tarde não se adaptam a buscas ociosas como a minha. Um vislumbre de ros-

---

faminta e de pés cansados para o mundo cintilante glamoroso das carruagens e avenidas, do lento caminhar seletivo e do passeio ostentoso". (op. cit., 2004, p. 176-177)

[34] Charles Dickens, *Martin Chuzzlewit*, Londres, Penguin, 2004, p. 194, apud Miles Jebb, 1986, p. 91-92.

tos de passagem, entrevistos à luz de uma lâmpada de rua ou da vitrine de uma loja, é frequentemente melhor para o meu objetivo do que a sua plena revelação na luz diurna, e, para dizer a verdade, quanto a isso a noite é mais generosa do que o dia, que quase sempre, sem a menor cerimônia ou remorso, destrói um castelo construído no ar no momento em que ele vai ser concluído[35].

Esses comentários encontrariam posteriormente uma confirmação factual no festejado artigo "Night Walks" (1859) de Dickens, e é aqui, no seu jornalismo e não nos romances, que ele revela a sua relação profunda e frequentemente torturada com a caminhada:

Alguns anos atrás uma incapacidade temporária para dormir, ligada a uma impressão penosa, me levou a caminhar pelas ruas à noite, por várias noites seguidas [...] Durante essas noites eu concluí a minha educação com uma boa experiência amadora de desabrigo[36].

Aqui Dickens assume a identidade de "desabrigado" para explorar a cidade à noite, descrevendo Londres como um infindável panorama de ruas vazias que escondem uma população de desesperançados e perdidos: "Caminhando nas ruas sob a chuva tamborilante, o Desabrigado caminhava, caminhava e caminhava, vendo apenas o interminável emaranhado de ruas"[37]. A imagem que Dickens faz da cidade é imbuída de uma ameaça à espreita que lembra as fantasias de De Quincey antes dele, mas, ao passo que De Quincey era capaz de ver a cidade pelo prisma do sonho do ópio, o senso de ansiedade ampliada demonstrado por Dickens parece inato, ou pelo menos é consequência das lembranças mais antigas que ele tem das ruas.

Peter Ackroyd, em sua biografia de Dickens, imagina o escritor como um garotinho que caminha pelas ruas de Londres até onde ele trabalha e de volta para casa. "Caminhar e vagar", observa ele,

---

[35] Charles Dickens, *The Old Curiosity Shop: A Tale*, Londres, Penguin, 2000, p. 9.
[36] Charles Dickens, "Night Walks", in *The Uncommercial Traveller*, Stroud, Nonsuch Publishing, 2007, cap. XIII, p. 138.
[37] Ibidem, p. 139.

> [...] parecem ocupar grande parte dos primeiros anos de Dickens em Londres; mas isso era muito comum naquele período [...] Porém, segundo ele próprio relata, as perambulações de Dickens tinham uma natureza mais preguiçosa e sonhadora[38].

Ao passo que em seu artigo "Shy Neighbourhoods" (1860), o texto em que trata mais claramente do papel da caminhada na sua obra, Dickens afirma:

> Minha caminhada é de dois tipos: um sempre direto até um objetivo definido, num bom ritmo; o outro sem objetivo, a esmo e puramente vagabundo. No último estado, nenhum cigano é mais vagabundo que eu. É algo tão natural em mim, e com tal força, que eu acho que devo ser descendente, não muito distante, de algum vagabundo irrecuperável[39].

Foi o último deslocamento, aquele "sem objetivo", que Dickens empregou com magnífico efeito nas suas descrições da topografia labiríntica de Londres, capturando a cidade, graças ao seu movimento sem propósito, em toda a sua incomensurável complexidade. Mas foi o movimento anterior, obsessivo e contínuo, que passou a definir a vida de Dickens quando crescentemente e mostrando um surpreendente atletismo, ele procurou escapar das suas dificuldades a pé e velozmente:

> Uma parte tão grande das minhas viagens é feita a pé que se eu fosse dado a fazer apostas provavelmente seria encontrado registrado nos jornais esportivos sob

---

[38] Peter Ackroyd, op. cit., 1990, p. 87. Ao fazer essa observação, Ackroyd repete as palavras de G. K. Chesterton, talvez o crítico mais astuto de Dickens, para quem o realismo empregado por ele é gerado exatamente por esse movimento que se dá como num sonho: "E esse tipo de realismo só pode ser alcançado quando se anda em devaneio por um lugar. Não podemos alcançá-lo numa caminhada atenta". Entusiasmado com esse tema, Chesterton continua: 'Poucos de nós compreendemos a rua. Até quando pisamos nela, pisamos desconfiados, como se entrando numa casa ou numa sala em que há estranhos. Poucos de nós vemos através do luminoso enigma da rua, as estranhas pessoas que só pertencem à rua – o caminhante da rua ou o árabe da rua, os nômades que sob a luz do sol, geração após geração, guardaram seu antigo segredo. Sobre a rua noturna muitos de nós sabemos ainda menos. A rua noturna é uma grande casa trancada. Mas se alguém jamais teve a chave da rua, essa pessoa é Dickens. Suas estrelas eram as luzes da rua, seu herói era o homem da rua. Ele podia abrir a porta mais interna da sua casa – a porta que leva ao corredor secreto ladeado de casas e tem um teto de estrelas". (G. K. Chesterton, *Charles Dickens*, Londres, Wordsworth Editions, 2007, p. 24-25.)

[39] Dickens, "Shy Neighbourhoods", op. cit., 2007, cap. x, p. 106.

algum título como o de Novato Elástico, desafiando todo homem de setenta quilos para competir numa caminhada. Minha última façanha especial foi sair da cama às duas, depois de um exaustivo dia de caminhadas e outras coisas, e andar trinta milhas no campo para tomar o café da manhã. A estrada estava tão deserta durante a noite que adormeci ao som monótono dos meus pés, que cumpriam as suas quatro milhas por hora, como de costume. Milha após milha, caminhei, sem a menor sensação de esforço, cochilando pesado e sonhando constantemente[40].

Dickens não era absolutamente o único a ter esse desejo de palmilhar as ruas em alta velocidade. Na verdade, com Ruskin, outro que caminhava depressa, ele era apenas uma das muitas figuras desse tipo cujas atividades podem ser comparadas com as dos corredores atuais[41]. Mas Dickens se diferencia dos seus contemporâneos no grau de importância que dava aos seus esforços como pedestre. No seu ensaio "On an Amateur Beat" (1860), ele compara o papel do caminhante com o de um policial, para quem até um passeio ocioso tem um propósito mais elevado: "Numa ocasião assim", escreve ele, "tenho o costume de considerar meu trabalho como o meu ritmo de caminhada, e a mim mesmo, igualmente, como uma espécie mais elevada de policial em serviço"[42]. Aqui Dickens, como Wordsworth antes dele, compara o ato de caminhar com o de trabalhar, com um trabalho a ser realizado, e não uma diversão a ser desfrutada. Na verdade, à medida que ele foi envelhecendo e as rotinas de caminhada se tornaram cada vez mais árduas, tanto para ele quanto para os seus companheiros[43], sua relação com a caminhada também mudou: o que havia começado como uma fuga, algo que desviava a atenção das pressões da vida, gradualmente se tornou uma necessidade e, por fim, uma obrigação, algo que ele se sentia forçado a cumprir.

---

[40] Ibidem, p. 105.
[41] Miles Jebb, op. cit., 1986, p. 89.
[42] Dickens, "On an Amateur Beat", op. cit., 2007, cap. x, p. 75.
[43] Segundo Peter Ackroyd, os convidados de Dickens eram frequentemente submetidos ao castigo de uma caminhada de vinte quilômetros em duas horas e meia, e com uma única pausa de apenas cinco minutos. Essa provação quase sempre era suportada em completo silêncio (op. cit., 1990, p. 930).

> Essas "caminhadas diárias em prol da saúde", como ele às vezes se referia a elas, na verdade se transformaram numa espécie de obsessão, e ele passou a ter a convicção de que era importante passar tantas horas caminhando quanto as que passava trabalhando. Isso se tornou o que ele dizia ser uma "obrigação moral". Seu ritmo constante ficava em torno de 7,5 quilômetros por hora, e era muito comum ele caminhar 34 ou até 51 quilômetros num estirão. Cobrir tais distâncias não era uma façanha incomum no início do século XIX [...] O que diferencia Dickens é a velocidade e a determinação de sua perambulação. Mais tarde na vida era esse o recurso que ele usava para afastar a melancolia ou combater as preocupações que o abalavam, mas, quando mais jovem, a caminhada poderia ser vista proveitosamente como a eliminação de energia supérflua[44].

Contudo, como antídoto para as crescentes ansiedades de sua existência diária, distâncias cada vez maiores eram exigidas para atingir um estado de equilíbrio. As caminhadas de Dickens não tardaram a ser caracterizadas por um persistente estado de fervor, pois ele se esforçava para sobrepujar seus temores secretos e sempre presentes, e, nesse sentido, a sua crescente mania da caminhada de longa distância passou a se caracterizar como uma doença[45]. Essa obsessão se revelou altamente destrutiva, tanto para ele quanto para os seus companheiros, que ficaram aleijados no processo. Mas é impossível saber se, como se especulou, essas ferozes rotinas pedestres acabaram sendo o fator responsável por sua morte. No final, contudo, numa curiosa reflexão sobre o vício de De Quincey em ópio que o impulsionou nas suas visões fantasmagóricas da Londres noturna, o próprio ato de propulsão se tornou igualmente o vício de Dickens, e um vício do qual ele também veio a depender para preencher suas necessidades criativas.

Enquanto Blake, De Quincey e Dickens têm um lugar de destaque dentro do cânone dos caminhantes literários, a figura de Arthur Machen é geralmente ignorada; seu nome está ausente de todas as principais his-

---

[44] Peter Ackroyd, op. cit., 1990, p. 291-292.
[45] Anne D. Wallace, 1993, p. 232.

tórias sobre esse tema, e suas obras permanecem quase completamente esquecidas. Por certo essa ausência simplesmente reflete a sua posição marginal na história literária mais ampla, mas, embora seja improvável que ele algum dia tome uma posição dominante no cânone literário, sua importância como caminhante literário é tão grande quanto a de seus antepassados, pois nenhuma outra figura caminhou pelas ruas de Londres do modo como Machen caminhou, tampouco as descreveu com igual misto de respeito e assombro:

> Londres é um ônibus que ninguém jamais pegou. É um oceano sobre o qual ninguém viajou, em corpo ou em espírito [...] Eu não acho que haja conceitos mais terríveis apresentados à mente humana que as eternidades e infinitudes de tempo e espaço [...] E a visão do mapa de Londres sempre me deixa com a impressão de um tipo de infinitude menor, se se pode permitir essa frase. Ali estão as marcas de ruas, becos, praças e caminhos secundários, que impressionam o olhar como uma multidão de números. Tudo estava lá, em indubitáveis tijolos, pedras, mármores e cimento, e, no entanto, sente-se que nenhum ser vivente pisou neles, que para o explorador mais cheio de energia e com mais tempo disponível haverá sempre milhares de ruas onde ele nunca entrará. E, ampliando a ideia, quantas casas continuarão não visitadas; segredos, mantidos ao longo de todas as épocas, conhecidos de apenas uns poucos?
>
> Assim, Londres forma efetivamente para nós uma imagem concreta das coisas eternas do espaço, do tempo e do pensamento[46].

Nascido em 1863, em Caerleon, próximo ao rio Usk, em Gwent, Gales do Sul, Arthur Machen[47] era filho de um vigário anglicano, e foi criado na paróquia da igreja de Llandewi. O campo vizinho a Gwent

---

[46] Arthur Machen, "The Joy of London" (1914), in *The Secret of the Sangraal and Other Writings*, Leyburn, Tartarus Press, 2007, p. 78.

[47] Batizado com o nome de Arthur Llewellyn Jones, a pronúncia correta do sobrenome adotado por Machen (nome de solteira de sua mãe) foi desde então tema de debate, talvez com prejuízo para ele. Essa confusão levou o romancista e crítico Cyril Connolly a dizer que "No lugar de Arthur Machen, eu teria acrescentado 'rima com *bracken*' à minha assinatura, pois nada prejudica tanto um autor quanto uma ambiguidade na pronúncia do seu nome". (apud Gary Lachman, *The Dedalus Book of the Occult: A Dark Muse, Sawtry*, Dedalus, 2003, p. 220.)

teve sobre ele um profundo impacto, e foram as paisagens encantadas de sua juventude as responsáveis por uma impressão de assombro místico que mais tarde permeou sua obra. Machen referiu-se à sua vida até os dezessete anos como tendo apenas "solidão, florestas, vielas recônditas e mistério", e cedo ele adotou o hábito de perambular em longas caminhadas no campo perto de sua casa[48].

Incapaz de pagar uma moradia em Oxford e sendo reprovado nos exames para ingressar na faculdade de medicina na capital, Machen logo deixou Gwent definitivamente e se fixou em Londres, e foi ali, enquanto vivia uma existência solitária e sem dinheiro, que começou a fazer as longas caminhadas aleatórias pela cidade, que constituiriam o pano de fundo para grande parte do que ele veio a escrever depois. Evitando o centro e chegando aos vastos e desolados espaços da cidade suburbana, Machen imbuiu esses negligenciados limites distantes, com suas intermináveis ruas de palacetes vitorianos, justamente da impressão de encantamento sobrenatural que havia colorido suas experiências no campo de Gwent. "O mundo desconhecido", escreveu ele, "está à nossa volta por toda parte, perto dos nossos pés, onde quer que seja; um véu finíssimo nos separa dele, a porta no muro ou a próxima rua se comunica com ele"[49]. Foi uma mensagem que ele repetiu em toda a sua obra:

> Eis, assim, o padrão do meu tapete, a ideia dos mistérios eternos, a eterna beleza oculta sob a crosta das coisas comuns e corriqueiras; oculta, mas queimando e brilhando continuamente se nos dermos ao trabalho de olhar com olhos limpos [...] Acho que é mais fácil enxergar a beleza secreta e o mistério nas coisas singelas

---

[48] Mark Valentine, *Arthur Machen*, Bridgend, Seren, 1995, p. 9. "Viajar era uma coisa importante para Machen", observa Valentine, "desde os longos passeios solitários de sua juventude até às explorações da Londres mais remota e os seus dias como um 'atleta passeador'". Citando *The Secret Glory* (1922), de Machen, ele acrescenta: "Chegamos muito perto da vida ideal que o homem deve viver. Quem pode medir os excelentes efeitos da vagabundagem, do contínuo movimento que mantém livre do limo a pedra?". (ibidem, p. 66)

[49] Arthur Machen, op. cit., 1924, p. 100. A "porta na parede", a que Machen se refere aqui, lembra o conto homônimo de H. G. Wells ("The Door in the Wall", in *The Country of the Blind and Other Selected Stories*, Londres, Penguin, 2007, p. 365-381), no qual o protagonista, localizando quando garoto uma porta que levava para um reino encantado, passa o resto da vida tentando redescobri-la. A história de Wells, publicada em 1906, também tem fortes afinidades com "N", história posterior de Machen (Leyburn, Tartarus Press, 2010), publicada em 1936, que envolve a busca para redescobrir um lugar igualmente encantado.

e comuns do que nas coisas esplêndidas, nobres, carregadas de história[50].

O primeiro grande sucesso de Machen aconteceria em 1894, com *The Great God Pan*, uma história de horror pagão com um fundo sexual vigoroso e pouco disfarçado; e, no ano seguinte, ele publicaria um romance com histórias que se entremeavam, *The Three Impostors*, uma obra de horror decadente igualmente chocante. Mas no clima de excesso do *fin de siècle* que escandalizou Londres na década de 1890, a obra de Machen logo ficou associada ao esteticismo de Oscar Wilde, o que o prejudicou: a reação contra Wilde que se seguiu ao seu julgamento, em 1895, fez com que muitas das melhores obras de Machen escritas na última parte daquela década só viessem a ser publicadas no início do século seguinte. A mais notável delas, e reconhecidamente a obra-prima de Machen, foi *The Hill of Dreams* (1907), a história – autobiográfica, em grande medida – da luta de um jovem para se tornar escritor em Londres. Machen passou por privações quando era um escritor inexperiente, e posteriormente se referiria a esse período como de intensa solidão e intermináveis perambulações:

> Eu tinha uma vida de solidão tão desesperada que quase poderia ser Robinson Crusoé na sua ilha [...] embora caminhasse diariamente entre milhares, estava sozinho [...] Acho que vejo o jovem de bigode andando desengonçado pelas ruas, sempre sozinho [...] Dia após dia eu vagava pela cidade desse modo[51].

Foi no início da década de 1890, entretanto, enquanto vivia na Soho Street, e depois, entre 1893 e 1895, quando vivia na Great Russell Street, em Bloomsbury, que as caminhadas diárias de Machen fora de Londres, para o interior desconhecido e desprezado, começaram a ser feitas com mais método, pois o que anteriormente fora pouco mais de

---
[50] Arthur Machen, op. cit., 1924, p. 75. A visão de mundo altamente idiossincrática de Machen tem muito em comum com a de outro escritor igualmente desprezado, John Cowper Powys. Powys, como Machen, também estava alerta para a relação entre o caminhar e a criatividade, e caminhava distâncias prodigiosas em busca de inspiração. Para uma análise do papel da caminhada na sua obra: Mark Boseley, *Walking in the Creative Life of John Cowper Powys: The Triumph of the Peripatetic Mode*, Vasteras, Mälardalens Högskola, 2001).
[51] Arthur Machen, "When I was Young in London" (1913), op. cit., 2007, p. 66.

uma fuga da solidão e do desespero gradualmente se tornara algo bem diferente, uma tentativa deliberada e prolongada de acesso ao eterno e inefável, que, acreditava ele, estava por trás da realidade cotidiana das ruas londrinas. Saindo para se perder, de propósito, entre os "lugares rústicos, vermelhos, em torno das muralhas de Londres", Machen embarcou numa viagem cuja única orientação era a necessidade de "evitar totalmente o conhecido"[52]. Assim nasceu a "ciência londrina" de Machen:

> Não vou dar atenção a nenhuma objeção ou crítica à *Ars Magna* de Londres, da qual reivindico ser o inventor, o professor e toda a escola. Nela sou artista e juiz ao mesmo tempo, e possuo dentro de mim toda a questão da arte. Pois, que fique claramente entendido, a Grande Arte de Londres não tem nada a ver com qualquer mapa, guia ou conhecimento de antiquário, por mais admiráveis que eles sejam [...] Mas a Grande Arte é uma questão de outra esfera, e quanto aos mapas, por exemplo, se são conhecidos devem ser esquecidos [...] De tudo isso o seguidor da arte londrina precisa se expurgar quando sai em suas aventuras. Pois a essência dessa arte é que ela precisa ser uma aventura para dentro do desconhecido, e talvez se possa descobrir que essa, afinal, é a questão de todas as artes[53].

"Às vezes", escreve Machen, "eu levava nas minhas viagens um amigo, mas não frequentemente. O segredo da coisa era inacessível a eles, e eles podiam se tornar violentos"[54]. Machen se mudou mais tarde para o Verulam Buildings, perto da Gray's Inn Road, e foi ali, enquanto fazia seu costumeiro passeio no meio do dia, que ele teve uma súbita impressão de desorientação: "De algum jeito eu cheguei em casa, fazendo cálculos complicados e dúbios", lembrou, "e num estado de espírito um tanto confuso e alarmado. E por mais estranho que possa parecer, essa perplexidade nunca me deixou totalmente"[55]. Na verdade, foi exa-

---

[52] Arthur Machen, op. cit., 1924, p. 49.
[53] Arthur Machen, *Things Near and Far*, Londres, Martin Seeker, 1923, p. 62-63.
[54] Ibidem, p. 63.
[55] Arthur Machen, op. cit., 1924, p. 141.

tamente esse sentimento de perplexidade que caracterizou os melhores escritos de Machen sobre Londres, uma cidade que ele passou a ver com assombro e medo:

> E é verdade absoluta que aquele que não pode encontrar enigma, mistério, temor, a impressão de um novo mundo e um reino não descoberto nos lugares próximos da Gray's Inn Road nunca encontrará esses segredos em outro lugar, seja no centro da África ou nas lendárias cidades escondidas do Tibete. "A matéria do nosso trabalho está presente em todo lugar", escreveram os alquimistas antigos, e essa é a verdade. Todos os mistérios estão ao alcance da mão na estação de King's Cross[56].

Perto do final do terceiro e último volume da sua autobiografia, chamado *The London Adventure, or the Art of Wandering* (1924) (texto que inspirou o título deste livro), Machen volta mais uma vez ao sentimento de perplexidade que sempre o acompanhou nas suas viagens por Londres: "Assim, aqui estava a ideia", escreve ele. "Que tal a história de um homem que 'se perdeu no caminho', que ficou tão enredado em algum labirinto de imaginação e especulação que os caminhos comuns, materiais, do mundo deixaram de ter sentido para ele?"[57]. É até certo ponto uma meia-verdade referir-se a *The London Adventure* como uma obra digressiva ou tortuosa, pois ela é, na verdade, pouco mais que uma tentativa persistente de evitar a tarefa que Machen se impôs: uma tentativa, em forma literária, de captar a falta de propósito que definiu a sua perambulação urbana. Em grande parte da obra de Machen, mas especialmente em *The London Adventure* e nos volumes anteriores da sua autobiografia, *Far Off Things* (1922) e *Things Near and Far* (1923), a sua prosa parece voltar o leitor para uma direção unicamente para se desviar numa tangente inesperada. Seus comentários mais perspicazes são apresentados frequentemente de forma oblíqua, parecendo ser mencionados apenas de passagem e permanecendo sempre à sombra de outros objetivos, os quais nunca são enunciados claramente. Desse modo, e à maneira de tantos escritores

---
[56] Arthur Machen, op. cit., 1923, p. 59.
[57] Arthur Machen, op. cit., 1924, p. 141.

e caminhantes reunidos aqui, a obra de Machen pode parecer muito com a natureza das caminhadas que ele expõe. Assim, por exemplo, a sensacional ficção que ele produziu no final do século XIX, sobre a qual repousa em grande parte o bom nome que tem hoje, descreve reiteradamente o personagem um tanto almofadinha e de reputação não muito boa que corresponde ao *flâneur*, passeando pelo misterioso quebra-cabeça das ruas de Londres[58], ao passo que, em obras posteriores, as perambulações de Machen antecipam as caminhadas declaradamente sem objetivo, mas curiosamente sistematizadas que os surrealistas, e depois deles os situacionistas, não demorariam a fazer pelas ruas de Paris. Mas, em última análise, a ciência londrina de Machen, embora antecipando pelo menos em parte as atividades dos grupos vanguardistas citados, continua sendo única e inclassificável, um projeto excêntrico para o próprio Machen.

No entanto, o aspecto em que a perspectiva de Machen diverge de modo muito surpreendente dos seus contemporâneos e também dos aspirantes a seus sucessores é a clara ambivalência da sua reação à cidade que ele se esforçou tão penosamente para descrever, pois, embora por um lado ele devesse celebrar Londres em toda a sua imensidão e se deleitar com os devaneios misteriosos da sua ficção, sua reação ao infinito horizonte de ruas dentro do qual ele se encontrava foi de uma intensa impressão de pasmo que quase chegava ao terror[59]. Na verdade, boa parte da obra de Machen pode ser considerada um meio de combater precisamente essa impressão de medo, uma tentativa de adquirir domínio sobre as ruas de Londres caminhando por elas, e, por esse conhecimento, um modo de se opor à sua ameaça. Isso, evidentemente, como Machen sabia muito bem, era obra para muitas vidas inteiras, um projeto ciclópico e que nunca se completaria, que tinha por objetivo chegar a um acordo com uma cidade cujo perímetro estava sempre além do alcance da vista e cujo perpétuo crescimento parecia sempre vencer os esforços de quem tentava captá-la em sua totalidade. E foi essa imagem que permaneceu como símbolo de sua obra, a imagem do caminhante

---

[58] Machen certamente conhecia bem a figura do flâneur, como ele revela neste trecho da sua novela "A Fragment of Life" (1906): "E ele refletiu com tristeza sobre as incontáveis noites em que rejeitara a costeleta frita oferecida pela proprietária e saíra para flanar entre os restaurantes italianos da Upper Street, em Islington" (in *The Collected Arthur Machen*, Londres, Duckworth, 1988, p. 36).

[59] Arthur Machen, *The London Adventure*, 1924, p. 100.

solitário que quer fugir do labirinto, mas fadado a passar a vida inteira fazendo isso:

> Anos atrás, lembro-me, eu perambulava dia e noite pelos limites e postos avançados ocidentais desta vastíssima Londres. Eu saía e ia de rua em rua com o objetivo de fugir de Londres e chegar ao campo. As ruas acabavam desaparecendo em campos abertos, e eu dizia: "Finalmente estou livre dessa selva imensa e pétrea". E então, subitamente, ao dobrar uma esquina, as fileiras vermelhas e rudimentares de casas me encaravam, e eu sabia que ainda estava no labirinto [...] Isso foi trinta anos atrás ou mais, e desde então Londres inchou como uma inundação. Sua extensão é colossal, quase excede o poder da imaginação, de tal forma imensa que nenhuma medida e nenhum número podem expressar[60].

---

[60] Essa opinião de Machen é endossada por Philip van Doren Stern, que escreveu: "Parece que Machen nunca se ajustou à vida da imensa metrópole. Ele explorou Londres a vida toda e chegou a conhecê-la muito bem, mas era evidente que a cidade o aterrorizava". (Introduction, in Arthur Machen, *Tales of Horror and the Supernatural*, Londres, Richards Press, 1949, p. IX.)

Capítulo 7

# O *flâneur*

*Durante algum tempo, por volta de 1840, foi de bom-tom levar tartarugas a passear pelas galerias. De bom grado o* flâneur *deixava que elas lhe prescrevessem o ritmo de caminhar. Se o tivessem seguido, o progresso deveria ter aprendido esse passo.* Walter Benjamin[1]

*Mas a pessoa percebe estar plenamente certa de que gosta de andar tanto quanto gosta de escrever. Disto, claro, talvez um pouquinho menos do que do primeiro.*
Robert Walser[2]

Não há equivalente direto em inglês para o verbo francês *flâner*: *stroll, saunter, drift, dawdle, loiter, linger*\* – pode-se identificar um vocabulário inteiro que se aproxima do seu significado, mas que não chega a captá-lo. O dicionário Larousse nos fornece a seguinte definição: "Flâner: errer sans bout, en s'arrêtant pour regarder", que pode ser tradu-

---

[1] Walter Benjamin, *Charles Baudelaire: A Lyric Poet in the Era of High Capitalism*, Londres, New Left Books, 1973, p. 54 [*Charles Baudelaire, um lírico no auge do capitalismo*, São Paulo, Brasiliense, 1994, p. 51]. De acordo com Rebecca Solnit, a afirmação de Benjamin é apócrifa: "Ninguém disse o nome da pessoa que levava uma tartaruga para uma caminhada, e todos os que se referem a esse costume usam Benjamin como sua fonte". (op. cit., 2001, p. 200) No entanto, o impacto de um costume desses seria certamente eclipsado pelo escritor Gérard de Nerval, que, como se sabe, levava uma lagosta para passear, amarrada a uma fita de seda que fazia as vezes de correia (Richard Holmes, op. cit., 1985, p. 212-216).
[2] Robert Walser, "The Walk", in *The Walk*, Londres, Serpent´s Tail, 1992, p. 65
\* Já em português, segundo o dicionário Houaiss, há registros do aportuguesamento da palavra francesa desde 1899, e a palavra já foi incorporada ao léxico vernacular. De acordo com o Houaiss, "flanar" significa "andar ociosamente, sem rumo nem sentido certo; flanear, flainar, perambular". (Instituto Antônio Houaiss de Lexicografia, *Dicionário Houaiss da Língua Portuguesa*, Rio de Janeiro, Objetiva, 2001.) [N. E.].

zida por "vagar a esmo, parando de vez em quando para olhar"[3]. O termo só passou ao uso comum no século XIX, embora a sua origem remonte ao escandinavo antigo, *flana* ("correr irrefletidamente aqui e ali") e à palavra irlandesa para "libertina"[4]. Esse atributo esquivo e uma resistência à classificação fácil são características muito aparentes na identidade do próprio *flâneur* (pois ele é invariavelmente visto como homem), um personagem que conseguiu criar para si uma história literária sem jamais ter revelado totalmente as suas origens.

Hoje o *flâneur* se tornou uma figura bastante estudada, apreciada por acadêmicos e comentaristas culturais, que sustentaram afirmações conflitantes sobre seus antecedentes literários e as cidades em que suas atividades foram inicialmente observadas. Assim, as primeiras aparições do nascente *flâneur* foram apontadas em Londres, Berlim e Viena, ao passo que figuras como Victor Fournel, Heinrich von Kleist e Heinrich Heine foram identificadas como possíveis pais dessa tradição[5]. No entanto, nenhuma dessas sugestões, apesar de plausíveis, pode encobrir o fato de que a figura do *flâneur* continua inextricavelmente ligada às ruas de Paris e à poesia de Charles Baudelaire (1821-1867), e é no seu artigo "O pintor da vida moderna" (1863) que Baudelaire nos fornece o que temos de mais próximo de um registro definitivo da natureza frequentemente contraditória do *flâneur*:

> A multidão é seu universo, como o ar é o dos pássaros, como a água, o dos peixes. Sua paixão e sua profissão é desposar a multidão. Para o perfeito *flâneur*, para o observador apaixonado, é um imenso júbilo fixar residência no numeroso, no ondulante, no movimento, no fugidio e no infinito. Estar fora de casa, e contudo sentir-se em casa onde quer que se encontre; ver o mundo, estar no centro do mundo e permanecer oculto ao mundo, eis alguns dos pequenos prazeres desses

---
[3] Zygmunt Bauman, "Desert Spectacular", in Keith Tester, *The Flâneur*, Londres, Routledge, 1994, p. 138. Ao passo que o inglês não tem uma tradução direta para *flânerie*, o italiano tem um equivalente: "andare a Zonzo", que significa "perder tempo perambulando a esmo [...] É uma expressão idiomática", escreve Francesco Careri, "cujas origens foram esquecidas, mas que se enquadra perfeitamente no contexto da cidade perambulada pelos flâneurs". (Francesco Careri, op. cit., 2002, p. 185.)
[4] Rebecca Solnit, op. cit., 2001, p. 198.
[5] James V. Werner, *American Flâneur: The Cosmic Physiognomy of Edgar Allan Poe*, Londres, Routledge, 2004, p. 7. Ank Gleber, *The Art f'Taking a Walk: Flânerie, Literature, and Film in Weimar Culture*, Princeton, Nova Jersey, Princeton University Press, 1999, p. 6.

espíritos independentes, apaixonados, imparciais, que a língua não pode definir senão toscamente[6].

Para Baudelaire, Paris se torna um livro a ser lido caminhando pelas ruas, mas, por causa da total reconfiguração da cidade por Haussmann, essa topografia labiríntica e essencialmente medieval seria logo destruída. Num ambiente assim, o *flâneur* está sob ameaça, e Baudelaire reage criando uma figura idealizada e uma cidade idealizada, em que todos se ajustam em algum grau a essa figura, mas ninguém alcança de fato o seu status fugidio; pois, como Rebecca Solnit observou: "O único problema do *flâneur* é que ele não existiu, a não ser como um tipo, um ideal e um personagem da literatura [...] ninguém agiu totalmente de acordo com a ideia do *flâneur*, mas todos se envolveram em alguma versão da *flânerie*"[7].

O *flâneur* é esquivo a ponto de não se poder absolutamente localizá-lo, e a própria busca por essa figura assume as características da *flânerie* e oferece novas maneiras de experimentar a cidade[8]. Como antes acontecera em Londres, Paris se expandiu no século XIX a ponto de não poder mais ser totalmente compreendida. Tornou-se cada vez mais distante dos seus próprios habitantes, um novo lugar estranho e exótico a ser vivenciado mais como um turista do que como residente. Logo a cidade se caracterizou como uma selva, não mapeada e inexplorada, uma vastidão virgem habitada por selvagens que demonstrava estranhos costumes e práticas. A orientação nessa cidade se torna uma habilidade, um conhecimento secreto disponível apenas para uns poucos eleitos, e nesse ambiente quem passeia se transforma em explorador ou até em um detetive que desvenda o mistério de suas ruas[9]. À medida que essas ruas são destruídas e reordenadas, contudo, a selvageria é domada e domesticada, e o conhecimento arcano do caminhante se torna obsoleto. À medida que os espaços públicos se tornam privados e as ruas ficam

---

[6] Charles Baudelaire, "The Painter of Modern Life", in *The Painter of Modern Life and Other Essays*, Londres: Phaidon, 1995, 1-41, p. 9 ["O pintor da vida moderna", in *Poesia e prosa*, Rio de Janeiro, Nova Aguilar, 2006, p. 857.]
[7] Rebecca Solnit, op. cit., 2001, p. 200.
[8] Ou em outras palavras: "O passeio sem destino é o destino [...] O *flâneur* perambula em busca do destino da sua perambulação". (Zygmunt Bauman, op. cit., 1994 , p. 139.)
[9] "Desse modo, se o *flâneur* se torna sem querer detetive", escreve Walter Benjamin, "isso socialmente a transformação lhe assenta muito bem, pois justifica a sua ociosidade. Sua indolência é apenas aparente. Nela se esconde a vigilância de um observador que não perde o malfeitor de vista". (Walter Benjamin, op. cit., 1994, p. 38.)

sufocadas pelo trânsito, o caminhar se reduz a um mero passeio, fazendo dos exploradores pouco mais que apreciadores de vitrines. Na cidade moderna, o homem da multidão precisa se adaptar ou morrer.

Perto do final do seu *Diários íntimos* (1909), Baudelaire escreve: "Perdido neste mundo infame, empurrado pela multidão, sou como um homem imprestável"[10]. Essa pode ser realmente a voz do *flâneur*, do homem da multidão? Parece que em muitos aspectos a vida de Baudelaire reflete a trajetória do *flâneur*, que luta contra a modernidade enquanto as ruas se tornam mais hostis ao passante cuja insistência no ritmo do caminhante contesta a necessidade de velocidade e circulação que a cidade moderna promove (embora raramente alcance). Até mesmo quando estava descrevendo o *flâneur*, Baudelaire agia como testemunha de sua morte; o retrato dele não é um retrato do futuro, e sim uma representação nostálgica do modo de vida que está prestes a ser varrido para sempre. O *flâneur* é, assim, não tanto um homem do seu tempo quanto um homem fora do tempo, símbolo de uma época passada. E embora Baudelaire possa ter sido o primeiro a oferecer um retrato explícito do *flâneur*, ele creditou sua concepção literária a Edgar Allan Poe, cujo conto "O homem da multidão" (1840) é um dos primeiros exemplos do uso da multidão como símbolo da nascente cidade moderna, explorando o papel do observador distanciado que se inebria com a sua agitação.

Nascido em Boston, em 1809, Edgar Allan Poe, que estudou por um breve período em Stoke Newington, Londres (1815-1820), passou o resto da vida na costa leste dos Estados Unidos. Assim, é tentador vê-lo como o pioneiro da *flânerie* norte-americana, mas na realidade Poe se sente menos em casa na tradição norte-americana do que na europeia[11]. Ele foi quase completamente rejeitado no mundo anglófono durante toda a sua vida, por ser considerado uma pessoa absolutamente reles, "um solitário maluco que vagava noite e dia pelas ruas da cidade". Baudelaire, com suas traduções da obra de Poe, foi quase o único responsável por lhe restabelecer a reputação e disseminar a sua obra para um público mais amplo[12].

---

[10] Charles Baudelaire, *Intimate Journals*, Londres, Picador, 1990, p. 23.
[11] O escritor Rémy de Gourmont declarou que, na verdade, Poe pertencia à literatura francesa, e não à norte-americana. (apud Peter Ackroyd, Poe: *A Life Cut Short*, Londres, Chatto & Windus, 2008, p. 160.)
[12] Kevin J. Hayes, *Edgar Allan Poe*, Londres, Reaktion, 2009, p. 7. Poe e Baudelaire compartilhavam uma notável afinidade: ao ler Poe pela primeira vez, Baudelaire descobriu "não apenas alguns assuntos com os quais eu havia sonhado, mas também frases que eu havia cogitado, escritas por ele vinte anos antes". (Peter Ackroyd, op. cit., 2008, p. 159.)

Baudelaire citou especificamente a história de Poe como um primeiro representante de um novo tipo urbano, uma figura isolada, alheia e, ao mesmo tempo, um homem da multidão e um seu observador distanciado – e como tal o avatar da cidade moderna. Referindo-se a "O homem da multidão" como um quadro "escrito pelo mais poderoso autor desta época", Baudelaire delineia o seguinte esboço da trama:

> Atrás das vidraças de um café está sentado um convalescente, contemplando com prazer a multidão, mistura-se mentalmente a todos os pensamentos que se agitam à sua volta. Resgatado a pouco das sombras da morte, ele aspira com deleite todos os indícios e eflúvios da vida; como estava prestes a tudo esquecer, lembra-se, e quer ardentemente lembrar-se de tudo. Finalmente precipita-se no meio da multidão, à procura de um desconhecido cuja fisionomia, apenas vislumbrada, fascinou-o num relance. A curiosidade transformou-se numa paixão fatal, irresistível![13]

Ao sair em sua busca, nosso narrador é levado para uma jornada aparentemente sem objetivo e aleatória pela cidade. Ao dia segue-se a noite, e a busca prossegue até que, finalmente, sentindo que a jornada não acabará nunca, ele aborda sua presa. O homem quase não o nota, contudo, e simplesmente segue em seu caminho: "'Esse velho', disse eu por fim, 'é o tipo e o gênio do crime violento. Ele se recusa a ficar sozinho. *Ele é o homem da multidão*. Será inútil segui-lo, pois não ficarei sabendo mais nada dele nem do que ele fez'"[14]. Nessas poucas páginas, assim, ele testemunha o surgimento do *flâneur*, o perambulador da cidade moderna, imerso na multidão e ao mesmo tempo isolado por ela, um excluído (até mesmo criminoso), mas, em última análise, um homem impossível de compreender e cujas intenções permanecem obscuras.

Sem dúvida, a razão pela qual a figura do *flâneur* chegou a ganhar tal destaque recentemente não é a reavaliação da obra de Baudelaire ou de Poe, mas a do crítico mais arguto de Baudelaire, Walter Benjamin (1892--1940). Mais conhecido hoje por seu registro fragmentário e incompleto

---
[13] Charles Baudelaire, op. cit., 2006, p. 856.
[14] Edgar Allan Poe, "The Man of the Crowd", in *The Fall of the House of Usher and Other Tales*, Londres, Penguin, 2003, p. 139.

da Paris do século XIX, *Passagens* (*Das Passagen-Werk*, 1982), Benjamin publicaria o seu primeiro ensaio importante sobre Baudelaire, em 1938, trabalho que, como grande parte da sua obra, só seria publicado em inglês na década de 1970. Evocando as galerias com cobertura de vidro que eram o *habitat* do *flâneur* na Paris do início do século XIX, Benjamin iria além do relato de Baudelaire sobre esse caminhante arquetípico, oferecendo uma análise da rua da cidade em que o *flâneur* faria o seu lar:

> O atributo de folgado [...] se ajusta ao estilo do *flâneur*, que vai praticando botânica no asfalto. Mas mesmo naquela época não era possível passear em todos os lugares da cidade. Antes de Haussmann eram raras as calçadas largas, e as estreitas ofereciam pouca proteção contra os veículos. Sem as galerias, o passeio dificilmente poderia ter assumido a importância que adquiriu. "As galerias, uma invenção muito recente do luxo industrial", como dizia em 1852 um guia ilustrado de Paris, "são corredores com cobertura de vidro e painéis de mármore que se estendem por conjuntos inteiros de casas cujos proprietários se associaram nesses gastos. Os dois lados desses corredores, iluminados de cima, são guarnecidos com lojas elegantíssimas, de modo que uma galeria é uma cidade, até um mundo, em miniatura". É nesse mundo que o *flâneur* está em casa [...] As galerias eram um cruzamento de rua com *intérieur* [...] A rua se torna uma moradia para o *flâneur*, ele se sente tão em casa entre as fachadas das casas quanto um cidadão se sente entre as quatro paredes do seu lar. Para ele as brilhantes placas esmaltadas das lojas são para as paredes um ornamento pelo menos tão bom quanto uma pintura a óleo que o burguês dependura na sua sala. As paredes são a escrivaninha na qual ele apoia sua caderneta, bancas de jornais são a sua biblioteca, e os terraços dos cafés são a varanda, de onde ele olha para a sua família lá embaixo, depois de terminado o trabalho[15].

"O *flâneur*", escreve Benjamin, "é alguém que não se sente confortável na própria companhia. Por isso procura a multidão [...] Baudelaire

---

[15] Walter Benjamin, op. cit., 1973, p. 36-37.

adorava a solidão", acrescenta ele, "mas a queria numa multidão"[16]. Contudo, Benjamin adverte que não se veja o *flâneur* como um autorretrato do próprio Baudelaire, afirmando que há uma diferença essencial entre os dois: a abstração, pois ao passo que o *flâneur* é um ávido observador do seu ambiente, Baudelaire, sustenta Benjamin, não era nada disso. Ele o compara a Dickens, um homem que, nas palavras de Chesterton, "anda a esmo pela cidade grande perdido em pensamentos"[17].

Na verdade, o retrato que Benjamin faz de Baudelaire revela uma figura profundamente trágica, de alguém que se sente atraído e ao mesmo tempo hostil à multidão em que buscou um lar. Efetivamente, já em 1853, Baudelaire, importunado por vários credores e com a saúde cada vez mais debilitada, chegou à quase imobilidade: "Preciso admitir", escreve ele, "que atingi um ponto em que não faço nenhum movimento súbito nem caminho muito, por receio de rasgar ainda mais as minhas roupas"[18]. A Londres que Poe retrata em 1840 já é apresentada como inimiga do caminhante, e essa situação seria logo replicada por todas as metrópoles europeias. Ao visitar Bruxelas no fim da vida, Baudelaire escreveu: "Não há vitrines. Passear, algo que os povos com imaginação adoram fazer, não é possível em Bruxelas. Não há nada para ver, e as ruas não são utilizáveis"[19]. Recolhendo-se em Paris, a existência breve e infeliz de Baudelaire o viu finalmente se voltar contra a multidão que tanto o havia encantado:

> De todas as experiências que fizeram a sua vida ser o que foi, Baudelaire dizia que a de ter sido empurrado pela multidão tinha sido a decisiva, sem similar. O brilho da multidão com um movimento e uma alma próprios, a cintilação que havia deslumbrado o *flâneur*, havia-lhe obscurecido [...] Baudelaire lutou contra a multidão – com a fúria impotente de alguém que combate a chuva ou o vento[20].

Mas e quanto ao próprio Benjamin? Podemos encontrar também nele algum vestígio do *flâneur*? "Não acho que jamais o tenha visto

---

[16] Ibidem, p. 48, 50.
[17] Ibidem, p. 69.
[18] Ibidem, p. 72.
[19] Ibidem, p. 50.
[20] Ibidem, p. 154.

caminhando com a cabeça erguida", lembrou-se seu amigo Gershom Sholem. "O andar dele tinha algo de inconfundível, algo de pensativo e hesitante, o que talvez se devesse à miopia"[21]. Susan Sontag referiu-se à sua natureza dupla: de um lado, sempre em movimento, como um errante, um caminhante, mas, de outro, como um cobrador, "vergado pelas coisas; ou melhor, pelas paixões"[22]. A sua grandeza de magnífico caminhante pelas ruas é confirmada em sua obra, nas descrições que ele faz dos passeios por Marselha, Moscou e Berlim quando garoto, juntamente, é óbvio, com o seu relato sobre Paris, a cidade que lhe ensinou a arte de perambular:

> Não encontrar o caminho numa cidade pode perfeitamente ser desinteressante e banal. Exige ignorância – só isso. Mas se perder numa cidade – do modo como nos perdemos numa floresta – exige um ensino muito diferente. Nesse caso, placas de lojas e nomes de ruas, transeuntes, tetos, quiosques ou bares devem falar ao caminhante como um raminho que se quebra sob os seus pés na floresta, como o pio assustador de um alcaravão à distância, como a súbita quietude de uma clareira com um lírio erguendo-se bem ereto no seu centro. Paris me ensinou essa arte de vagar[23].

Para Edmund White, que visitou Paris muito tempo depois, ser um *flâneur* bem-sucedido exigia tempo – o tipo de liberdade desfrutada por quem está dispensado da necessidade de trabalhar, por aqueles "que podem sair pela manhã ou à tarde para caminhar lentamente e sem direção"[24]. E aqui, mais uma vez, Benjamin certamente não decepciona. Nascido numa família de classe média alta e sustentado pelo pai, ele pôde sair por aí não somente durante a manhã ou pela tarde inteira, mas por toda a sua vida adulta, grande parte da qual dedicada a esse tipo de perambulação. Na verdade, Benjamin se tornaria o *flâneur* dos *flâneurs*, não só o observador da multidão, mas o observador do próprio *flâneur*,

---

[21] Gershom Sholem, apud Rebecca Solnit, op. cit., 2001, p. 198.
[22] Susan Sontag, Introduction, in *Walter Benjamin, One-Way Street and Other Writings*, Londres, Verso, 1979, p. 19.
[23] Walter Benjamin, "A Berlin Chronicle", in *Reflections: Essays, Aphorisms, Autobiographical Writings*, Nova York, Schocken, 1986, p. 9.
[24] Edmund White, *The Flâneur: A Stroll through the Paradoxes of Paris*, Londres, Bloomsbury, 2001, p. 39.

o espectador apaixonado que atinge um grau mais elevado de percepção do que ele observa.

A história do *flâneur*, tal como Benjamin demonstraria, é uma história em que a cidade onde mora esse tipo se lhe torna crescentemente hostil e acaba expulsando-o da rua e forçando-o a procurar um novo ambiente em outra parte. Benjamin se referiu a Paris como uma cidade que "há muito tempo deixou de ser o lar do *flâneur*", o que se confirmaria com ele[25] – quando começou a guerra, em 1939, Benjamin foi preso com outros alemães e levado para um campo de prisioneiros em Nevers, cerca de 170 quilômetros ao sul de Paris, onde passaria os três meses seguintes. Obtendo sua libertação graças à intercessão do PEN, um grupo de escritores, Benjamin voltou por pouco tempo a Paris até que a ocupação da França pelos nazistas o obrigasse a voltar para o sul numa tentativa de atravessar os Pireneus para chegar à Espanha. Não é preciso dizer que seus passeios pelas ruas de Paris pouco poderiam ter feito para prepará-lo para a sua fuga final, atravessando a França e escalando montanhas, frequentemente vencido pelo cansaço e cada vez mais dependente da ajuda dos companheiros. Seu fim trágico está bem documentado, mas é cruelmente irônico o fato de sua morte ter sido consequência de uma caminhada forçada: tendo chegado à fronteira espanhola, que lhe negou a entrada no país, ele preferiu se matar a encarar a viagem de volta pelas montanhas até a França ocupada.

Num artigo escrito em 1929, Benjamin se referiu com as seguintes palavras a um colega escritor e caminhante: "Assim que pega a caneta, ele entra num estado de espírito de *desperado*: tudo parece perdido para ele; jorra uma onda de palavras em que cada sentença tem a única tarefa de apagar a anterior"[26]. A pessoa que era objeto da exposição de Benjamin era o pouco conhecido escritor suíço Robert Walser (1878-1956), uma figura que compartilhou com ele a paixão pela caminhada e um destino trágico. Como Benjamin, Walser foi quase totalmente ignorado enquanto vivo, sendo pouco a pouco reavaliado quando suas obras começaram a ser traduzidas para o inglês na década de 1960. A partir

---

[25] Walter Benjamin, op. cit., 1973, p. 47.
[26] Walter Benjamin, "Robert Walser" (1929), in Mark Harman (org.), *Robert Walser Rediscovered: Stories, Fairy-Tale Plays*, and Critical Responses, Hanover, Nova Inglaterra, University Press of New England, 1985, p. 144-147.

de então, contudo, a obra de Walser passou a ser reconhecida como um acréscimo importante à literatura europeia, particularmente à literatura sobre a caminhada.

Nascido em Biel, em 1878, a vida de Robert Walser é uma história de quatro cidades: Zurique (1896-1905), Berlim (1905-13), Biel (1913-21) e Berna (1921-29)[27]. Essas quatro cidades forneceram coordenadas fixas numa vida de constante movimento, períodos de relativa estabilidade pontuando uma existência em grande parte nômade caracterizada por longas caminhadas pelo campo suíço. Passando de alojamento a alojamento e de trabalho para trabalho, "a vida de Walser", escreve Susan Sontag,

> [...] ilustra a inquietação de um tipo de temperamento depressivo: ele tinha o fascínio do depressivo pelo imobilismo e pelo modo como o tempo se dilata e é consumido, e passou grande parte da sua vida obsessivamente convertendo tempo em espaço: suas caminhadas[28].

Walser escreveu muitos romances, entre eles *Os irmãos Tanner* (1907), *O ajudante* (1908) e *Jakob von Gunten* (1909), mas foram seus contos que lhe renderam a escassa reputação que teve quando vivo. Walser publicou em jornais e revistas muitos contos, frequentemente personagens esboçados com uma visão surrealista do absurdo, que retratavam a vida e as ocupações cotidianas daqueles que pareciam, como ele próprio, passar pela vida sem nenhuma noção de objetivo ou destino. Em muitos desses contos, e na ausência de uma trama reconhecível, Walser simplesmente usou o artifício de descrever uma caminhada curta em que os temas da perambulação e a imaginação se relacionavam, um como catalisador do outro[29]. Sontag se referiu a esses contos como "retratos da consciência caminhando pelo mundo"[30], mas, para Walser, o que distingue o verdadeiro caminhante, o *flâneur*, da multidão pela qual ele passa não é tanto

---

[27] Mark Harman, "Introduction", op. cit., 1985, p. 2.
[28] Susan Sontag, "Walser's Voice" (1982), in Robert Walser, *The Walk*, Londres, Serpent's Tail, 1992 p. viii.
[29] George C. Avery, *Inquiry and Testament: A Study of the Novels and Short Prose of Robert Walser*, Filadélfia, University of Pennsylvania Press, 1968, p. 204. Avery afirma que Walser escreveu mais de cinquenta "caminhadas" como essa (p. 227).
[30] Susan Sontag, "Walser's Voice", in Robert Walser, op. cit., 1992, p. ix.

uma consciência ampliada do ambiente quanto uma impressão de distanciamento pensativo:

> Sou um na multidão, e é isso que acho muito estranho. Eu acho a multidão estranha, e sempre me pergunto: "Que diabos estão todos fazendo, no que eles estão empenhados?". Eu desapareço, isso, desapareço na massa. Quando corro para casa no meio do dia, quando o relógio bate doze horas, no banco onde trabalho, todos se apressam: este está tentando ir mais rápido que o outro; este está dando passos maiores que o outro; mas mesmo assim pensamos: "Todos eles vão chegar em casa", e eles de fato chegam em casa, pois entre eles não há uma única pessoa extraordinária que poderia não achar o caminho de casa[31].

Do mesmo modo como Poe delineou o destino do caminhante na cidade moderna, Walser também está alerta para o poder de indução de vertigem detido pela multidão, e consciente da energia sem objetivo, sem direção, que pode amortecer os sentidos, deixando o caminhante desorientado e estupefato:

> Eu tinha dado alguns passos, passos inúteis, e agora estava na rua, agitado, amortecido [...] Fui percorrido por um calafrio, quase não ousava continuar caminhando. Uma impressão após a outra se apoderava de mim. Eu estava flutuando, tudo estava flutuando. Todas as pessoas que caminhavam ali tinham planos na mente, atividade [...] As multidões estavam fervilhantes de energia. Todos acreditavam estar na linha de frente. Homens e mulheres flutuavam. Todos pareciam estar contribuindo para o mesmo objetivo. De onde eles vinham, para onde iam?
>
> Um deles era isso; outro, aquilo; e um terceiro, nada. Muitos eram motivados, viviam com objetivo, deixavam-se ser arremessados em todas as direções. Qualquer noção do bem era posta de lado, sem uso; a inteligência

---
[31] Robert Walser, "Helbling's Story" (1914), op. cit., 1992, p. 32.

tateava o vazio; boas faculdades e abundância produziram um fruto mirrado[32].

Em toda a sua obra, Walser volta obsessivamente ao tema da caminhada – ela não somente confere estrutura como também permeia as opiniões dos seus personagens, que frequentemente aparecem como pouco mais que porta-vozes dos discursos muitas vezes aforísticos de Walser, articulando cumulativamente uma filosofia pedestre: "As coisas em movimento são sempre justíssimas"; "Perambular, que alegria brilhante, azul-clara, é você"; "A falta de finalidade leva ao objetivo, ao passo que as intenções firmes frequentemente erram"; "Caminhando, observei outros que iam como cegonhas pelos caminhos vizinhos; afinal de contas, os pedestres andam durante segundos seguidos com uma única perna"; "Ele é incapaz de dar uma volta a pé sem fantasiar, sonhar com poesia? Mas é isso que tornou os passeios dele tão ricos, tão prazerosos, incontáveis vezes"[33].

Se há uma característica walseriana predominante que define a sua obra é o seu gosto pela digressão, uma resistência incessante a qualquer meta, direção ou resolução prioritária, uma característica que encontra sua expressão natural no ato de caminhar. Além do mais, se existe alguma característica estilística emblemática da obra de Walser é essa extraordinária loquacidade, ou aquilo a que Benjamin se refere como *Geschwätzigkeit*, ou tagarelice[34], pois a obra de Walser é salpicada de episódios de extraordinária verbosidade, ocasiões em que a reserva do autor cede momentaneamente a um derramamento de formidável intensidade. Um crítico se referiu a esses momentos como um "arroubo", uma oportunidade para Walser falar diretamente ao seu leitor sobre uma questão particular[35]. Um desses momentos, talvez o "arroubo" mais notável da sua carreira, está no conto "A caminhada" (1917), e se refere ao tópico mais próximo do seu coração, o da própria caminhada.

"A caminhada", como o título sugere, é exatamente isso, a descrição de um passeio feito pelo narrador durante um único dia, caminhando

---

[32] Robert Walser, "The Street (1)", ibidem, p. 123-124.
[33] Robert Walser, *Masquerade and Other Stories*, Londres, Quartet, 1993: "Market" (1908), p. 36; "The Aunt" (1918), p. 105; "Energetic" (1924), p. 123; "A Lump of Sugar" (1925), p. 154; "Sunday Walk (1)" (1925), p. 159.
[34] Samuel Frederick, "Stealing the Story: Robert Walser's Robber-Novel", in *Digressions in European Literature: From Cervantes to Sebald*, Basingstoke, Palgrave Macmillan, 2011, p. 138.
[35] William H. Gass, "Introduction", in Robert Walser, op. cit., 1993, p. xv.

por uma cidadezinha sem nome e prosseguindo pelo campo. O conto é também uma das contribuições mais singulares e inclassificáveis para a literatura da caminhada, em que o modernismo encontra o conto de fadas enquanto faz um passeio: "Preciso relatar", começa Walser,

> [...] que uma bela manhã [...] quando me veio a vontade de fazer um passeio, pus o chapéu, deixei meu escritório, ou quarto de imagens ilusórias, e desci correndo a escada para me precipitar pela rua [...] Vi-me, ao caminhar pela rua aberta, luminosa e animada, num estado de espírito romanticamente venturoso[36].

Enquanto perambula pela cidade, o narrador entra numa livraria e depois num banco, passa por crianças brincando e conversa com estranhos. Exteriormente normal, uma crescente impressão de irrealidade impregna todas as mudanças, todos os encontros. Deixando para trás a cidade, antes de entrar numa floresta, ele passa na estrada por um gigante, tem um encontro marcado para o almoço – uma experiência muito sinistra –, posta uma carta e visita um alfaiate. Finalmente chega ao escritório do inspetor de impostos, a quem suplica (como escritor pobre) que lhe cobre uma alíquota inferior. "Mas o senhor sempre é visto caminhando pela rua!", responde o funcionário, para quem nosso narrador responde:

> "Caminhando", foi a minha resposta. "Eu decididamente preciso caminhar para me revigorar e manter contato com o mundo vivo, sem o que não poderia escrever metade de uma única palavra ou produzir o mais minúsculo poema em verso ou prosa. Sem caminhar, eu morreria, e minha profissão, que amo apaixonadamente, estaria destruída. Além disso, sem caminhar e reunir relatos eu não seria capaz de escrever um único relato ou o mais minúsculo artigo, e muito menos uma história longa, real. Sem caminhar, eu não seria capaz de fazer absolutamente nenhuma observação ou estudo [...] Numa caminhada encantadora e de boa extensão me ocorrem mil pensamentos úteis. Fechado em casa, eu decairia e

---

[36] Robert Walser, op. cit., 1992, p. 54.

secaria desgraçadamente. Caminhar, para mim, é não apenas saudável e agradável, é também útil para o meu trabalho. Uma caminhada me beneficia profissionalmente, e ao mesmo tempo me proporciona diversão e alegria, me renova, consola e deleita, é para mim um prazer, e, simultaneamente, tem a peculiaridade de me fascinar e me instigar para novas criações, uma vez que me oferece como material muitas objetividades pequenas e grandes sobre as quais trabalho depois em casa, diligente e habilmente. Uma caminhada está sempre cheia de fenômenos significativos, que valem a pena ver e sentir. Uma caminhada agradável quase sempre pulula de imagens e poemas vivos, com encantamentos e belezas naturais, por minúsculas que sejam. A sabedoria da natureza e a sabedoria do campo se revelam, fascinantes e harmoniosas, à sensibilidade e aos olhos do caminhante observador, que precisa, evidentemente, caminhar não cabisbaixo, mas com os olhos abertos e limpos, se quiser começar a perceber o encantador significado e a ideia alegre e nobre da caminhada [...] Sem a caminhada e a contemplação da natureza ligada a ela, sem essa busca igualmente deliciosa e admoestadora, eu me considero perdido, e estou perdido. Com extremo amor e atenção, o homem que caminha deve estudar e observar todos os seres vivos, por menores que sejam [...] Se não fizer isso, ele caminha apenas meio atento, e isso não vale nada. [...] O espírito, a dedicação e a fidelidade o abençoam e elevam-no bem acima do seu insignificante eu caminhante, que tem frequentemente o nome e a má reputação da vadiagem [...] Misteriosa e secretamente rondam nos calcanhares do caminhante todos os tipos de belos e sutis pensamentos de caminhante [...] Ele é sempre acompanhado por algo notável, algum alimento para o pensamento, algo fantástico, e seria um tolo se não observasse esse lado espiritual ou até mesmo o afastasse; em vez disso, ele acolhe todos os fenômenos curiosos e singulares, torna-se amigo e irmão deles, porque eles o deleitam; converte-os em corpos formados e substanciais, dá-lhes estrutura e alma, do mesmo modo como eles, por seu lado, o instruem e inspiram. Numa palavra: pensando, ponderando, perfurando, escavando, especulando, escrevendo, investigando, pesquisando e caminhando, eu ganho meu pão diário com tanto suor no rosto quanto qualquer pessoa[37].

A chegada desse discurso é totalmente inesperada, decerto; mas quando voltamos atrás para analisá-la percebemos que toda a história parece girar em torno dessa espantosa proclamação. A caminhada prossegue, assim como o estado de espírito de contido surrealismo, e quando cai a noite a história termina. Aí, como não se vê em nenhum outro texto, somos apresentados a uma justificativa apaixonada para o papel do escritor como caminhante, com uma expressão explícita dos aspectos em que essas duas atividades se cruzam. Tanto aqui quanto em toda a sua obra, Walser compila uma espécie de manifesto para o aspirante a *flâneur*, com seus personagens registrando por escrito a sabedoria acumulada do caminhante e apresentando uma firme defesa da existência peripatética: "Uma vida de marcha lenta com observação, passeio pela cidade, caminhadas na montanha e passeios pela floresta, uma vida passada na margem de lagos, na orla de prados, no limiar das coisas, uma vida em movimento lento porém constante, a passos tímidos"[38].

No entanto, infelizmente, Walser não foi capaz de manter essa vida, e, em 1929, ano em que Walter Benjamin escreveu um artigo a seu respeito, entrou voluntariamente numa clínica psiquiátrica. Quatro anos depois, ele foi transferido para o manicômio de Herisau, onde passou os 23 anos seguintes. Em 1936, Walser foi visitado pelo escritor suíço Carl Seelig, que se tornou seu amigo próximo. Durante muitos anos, fizeram caminhadas juntos, e as conversas que mantiveram foram publicadas por Seelig em 1957[39]. Depois, o diagnóstico da esquizofrenia de Walser foi contestado, mas, embora ele tenha continuado a caminhar, sua carreira de escritor se encerrou em Herisau: "Não estou aqui para escrever", disse ele, "mas para ser louco". Ele morreu no Natal de 1956, enquanto caminhava fora do manicômio.

---

[37] Ibidem, p. 85-88.
[38] William H. Gass, op. cit. 1993, p. ix.
[39] Seelig foi responsável por manter o interesse pela obra de Walser depois de sua morte, um interesse que floresceu recentemente, culminando com a tradução para o inglês dos *Microescritos* de Walser (Nova York, New Directions, 2010). Já em 1917, Walser começou a escrever com uma letra minúscula, que mal chegava a um milímetro de altura, e muitas páginas desses escritos microscópicos foram descobertas depois de sua morte. Inicialmente descartadas por serem indecifráveis, mais tarde se descobriu que elas haviam sido escritas num tipo de taquigrafia, e com muito esforço foram transcritas.

Se Poe e Baudelaire, Benjamin e Walser delineiam a trajetória do *flâneur* enquanto ele caminha pelas ruas da Europa, que figuras representam a sua correspondente feminina, a *flâneuse*[40]? O dândi, o caminhante, o *flâneur*, são invariavelmente homens, dominando a vida das ruas e dos espaços públicos das cidades em que mulheres solitárias estão quase inteiramente ausentes. Na Paris do século XIX e em outros lugares, o *flâneur* representava liberdade, um tipo de liberdade em grande parte negada às mulheres, para quem as ruas continuariam sendo o lugar de proibição e exclusão. Mas essa situação pertencia principalmente à mulher burguesa, pois, evidentemente, havia uma população inteira de mulheres solitárias que caminhavam pelas ruas naquela época, a das prostitutas. Mas à medida que a modernidade transformou a cidade, o ambiente construído não foi o único a passar por uma mudança radical: isso também aconteceu com as relações de gênero entre os seus habitantes. A mudança revolucionária que Baudelaire e, posteriormente, Benjamin identificariam como soando o dobre de Finados do *flâneur* teria anunciado o surgimento do seu sucessor, a *flâneuse*?

Recentemente muitos nomes foram indicados para cumprir o papel de protótipo da *flâneuse*, de George Sand e Frances Trollope a Kate Chopin e Djuna Barnes. Essas sugestões, no entanto, curiosamente ignoram a candidata que é a única a sobressair, Virginia Woolf (1882--1941). Talvez por devolver o caminhante para as ruas de Londres, mas mais possivelmente por representar uma perspectiva da classe média alta, inaceitável para alguns, Virginia Woolf é uma figura que causa discórdia, apesar de sua capacidade infalível de enunciar a visão que o caminhante tem da rua:

> Em Londres, Virginia Woolf era conhecida, sociável, convidando e sendo convidada com muita frequência. Ela era um foco e uma participante da vida londrina. Isso dentro de casa. Fora de casa, ela caminhava anonimamente por toda parte, olhando, colhendo, absorvendo – "vendo a vida", lendo a rua. Ela se referia ao ruído das ruas

---

[40] Atribui-se a criação desse termo à crítica Janet Wolff, num artigo intitulado "The Invisible Flâneuse: Women and the Literature of Modernity" (1985). Nele Janet Wolff afirma que, diante da divisão sexual do espaço público no final do século XIX, época em que as mulheres eram frequentemente confinadas ao lar e proibidas de passear sozinhas, a *flâneuse* não existiu e não poderia existir. Disponível em: http://tcs.sagepub.com/content/2/3/37.abstract.

como um tipo de linguagem: "Às vezes faço compras em Londres e ouço pés se arrastando. É a linguagem, acho, é a frase que eu gostaria de apreender [...]" Mas o seu prazer em caminhar sozinha pela cidade nunca diminuía. Quanto mais violento e estranho fosse o que ela via, mais encantada ficava[41].

Seu romance *Mrs. Dalloway* (1925) é considerado por alguns um dos grandes romances de caminhadas por Londres[42]. Ambientado em um único dia nessa cidade, o dia 13 de junho de 1923, *Mrs. Dalloway* é um dos destaques do modernismo literário, ao lado do relato que Joyce faz sobre outro dia de junho na vida de Leopold Bloom, em *Ulysses* (1922). Mas em meio ao estilo impressionista, monólogo interior e outros hoje familiares artifícios modernistas, *Mrs. Dalloway* registra com detalhes topográficos precisos o passeio matutino pelo centro de Londres feito por Clarissa Dalloway ao sair para comprar flores para uma recepção que organizará com o marido naquela noite. E de qualquer modo que se considere essa simples ambição de pedestre, não se pode duvidar de seu entusiasmo pela caminhada quando, com um extático "Que farra! Que aventura!", ela simplesmente dá um pulo na rua[43]. Na verdade, poucas páginas depois ela exclama: "Eu adoro caminhar por Londres [...] Verdade, é melhor do que caminhar pelo campo"[44]. Talvez Clarissa Dalloway, como uma mulher de 52 anos que caminha sozinha por Londres, esteja apenas vivenciando a alegria que a própria Woolf experimentava por poder fugir, embora por pouco tempo, dos limites sufocantes de sua vida de classe média em que até mesmo uma jornada curta como essa era considerada um ato de excentricidade. Em junho de 1923 ainda se esperava que uma mulher do nível social de Mrs. Dalloway delegasse uma tarefa desse tipo aos seus empregados, numa época em que as restrições da vida eduardiana estavam apenas começando a afrouxar. Ao se aproximar da Bond Street, no entanto, Mrs. Dalloway começa a ter uma

---
[41] Hermione Lee, *Virginia Woolf*, Londres, Chatto & Windus, Londres, 1996, p. 552.
[42] Entre as vozes que discordam dessa opinião está a de Geoff Nicholson, cujos comentários são uma ilustração perfeita da violenta reação que a obra de Woolf pode provocar em alguns leitores. Nicholson pergunta se Mrs. Dalloway é realmente um romance de caminhada, afirmando que sua heroína "é tão pouco caminhante que a estranha ideia de ter de caminhar até a florista a emociona incrivelmente, levando-a a pensar 'Que farra! Que aventura!' É ou não é para dar uns bons tapas nela?", conclui Nicholson (op. cit., 2010, p. 65-66).
[43] Virginia Woolf, *Mrs. Dalloway*, Londres, Penguin, 1992, p. 3.
[44] Ibidem, p. 6.

sensação a que Woolf se refere muitas vezes em sua obra: ela se sente engolfada pela multidão, e sua identidade pessoal parece declinar, ficando ela como uma espectadora anônima de seu ambiente: "Ela tinha a estranhíssima impressão de ser invisível, desconhecida"[45]. Nem é preciso dizer que Mrs. Dalloway readquire a sua declinante identidade pessoal o suficiente para voltar para casa. Mas essa impressão de deslizamento, quando a identidade torna-se indistinta da identidade da multidão, é exatamente o momento modernista celebrado pelo *flâneur*.

No entanto, uma consequência de demarcar uma caminhada tão claramente nas páginas de um relato ficcional, como os caminhantes do Bloomsday em Dublin podem confirmar, é que o leitor pode então seguir os passos de quem a fez. Um dos caminhantes que reconstituíram o percurso de *Mrs. Dalloway* foi o crítico John Sutherland, com resultados surpreendentes: usando os carrilhões do Big Ben e da igreja de St Margaret, a igreja da paróquia da Câmara dos Comuns, que pontuam o texto de Woolf, Sutherland foi capaz não só de reconstituir os passos de Clarissa como também de avaliar o tempo que ela levou em sua jornada. E, como parece sugerir o título de seu artigo, "Clarissa's Invisible Taxi", ele percebeu uma discrepância incompreensível entre a sua experiência e a dela. Resumindo, mesmo descontando o ritmo moderado em que provavelmente uma senhora da idade e com a saúde de Clarissa (ela sofre de uma doença cardíaca) consegue caminhar, Sutherland constatou que ela não poderia chegar em casa a pé no tempo indicado: "A menos que aqueles pés sejam realmente muito rápidos", conclui ele, "ela certamente precisaria de um táxi"[46]. Mais que sugerir que Woolf é cúmplice em alguma tentativa não explicada de enganar seus leitores, uma espécie de equivalente a Fyona Campbell em Bloomsbury[47], Sutherland afirma que, para uma mulher como Clarissa, dependente como indubitavelmente ela seria de um séquito de empregados domésticos,

---

[45] Ibidem, p. 11.
[46] John Sutherland, "Clarissa's Invisible Taxi", in *Can Jane Eyre be happy? More Puzzles in Classic Fiction*, Oxford, Oxford University Press, 1997, p. 222.
[47] Campbell tornou-se conhecida como uma caminhante de longas distâncias, e os registros dos recordes que ela quebrou podem ser encontrados nos seus dois primeiros livros: *Feet of Clay* (1991) e *On Foot through Africa* (1994). Hoje, no entanto, ela é mais lembrada por seu terceiro livro, *The Whole Story* (1996), a *mea culpa* de uma caminhante, em que ela confessa (insensatamente, parece, a julgar pelos ferozes ataques que em seguida ela recebeu da mídia) ter passado grande parte de sua viagem pelos Estados Unidos não a pé, e sim num vagão, porque no meio do caminho engravidou de um membro de sua equipe de apoio. (Nicholson, op. cit., 2010, p. 253-256.)

o ato de tomar um táxi é na verdade, tão ou até mais natural do que o de caminhar. Nesse ambiente, alega Sutherland, Clarissa simplesmente não veria necessidade de mencioná-lo[48].

As lembranças emaranhadas expressas em *Mrs. Dalloway* são apresentadas como o concomitante natural da caminhada, um ato em que as digressões e improvisações do pensamento associativo encontram uma saída. Mas, além da experimentação formal do romance, ele é o ensaio em que as credenciais de Woolf como *flâneuse* podem ser mais bem apreciadas. Em "The London Scene", por exemplo, uma série de cinco artigos sobre a vida londrina escritos para a revista *Good Housekeeping*, em 1931, Woolf volta à ideia de sua identidade como algo maleável e transitório, em que o ato de caminhar incita um processo pelo qual o observador se torna uma tela na qual podem então ser registradas impressões das ruas de Londres: "A mente se torna uma laje glutinosa que acolhe impressões, e a Oxford Street agita sobre ela uma perpétua fita de imagens, sons e movimento cambiantes"[49]. Em tudo o que Woolf escreveu sobre Londres, o leitor fica impressionado com a sua percepção do efêmero e do contingente, da ideia de que Londres, como a Paris de Baudelaire, é lugar de mudança e transição perpétuas, com a cidade parecendo reinventar-se diante dos olhos das pessoas. Para Woolf, em nenhum outro lugar esse processo é tão aparente quanto na Oxford Street, uma "rua espalhafatosa, agitada, vulgar", que "nos lembra que a vida é uma luta, que todos os prédios são perecíveis, que toda exposição é vaidade"[50].

Permitindo-lhe fugir da solidão e introspecção da vida de escritora, assim como dos confinamentos próprios de sua classe e de seu sexo, caminhar foi, para Woolf, um ato tanto de recordação – pois as ruas evocavam lembranças de caminhadas anteriores – quanto de criatividade –, pois, assim como para muitos outros escritores, grande parte do pensamento criador, do planejamento e da "formação de cena" acontecia enquanto ela caminhava[51]. A esse processo de recriação das ruas, de ficcionalização da vida a que assistia ao passar por elas, Woolf se referia

---
[48] John Sutherland, op. cit., 1997, p. 223.
[49] Virginia Woolf, "Oxford Street Tide", in *The London Scene: Five Essays by Virginia Woolf*, Londres, Hogarth Press, 1982, p. 17.
[50] Ibidem, p. 21.
[51] Julia Briggs, *Virginia Woolf: An Inner Life*, Londres, Penguin, 2005, p. 278.

como "caçada nas ruas", um hábito que durou toda a sua vida, e que, de acordo com Hermione Lee, sua biógrafa, começou em 1904, quando ela se mudou pela primeira vez para a Gordon Square, em *Bloomsbury*[52]. Ali, Woolf iniciaria sua odisseia londrina, ao vagar pelas ruas registrando suas impressões, suas lembranças, e tornando-se a observadora não envolvida, a *flâneuse*:

> Londres era o seu passado, que ela rastreava e retraçava, encontrando os seus eus anteriores enquanto seguia. Essa era a sua chave para a cultura. Isso perturbava a identidade, a fazia passar de escritora, esposa, irmã, tia, amiga, mulher, para uma observadora não observada[53].

Aparentemente um relato despreocupado sobre a caminhada de uma mulher por Londres à procura de um lápis, e frequentemente invocado pela crítica feminista como prova documental da experiência feminina da caminhada na cidade grande no início do século XX, o auge dos esforços de Woolf como pedestre é o seu breve artigo "Street Haunting", publicado pela primeira vez em 1927. Com o subtítulo "A London Adventure", o artigo invoca "London Adventure", um ensaio de Machen escrito três anos antes, e os dois textos compartilham não só a forma digressiva como também uma impressão da profunda e intrínseca estranheza da vida nas ruas de Londres.

"Quando nos vem o desejo de perambular pelas ruas", começa Woolf, "o lápis atua como um pretexto [...], como se sob a cobertura dessa desculpa nos pudéssemos permitir com segurança o maior prazer da vida na cidade durante o inverno: vagar pelas ruas de Londres"[54]. Fugindo da solidão do seu quarto, Woolf celebra a chance de entrar no "vasto exército anônimo de vagabundos anônimos"; ao fazermos isso, "deixamos de ser nós mesmos", escreve ela, pois, fugindo do nosso quarto, também "nos desfazemos do eu que nossos amigos conhecem", preferindo o anonimato da multidão[55].

---

[52] Hermione Lee, op. cit., 1996, p. 206.
[53] Ibidem, p. 553.
[54] Virginia Woolf, "Street Haunting: A London Adventure", in *Selected Essays*, Oxford, Oxford University Press, 2008, p. 177.
[55] Ibidem, p. 177.

Transformados por nossa entrada na multidão e privados das nossas defesas costumeiras, Woolf vê o caminhante recém-imerso como semelhante a uma ostra cuja concha se quebrou, vulnerável e ao mesmo tempo incrivelmente receptivo ao seu ambiente: "uma ostra essencial de percepção, um olho enorme". A principal função – na verdade, a única – desse olho que tudo vê, desse pedestre hiperperceptivo, é registrar instintivamente essas sensações que passam como relâmpagos por sua retina:

> Estamos apenas deslizando tranquilamente na superfície. O olho não é um mineiro, não é um mergulhador, não está buscando um tesouro enterrado. Ele nos faz flutuar suavemente correnteza abaixo, descansando, parando, talvez o cérebro esteja dormindo enquanto ele olha[56].

Eis aqui o suprassumo do observador não envolvido: ele parece de tal forma não envolvido que seus olhos e, sem dúvida, suas pernas funcionam independentemente do cérebro.

Em determinado nível, o artigo de Woolf simplesmente registra as observações de um caminhante durante um passeio feito em Londres no fim de uma tarde invernal. Trata também de outras coisas: a beleza fugaz da rua da cidade e os modos como a imaginação molda a imagem registrada pelo olho. Contudo, diz respeito sobretudo aos modos como se pode facilmente perder a identidade na multidão e como, perdendo-a, mesmo que momentaneamente, pode-se ver o mundo de uma forma nova: "Estou aqui ou estou ali?", indaga Woolf,

> Ou o verdadeiro eu não é esse nem aquele, nem tampouco está aqui ou ali, e sim algo tão variado e errante que somente somos verdadeiramente nós quando damos as rédeas aos seus desejos e o deixamos seguir seu curso sem impedimentos?[57]

Essa identidade pessoal como algo frágil e avulso empresta ao artigo de Woolf uma desconcertante noção de irrealidade, como se ela não

---
[56] Ibidem, p. 178.
[57] Ibidem, p. 182.

pudesse se basear totalmente na evidência dos seus próprios olhos. A intensidade onírica de sua prosa lembra "O homem da multidão", de Poe, e uma cena anterior da rua londrina, pois também nesse caso vemos "a velocidade e abundância da vida", testemunhadas pelo narrador de Poe, com a ideia de multidão como um ser consciente totalmente impermeável ao seu ambiente:

> Mas a essa hora predominam os caminhantes que passam depressa demais para que lhes possamos fazer perguntas. Eles estão envoltos, nesse curto percurso do trabalho para casa, em algum sonho narcótico [...] Sonhando, gesticulando, muitas vezes resmungando alto algumas palavras, passam impetuosamente pelo Strand e pela Ponte de Waterloo[58].

Cumprindo sua missão ao comprar o lápis, Woolf volta para casa a fim de "fechar o eu que foi soprado para um lado e para outro em tantas esquinas de ruas, que golpeou como uma mariposa a chama de tantas lanternas inacessíveis, abrigado e fechado"[59].

Assim, se Londres tem a sua *flâneuse* e uma tradição de perambulação literária que a situa ao lado da Paris de Baudelaire, o que dizer de Nova York, a outra grande cidade de caminhantes e escritores? No seu livro *The Flâneur: A Stroll through the Paradoxes of Paris*, Edmund White afirma que "os americanos são particularmente desqualificados para serem *flâneurs*", argumentando que seus compatriotas são inibidos por uma ética do trabalho exagerada e por um anseio pelo aprimoramento pessoal, traços que os colocam em desacordo com o *éthos* decididamente descansado do *flâneur*.[60] Mas será que a observação de White realmente está certa?

Como vimos, o poeta mais frequentemente associado à rua de Nova York é Walt Whitman, mas, enquanto ele celebra a cidade no seu trabalho, substituindo a natureza pela multidão como tema digno da expressão poética, na imaginação do público, pelo menos, ele continua ligado com igual facilidade não à avenida entulhada de gente, mas à estrada

---

[58] Ibidem, p. 185.
[59] Ibidem, p. 187.
[60] Edmund White, op. cit., 2001, p. 40.

e à liberdade do caminhante solitário[61]. Whitman é o vagabundo – ou pelo menos é com esse tipo que ele se compara –, e não o passeador descontraído, e é para uma figura posterior, que muito deve a ele, que nos voltaremos em nossa busca do *flâneur* norte-americano.

> Leve e petulante. Com um ligeiro meneio e um ligeiro salto. A metade superior do corpo ligeiramente para a frente. Cabeça atirada para trás. Era um lindo andar. Descontraído. Confiante[62].

> Ele caminhava na ponta dos pés, estendia o pescoço e erguia a cabeça, tudo para acrescentar uma polegada ou duas à sua altura. Eu nunca mais andei do mesmo modo depois que o conheci[63].

Esses comentários descrevem o andar peculiar de Frank O'Hara (1926-1966), o poeta cujos passeios diários formavam o pano de fundo para os seus retratos descontraídos e despretensiosos de Nova York nas décadas de 1950 e 1960. Escreve O'Hara:

> É a hora do meu almoço
> e assim vou passear
> entre os táxis coloridos.
> Primeiro descendo pela calçada
> onde trabalhadores alimentam seus sujos
> e cintilantes torsos com sanduíches
> e coca-cola, usando capacetes amarelos [...][64]

Imediatamente nos encontramos imersos nas imagens e sons da cidade. Não uma visão grandiosa da cidade, contudo, e sim uma cidade

---

[61] Phillip Lopate escreve sobre Whitman: "O evidente amor dele pelas multidões era incomum no século XIX, quando muitos intelectuais norte-americanos exprimiam um afetado desdém pela 'gentalha' [...] Whitman não via nenhuma contradição entre se juntar a uma multidão ou ficar sozinho. Seu eu essencial, solitário não era ameaçado pelas massas; ele até recebia energia e consolo dos corpos delas à sua volta" ("On the Aesthetics of Urban Walking and Writing", 2004, disponível em: http://mrbellersneighborhood.com/2004/03/on-the--aesthetics-of-urban-walking-and-writing/).

[62] Joe Brainard, referindo-se a Frank O'Hara, apud David Herd, "Stepping Out with Frank O'Hara", Robert Hampson e Will Montgomery (org.), in *Frank O'Hara: New Essays on the New York Poet*, Liverpool, Liverpool University Press, 2010, p. 83.

[63] Larry Rivers, referindo-se a O'Hara, apud Timothy Gray, *Urban Pastoral: Natural Currents in the New York School*, Iowa City, University of Iowa Press, 2010, p. 25.

[64] Frank O'Hara, "A Step Away from Them", in *The Selected Poems of Frank O'Hara*, Nova York, Vintage, 1974, p.110.

cotidiana, uma cidade daquilo que está à margem e do que é episódico, uma visão divagante captada no nível da rua.

Nascido em Baltimore e educado em Massachusetts, apenas em 1951 O'Hara se mudou para Nova York, onde logo começou a trabalhar no Museu de Arte Moderna. Foi ali que ele começou a escrever seriamente poemas que captavam, quase sem nenhum esforço, a vitalidade da cidade à sua volta. Bastante influenciado pelo surrealismo e pelos simbolistas franceses, em particular Rimbaud, assim como Whitman e William Carlos Williams, O'Hara instintivamente adotou Nova York como seu tema, a tela para a qual ele transpôs seus esboços autobiográficos da vida urbana. Circulando à vontade pela cidade no seu horário de almoço, O'Hara não era o *flâneur* baudelairiano de um ócio aparentemente sem limites, mas sim um passeador hiperativo que conciliava o trabalho a uma vida social épica, e ainda assim era capaz de ter total acesso ao tecido da cidade. "Ao contrário do seu predecessor do século XIX", escreve um crítico, "a recriação do *flâneur* baudelairiano do século XX toma táxis, balança-se em redes e almoça ouvindo mexericos. Mas ele participa ativamente da cidade e gasta seu tempo com a multidão"[65].

O resultado das excursões peripatéticas no horário de almoço de O'Hara, partindo do Museu de Arte Moderna, foram os *Lunch Poems* (1964), uma coleção que mostra a preferência do poeta pelos "passeios do ângulo do meio-dia", quando ele se perde no meio das multidões de trabalhadores em horário de almoço[66]. Em outros poemas, como "The Day Lady Died", O'Hara, como Virginia Woolf já o fizera, mapeia a cidade em detalhes topográficos precisos, esboçando passeios para futuros leitores:

> São 12:20 em Nova York uma sexta-feira
> três dias depois do dia da Bastilha, isso
> estamos em 1959, e eu vou procurar um engraxate
> porque vou sair do 16:10 em Easthampton
> às 19:15
> [...]

---

[65] Hazel Smith, *Hyperscapes in the poetry of Frank O'Hara: Difference/Homosexuality/Topography*, Liverpool, Liverpool University Press, 2000, p. 65-6.
[66] Frank O'Hara, "Pistachio Tree at Chateau Noir", *Lunch Poems*, São Francisco, City Lights Books, 1964, p. 53.

> Entro passeando na Loja de Bebidas PARK LANE
> e peço uma garrafa de Strega,
> depois volto para o lugar de onde saí, para a 6<sup>th</sup> Avenue
> e o vendedor da tabacaria do Ziegfeld Theatre [...][67]

Nova York era, para O'Hara, um universo completamente autônomo. Ele viajou muito, sobretudo pela Europa, mas mesmo em poemas como "Rhapsody", em que evoca o mundo fora de Nova York, suas lembranças são transpostas para ruas conhecidas de Nova York, ao passo que em "Meditations in an Emergency" O'Hara contrasta a proximidade da vida urbana com o que vê como o vazio que está além das suas fronteiras:

> Não é preciso sair dos limites de Nova York para ter todo o verde que se deseja – eu não posso nem mesmo me comprazer com uma folha de grama se não sei que há um metrô à mão ou uma loja de discos ou algum outro sinal de que as pessoas não *lastimam* totalmente a vida[68].

E exclama em "To the Mountains in New York":

> Eu gosto desta cidade peluda
> caminho observando, viajando, alamedas
> se abrem e caem à minha volta como passos[69].

O'Hara revela uma cidade em movimento, definida pela velocidade e circulação infinitas, suas ruas entulhadas de tráfego e pedestres que competem pelo domínio das calçadas. Nova York demonstra a evolução pela qual passou o *flâneur* para enfrentar as exigências da vida urbana no século XX. Caminhar em Nova York não é, como O'Hara opina desdenhosamente, comparável "à caminhada do poeta em São Francisco"[70]. É algo no geral mais vigoroso e exigente, uma corrida febril, impetuosa, pelas ruas implacáveis, a repetição brutal de pé contra asfalto:

---

[67] Frank O'Hara, op. cit., 1974, p. 146.
[68] Frank O'Hara, "Meditations in an Emergency", *The Collected Poems of Frank O'Hara*, Nova York, Alfred A. Knopf, 1972, p. 197-8.
[69] Frank O'Hara, "To the Mountains in New York", op. cit., 1972, p. 198.
[70] Frank O'Hara, "Personal Poem", op. cit., 1974, p. 157.

> [...] a forma do dedão do pé como que
> descreve a dor
> da bola do pé,
> caminhando no
> asfalto
> o estranho abraço da junção do tornozelo
> com o pavimento
> quadrados como mausoléus
> mas animados
> levantados e pisando com força
> batidos de vento[71].

Frank O'Hara morreu em 1966, atingido fatalmente por um *buggy* de duna em Fire Island. Ele era então, de todos os integrantes da Escola de Nova York (que incluíam Ashbery, Schuyler, Guest e Koch), o poeta mais ligado à cidade. Na verdade, a sua fama era tal, que, durante seus passeios no horário de almoço, ele era frequentemente seguido e abordado por aspirantes a poetas e por admiradores desejosos de ter um vislumbre dele. Sua obra é incessantemente revivida, e desde a sua morte já surgiram inúmeras antologias, mas talvez o mais sincero e certamente o mais apropriado epitáfio para a sua obra seja *Memory Piece (Frank O'Hara)*, do artista plástico Jasper Johns, concluído em 1970, cerca de quatro anos depois de sua morte. Composto de uma reprodução em metal do pé de O'Hara (o molde foi feito em 1961), montada na parte interna da tampa levantada de uma caixa de madeira, *Memory Piece* é o perfeito memorial ao caminhante, pois quando a tampa está abaixada, o pé pressiona uma camada de areia, de modo que quando a levantamos vemos o molde do pé de O'Hara e a sua pegada. "Com a escultura", escreve Timothy Gray, "quem está diante dela pode continuar vendo o pé peripatético de O'Hara, ou pelo menos um molde dele, imprimindo a sua marca. Muito tempo depois da morte do poeta, podemos continuar vendo os caminhos que ele trilha"[72].

---

[71] O'Hara, "Walking", op. cit., 1972, p. 476.
[72] Timothy Gray, op. cit., 2010, p. 36.

Capítulo 8

# O caminhar experimental

*Estamos indubitavelmente prestes a assistir a uma completa reviravolta nos modos consagrados do passeio descontraído e da prostituição.* Louis Aragon[1]

Dérive *era um fluxo contínuo em que os protagonistas embarcavam numa viagem surrealista, uma caminhada onírica por caminhos variados, sempre a pé, vagando durante horas, normalmente à noite, identificando humores e nuances sutis dos bairros [...] Com essas perambulações reais e imaginadas os situacionistas se tornaram* flâneurs *tardios, passeadores urbanos sem objetivo que não eram tão sem objetivo.*

Andy Merrifield[2]

Em seu livro *Walkscapes: Walking as an Aesthetic Practice*, Francesco Careri identifica o período de transição do dadaísmo para o surrealismo (1921-1924) como o primeiro de "três importantes momentos de passagem na história da arte [...] em que uma experiência ligada à caminhada representou um ponto de virada", o segundo é o surgimento do movimento situacionista a partir da Internacional Letrista (1956-1957), e o

---

[1] Louis Aragon, *Paris Peasant*, Londres, Jonathan Cape, 1971, p. 29.
[2] Andy Merrifield, *Guy Debord*, Londres, Reaktion, 2005, p. 30-31.

terceiro, a passagem da arte minimalista para a Land Art (1966-1967)[3]. De acordo com Careri, a relação entre o caminhar e a arte é tão sólida que "por toda a primeira parte do século XX" o caminhar foi vivenciado como "uma forma de antiarte"[4]. Rejeitando a natureza até então constrangida e circunscrita da arte, o ato de caminhar foi impulsionado a entrar no reino da prática estética, numa tentativa reconhecidamente malograda de recuperar o espaço urbano. Esse processo, no qual uma ação cotidiana se transformava em ação experimental, foi inaugurado (e em grande parte, pelo menos para os dadaístas, concluído) em um único evento e em um único dia: 14 de abril de 1921 – foi nessa data, em Paris, às três da tarde, debaixo de chuva, que onze indivíduos, entre eles André Breton, Louis Aragon e Philippe Soupault, realizaram uma "peregrinação laica" até a igreja de Saint-Julien-le-Pauvre. Era o movimento dadá, e esse encontro pretendia ser o primeiro de uma série de excursões urbanas para os "locais banais" da cidade, um empreendimento estético sério que tinha o apoio de *press releases*, fotos, muitas proclamações e um panfleto, em que se esboçavam os seus objetivos:

> Os dadaístas, passando por Paris, como um remédio para a incompetência dos guias e dos pedantes dúbios, resolveram realizar uma série de visitas a lugares selecionados, especialmente aos lugares que não têm verdadeiramente razão para existir. É incorreto insistir no pitoresco, no interesse histórico e no valor sentimental. O jogo ainda não foi perdido, mas precisamos agir rapidamente. A participação na primeira visita significa responsabilizar-se pelo progresso humano, pelas possíveis destruições, e reagir à necessidade de buscar a nossa ação, que você tentará incentivar por qualquer meio possível[5].

Modernizando o papel do *flâneur*, que passou de observador desinteressado a participante de uma experiência estética, os dadaístas esperavam atribuir ao ato de caminhar um simbolismo que levaria o valor

---

[3] Francesco Careri, op. cit., 2001, p. 21. Ao passo que este capítulo trata da primeira e da segunda "passagens" do esquema de Careri, a terceira e última, que é a importante no surgimento da Land Art, fica além do âmbito deste livro. No entanto, quem busca uma discussão sobre esse movimento e seus principais praticantes, entre os quais se incluem Richard Long, Harnish Fulton e Robert Smithson, deve ler o livro de Careri (p. 119-175), ou visitar o *blog* de Walkart, disponível em http://walkart.wordpress.com/.
[4] Francesco Careri, op. cit., 2001, p. 21.
[5] Ibidem, p. 75.

artístico a se afastar do domínio dos objetos e se voltar para o espaço e a performance. Mais que simplesmente chamar a atenção para a cidade que os cercava, os dadaístas esperavam incentivar ativamente a sua habitação e o processo de transformar a percepção dos bairros negligenciados da cidade, dos quais Saint-Julien era emblemático. Eram planos ousados que esboçavam uma nova visão da cidade, mas a realidade acabou por ficar bem aquém das expectativas, uma vez que o grupo de cerca de cinquenta jornalistas e espectadores reunidos teve de assistir a uma deplorável série de performances, com destaque para uma recitação aleatória de palavras do dicionário Larousse.

> Depois de uma hora e meia, o grupo – que já se havia reduzido –, encharcado de chuva e entediado com os discursos, foi para casa. Os próprios dadaístas se dirigiram a um café próximo para fazer uma avaliação do evento. O ponto principal dessa avaliação: eles tinham fracassado[6].

Não é de admirar, dada a natureza calamitosa do acontecimento, o fato de os dadaístas terem resolvido não repetir a experiência do dia 14 de abril, que ficou sendo o único exemplo da série de excursões planejada. Numa interpretação mais benevolente do evento e do que aconteceu em seguida, Francesco Careri afirma que "a obra está em ter pensado na ação a realizar mais que na ação em si", acrescentando que "o projeto não foi levado até sua conclusão porque já havia sido concluído. Ter realizado a ação naquele lugar equivaleu a tê-la realizado em toda a cidade"[7]. Contudo, esse hiato perturbador entre pensamento e ação, plano e realização perduraria, e três anos depois, com os dadaístas unidos aos surrealistas, outra excursão desse tipo acabou em farsa: nessa ocasião, em maio de 1924, André Breton, Louis Aragon, Max Morise e Roger Vitrac decidiram sair de Paris para um passeio mais prolongado pelo campo. A busca dadaísta do banal tinha então cedido lugar à crença surrealista no acaso, como Mark Polizzotti, o biógrafo de Breton, descreve:

---

[6] Mark Polizzotti, *Revolution in the Mind: The Life of André Breton*, Londres, Bloomsbury, 1995, p. 153.
[7] Francesco Careri, op. cit., 2001, p. 78.

Os quatro homens pegaram um trem para Blois, uma cidade escolhida aleatoriamente no mapa, depois saíram caminhando a esmo. Haviam planejado fazer desvios apenas para comer e dormir. Seu objetivo era a ausência de objetivos, uma tentativa de transpor para a estrada as descobertas casuais da automação física [...] Durante as paradas para descanso eles escreveram textos automáticos, muitos dos quais continham reflexos do ambiente em que estavam no momento. Mas, na maior parte do tempo, eles vagavam a esmo pelo campo da França, sempre conversando, seguindo resolutamente a sua falta de itinerário[8].

Como antes, a ideia parecia plausível, mas quase desde o início o elemento aleatório do passeio e a ausência de qualquer objetivo fixo revelaram-se deletérios à sanidade de Breton. Atormentado por "demônios cada vez mais numerosos e perturbadores", o caso chegou ao seu ponto de crise no banheiro de uma pequena hospedaria onde Breton subitamente viu uma enorme barata branca rastejando em sua direção: "Agora todo mundo sabe que não existe barata branca!", exclamou Breton, antes de fugir do banheiro em pânico[9]. Logo depois houve uma briga entre Aragon e Vitrac, o primeiro se exasperando cada vez mais com a "insistência de Vitrac em ver qualquer coincidência mínima como uma grande revelação". Caminhar sem direção nem objetivo havia, pelo menos naquele caso, resultado em perturbação mental e violência. Dez dias depois de partir, Breton encerrou o fiasco, e os quatro surrealistas voltaram de trem para Paris[10].

Apesar dos resultados inesperados – ou talvez devido a eles –, o valor prático dessa viagem não foi absolutamente desprezado por Breton, que a descreveu como uma "deambulação em quarteto" ou um exemplo de produção literária automática em espaço real, impresso pelo ato de caminhar diretamente no mapa do território mental[11]. *Deambulação*, o termo surrealista para essa forma "automática" de caminhada, foi definido como "chegar pela caminhada a um estado de hipnose, uma perda

---

[8] Mark Polizzotti, op. cit., 1995, p. 201-202.
[9] Ibidem, p. 202.
[10] Ibidem, p. 202.
[11] Francesco Careri, op. cit., 2001, p. 79.

de controle desorientadora. É um meio pelo qual se entra em contato com a parte inconsciente do território"[12]. A "perda de controle" característica fica sem dúvida evidente na referida caminhada, embora não exatamente do modo como Breton deve ter esperado, e, assim como as excursões planejadas pelos dadaístas nunca se completaram, essa investida rural nunca se repetiu. No entanto, a deambulação continuou sendo um elemento muito praticado da atividade surrealista em Paris, cujos subúrbios foram o local a que o poeta surrealista Jacques Baron mais tarde se referiu, com inquestionável entusiasmo, como um "passeio interminável"[13].

Mais para o final de 1924, Breton publicou o seu primeiro *Manifesto surrealista*, em que definiu o termo pela primeira vez, proclamando: "Acredito na resolução futura destes dois estados, tão contraditórios na aparência, o sonho e a realidade, numa espécie de realidade absoluta, de surrealidade, se assim se pode dizer"[14]. Mas a contribuição surrealista para a literatura da caminhada não pode ser encontrada no manifesto, nem está nas desafortunadas aventuras dos seus principais seguidores, mencionadas anteriormente. Em vez disso, o conceito de caminhada aleatória ou automática adotado primeiramente por Breton e a busca por locais banais da cidade referida pelos seus antecessores dadaístas encontram a sua expressão mais eloquente num trio de "romances" publicados no final da década de 1920, todos eles tendo Paris como tema. André Breton, Louis Aragon e Philippe Soupault se conheceram em 1918, e logo depois lançaram a revista *Littérature*, mas foi mais para o final da década seguinte que *O camponês de Paris* (1926), de Aragon; *Nadja* (1928), de Breton; e *Les Dernières Nuits de Paris* (1928), de Soupault, foram publicados, oferecendo-nos um extraordinário tríptico sobre a vida nas ruas de Paris antes da guerra, estruturado em torno da série de caminhadas que eles descrevem.

---

[12] Ibidem, p. 82. "Os surrealistas", escreve Careri, "achavam que o espaço urbano devia ser cruzado como a nossa mente, que uma realidade não visível pode revelar-se na cidade [...] O surrealismo, talvez ainda sem compreender plenamente sua importância como uma forma estética, usava o caminhar – o ato humano mais natural e cotidiano – como um meio para investigar e revelar o inconsciente da cidade, as partes que escapam ao controle planejado e constituem o componente não expresso e não traduzível nas representações tradicionais".
[13] Ibidem, p. 83.
[14] André Breton, *Manifestoes of Surrealism*, Michigan, University of Michigan, 1972, p. 14 [André Breton, *Manifesto surrealista*. Disponível em: http://www.culturabrasil.pro.br/breton.htm. Acesso em 28 jul. 2014.].

Diferentemente de *Nadja* e de *Les Dernières Nuits de Paris*, ambos ditados principalmente pelo desejo sexual e pela busca do "eterno feminino", *Le Paysan de Paris*, de Aragon, é principalmente polêmico no tom, mostrando uma hostilidade contra o que ele vê como um ataque ao próprio tecido da cidade. *Le Paysan de Paris* delineia duas caminhadas feitas em Paris entre 1924 e 1926, nas quais Aragon, enquanto reconhece os aspectos eróticos da rua (descrevendo a costumeira visita a um bordel), também testemunha uma cidade que desaparece diante de seus olhos:

> [...] galerias cobertas que são numerosas, em Paris, nos arredores dos grandes *boulevards* e que se chamam, de maneira desconcertante, de passagens, como se nesses corredores ocultados do dia não fosse permitido a ninguém deter-se por mais de um instante [...] O grande instinto americano [...], que contribui para recortar regularmente o plano de Paris vai, dentro em breve, tornar impossível a manutenção desses aquários humanos [...][15]

Na verdade, o "aquário humano", que seria o foco principal de atenção de Aragon, a Passage de l'Opéra, já estava ameaçado de destruição quando ele começou a escrever o livro, e na época de sua publicação já estava destruído[16]. Enquanto Aragon caminha pela Passage de l'Opéra e depois faz um passeio noturno pelo parque em Buttes-Chaumont (na companhia de André Breton e Marcel Noll), as sinuosidades percorridas revelam o que ele diz ser "uma encantadora multiplicidade de aparências e provocações [...], uma tapeçaria humana móvel, continuamente esfiapando-se, continuamente refazendo-se"[17]. Sem ser puramente experimental na forma, tampouco um relato documental das suas experiências, *Le Paysan de Paris* é uma obra inclassificável cujas tentativas de transpor diretamente para o papel a "surrealidade" da vida cotidiana nunca é totalmente convincente[18]. Na verdade, o "romance" de Aragon

---

[15] Louis Aragon, op. cit., 1971, p. 29.
[16] Michael Sheringham, *Everyday Life: Theories and Practices from Surrealism to the Present*, Oxford, Oxford University Press, 2006, p. 75.
[17] Louis Aragon, op. cit., 1971, p. 50.
[18] Maurice Nadeau, o historiador do Surrealismo, escreve: "Certo problema se apresenta na forma de livros como *Nadja* e *O camponês de Paris*. Ambos são relatos pessoais de um breve período passado em busca da 'surrealidade', além de reflexões extensas sobre os escassíssimos eventos relatados. A sua franqueza e a eventual força da prosa são uma compensação para a forma e o egoísmo resoluto de todas as páginas. Mas eles ficam mais ou menos na metade do caminho entre a escritura puramente experimental e a exposição". (*The History of Surrealism*, trad. de Richard Howard, Londres, Jonathan Cape, 1968, p. 27.)

é lido menos como um exemplo de experimentalismo de vanguarda e mais como um registro etnográfico da vida nas ruas de Paris, uma tentativa de documentar aquilo a que um crítico se referiu como "mitologia" de uma sociedade por meio de uma análise do seu comportamento e dos seus costumes[19]. Nesse sentido, o texto de Aragon pode ser visto como um precursor da obra de Walter Benjamin, e na verdade foi *Le Paysan de Paris* que inicialmente chamou a atenção de Benjamin para a importância das galerias e para o papel da caminhada como um ato cultural, levando-o a comentar sobre o impacto do livro de Aragon: "Minha leitura noturna na cama não ia além de umas poucas palavras, porque meu coração batia tão forte que eu precisava depor o livro"[20]. É improvável que *Le Paysan de Paris* provoque a mesma reação no leitor contemporâneo, embora, com seu estilo digressivo e a preocupação com os aspectos ignorados e negligenciados da cidade, o livro de Aragon se assemelhe bastante a muitos dos atuais registros psicogeográficos da vida urbana.

Examinando retrospectivamente sua amizade com Aragon cerca de vinte anos antes, André Breton escreveu:

> Ainda me lembro do extraordinário papel que Aragon desempenhou nas nossas caminhadas diárias por Paris. Os lugares que percorríamos na sua companhia, mesmo os que não tinham grandes encantos, eram indiscutivelmente transformados por sua fascinante e infalível inventividade romântica, para a qual o simples virar de uma esquina ou a visão de uma vitrine inspirava um transbordamento estimulante[21].

Certamente os comentários de Breton podem se aplicar também à sua própria obra, sobretudo a *Nadja*, uma tentativa de transcrever para o romance o *éthos* surrealista. "Nada é imaginado em *Nadja*", escreve Maurice Nadeau, "tudo é absolutamente, rigorosamente verdadeiro"[22]. Mas nas obras de Breton e dos seus contemporâneos nada é como parece, e

---

[19] Michael Sheringham se refere ao narrador de *Paris Peasant* como adotando "o disfarce de etnógrafo que busca reunir a mitologia de uma sociedade a partir do exame apurado da sua cultura material e da observação participativa dos seus rituais (sobretudo na esfera do consumo: comida, bebida, sexo e compras)". (op. cit., 2006, p. 75)
[20] Susan Buck-Morss, The Dialectics of Seeing: *Walter Benjamin and the Arcades Project*, Cambridge, Massachusetts, MIT Press, 1991, p. 33.
[21] Simon Watson-Taylor, "Introduction", in Louis Aragon, *Paris Peasant*, Cambridge, Exact Change, 1995, p. 9.
[22] Maurice Nadeau, op. cit., 1968, p. 151.

seu biógrafo, Mark Polizzotti, afirmou o oposto, observando que, "em primeiro lugar, isso não é um romance. E em segundo, tampouco é estritamente factual"[23]. Verdade ou ficção, *Nadja*, mais do que qualquer outro texto surrealista, traz para o primeiro plano a rua da cidade como o lugar do incomum, do coincidente e do inesperado. É nele que Breton delineia a liberdade a ser ganha seguindo os pés de alguém aonde quer que eles possam nos levar, agindo o passeio aleatório como o catalisador, transformando o trivial e o cotidiano no maravilhoso:

> Enquanto isso você pode ter certeza de que me encontrará em Paris, de que antes de três dias me verá passar, no final da tarde, pelo Boulevard Bonne-Nouvelle, entre a gráfica do *Matin* e o Boulevard de Estrasburgo. Não sei por que meus pés me levam exatamente ali, aonde eu invariavelmente vou sem objetivo específico, sem nada que me induza além desse dado obscuro: ou seja, que a coisa (?) vai acontecer ali. Não vejo, enquanto sigo apressado, o que poderia constituir para mim, mesmo sem saber, um polo magnético no espaço ou no tempo[24].

Foi em consequência de um passeio desses, feito numa tarde de outubro, "uma dessas tardes ociosas, sombrias, que eu sei muito bem como passar", que Breton teve exatamente o tipo de encontro casual que o passeio surrealista pretendia facilitar: "Ela ia com a cabeça bem erguida, ao contrário de todos na calçada. E parecia tão delicada que dava a impressão de quase não tocar o chão ao caminhar. Um leve sorriso pode ter passeado por seu rosto"[25]. Nadja, a misteriosa heroína do livro de Breton, foi inspirada em uma de suas amantes, que, no autêntico estilo surrealista, morreu num manicômio. Escrito em tom enganadoramente objetivo de um estudo de caso médico, *Nadja* é um romance surrealista cheio das correspondências, coincidências e justaposições incomuns que caracterizavam o movimento, e o relato de Breton é dominado pela espontaneidade e pela surpresa, refletindo uma perspectiva em que o acaso governa tudo. Ao seguirmos Breton e Nadja por Paris, a pé, fica claro que o ato de caminhar se torna a metáfora fundamental do texto,

---
[23] Mark Polizzotti, "Introduction", André Breton, *Nadja*, Londres, Penguin, 1999, p. IX.
[24] André Breton, op. cit., 1999, p. 32.
[25] Ibidem, p. 63-64.

pois *Nadja* está codificado na linguagem da caminhada, do ócio e da perambulação. Movimento é significado, e a jornada é o que provê tanto uma forma para o texto quanto uma estrutura para a vida dos seus protagonistas. "Se fosse isso que você quisesse", diz Nadja a Breton, "eu não seria nada, ou então apenas uma pegada"[26]. E enquanto Nadja sonambula pelo texto como um fantasma assombrando as ruas, é apenas o registro do seu movimento, a marca dos seus passos, que dá substância à sua identidade. Ela se tornou simbólica da própria Paris, e é apenas enquanto continua se deslocando pela rua – "a única região de experiência válida para ela" – que se pode dizer que ela existe[27].

Publicado no mesmo ano que *Nadja*, e por isso um tanto obscurecido por ela, *Les Dernières Nuits de Paris*, de Philippe Soupault, tem muita coisa em comum com a obra de Breton, detalhando também uma série de passeios aleatórios por Paris em busca de uma caça igualmente esquiva. Assim como Nadja, a heroína de Soupault, Georgette, também é tema de uma série de encontros involuntários e episódios misteriosos enquanto é perseguida durante a noite parisiense, e exatamente do mesmo modo como Nadja chega a simbolizar a cidade, o mesmo faz Georgette, transformando a si própria e ao seu ambiente ao passar por ele:

> Georgette retomou seu passeio por Paris, pelos labirintos da noite. Ela prosseguiu, dissipando dor, solidão ou sofrimento. Então, mais do que nunca, mostrou seu poder: o de transfigurar a noite. Graças a ela, que não era mais do que uma das centenas de milhares, a noite parisiense se tornou um domínio misterioso, uma grande e maravilhosa terra [...] Naquela noite, enquanto estávamos perseguindo, ou, mais exatamente, seguindo a pista de Georgette, eu vi Paris pela primeira vez. Não há dúvida de que não era a mesma cidade [...] Enquanto eu a olhava, ela se contraiu. E a própria Georgette se tornou uma cidade[28].

"Eu sei, nós sabemos", escreve Soupault, "que em Paris só a morte tem o poder de extinguir essa despropositada sede, de encerrar uma

---

[26] Ibidem, p. 116.
[27] Ibidem, p. 113.
[28] Philippe Soupault, *The Last Nights of Paris*, Nova York, Full Court Press, 1982, p. 73-74.

caminhada a esmo"[29]. Para Soupault, assim como para Breton e Aragon antes dele, caminhar tinha se tornado um modo de vida, um reflexo instintivo que não se pode refrear.

O movimento surrealista prometeu muito nos seus vários manifestos, mas a realidade se mostrou persistentemente trivial, ao passo que o mundo do encantamento divino continuaria torturantemente fora do alcance. O automatismo acabou fornecendo resultados sem inspiração, e, no que diz respeito à caminhada, fez-se muita coleta de dados com pouco resultado óbvio. O envolvimento surrealista com o comunismo não surtiu efeito consistente nos seus integrantes mais acostumados ao espírito do abandono divertido que estava na origem do movimento, e, por uma repulsa pelos problemas que incomodariam Guy Debord uma geração depois, Breton conseguiu indispor quase todos os seus antigos aliados quando o surrealismo desmoronou sob o peso da vingança pessoal e das brigas internas. No entanto, *Le paysan de Paris* continua sendo, com *Nadja* e *Les Dernières Nuits de Paris*, um memorial a um modo de vida ameaçado, pois, como demonstraria o malfadado flerte com o comunismo, os tempos do passeador apolítico e desapaixonado tinham passado. O que o surrealismo e esses livros enfatizavam é o fato de que o passeador ocioso não poderia mais ficar à margem ou se retirar para a sua poltrona, mas precisa enfrentar a destruição de sua cidade. Passada a guerra, as ruas se radicalizaram como nunca havia acontecido, e a mudança revolucionária estava no ar. Se o perambulador urbano devesse continuar seu passeio sem objetivo, o próprio ato de caminhar precisaria se tornar subversivo, um meio de recuperar as ruas para o pedestre.

No final da Segunda Guerra Mundial o movimento surrealista acabou, e a publicação do livro de Maurice Nadeau, *History of Surrealism* (1944), foi seu epitáfio. A tensão entre impulsos estéticos e políticos dentro do movimento resultou em divisões e contramovimentos, e foi como reação à percepção da falta de radicalismo político que se formaram muitos dos coletivos vanguardistas do pós-guerra na Europa. Movimentos diferentes e efêmeros, como o Cobra, a Internacional Letrista e o Bauhaus Imaginista, formaram uma nova vanguarda es-

---

[29] Ibidem, p. 41.

timulada por novos sentimentos revolucionários, mas foram dificultados por uma falta de direção e, mais decisivamente, pela escassez de integrantes[30]. Reconhecendo sua dívida com a subversão divertida do dadá e do surrealismo, esses movimentos continuaram proclamando a necessidade de uma nova sociedade, livre dos efeitos homogeneizadores do desenvolvimento capitalista, mas foi somente com o surgimento da Internacional Situacionista, em 1957, sob o comando firme – se não tirânico – de Guy Debord, que um impulso para a mudança começou a surgir. Debord, contudo, como Breton antes dele, logo demonstrou exatamente as mesmas tendências ditatoriais que haviam reduzido os surrealistas a uma série exaustiva de conflitos internos e expulsões, e, com uma índole semelhante, ele era igualmente avesso a reconhecer a clara dívida dos situacionistas com o surrealismo e com tradições mais antigas de utilização da cidade.

A palavra com que Debord se ligou mais profundamente e que desde então chegou a dominar por completo qualquer discussão sobre a caminhada como uma prática estética ou política encontra sua primeira definição, frequentemente citada em "Introduction to a Critique of Urban Geography", escrito em setembro de 1955 e publicado posteriormente no jornal belga *Les Lèvres Nues*:

> A palavra "psicogeografia", que um *kabyle* analfabeto sugeriu como um termo geral para os fenômenos que alguns de nós investigávamos no verão de 1953, não é demasiado imprópria. Não contradiz a perspectiva materialista do condicionamento da vida e do pensamento pela natureza objetiva. A geografia, por exemplo, lida com a ação determinante de forças naturais gerais, tais como a composição do solo ou as condições climáticas, sobre as estruturas econômicas da sociedade, e com isso sobre a concepção correspondente que essa sociedade

---

[30] A Internacional Letrista (1952-1957), produto do Grupo Letrista (1948) e precursora da Internacional Situacionista (1957-1972), viu o ato de caminhar como um meio de contestar o *status quo*: "A prática de caminhar em grupo, concedendo atenção a estímulos inesperados, passando noites inteiras de bar em bar, discutindo, sonhando com uma revolução que parecia iminente, tornou-se uma forma de rejeição do sistema para os letristas: um meio de fugir da vida burguesa e rejeitar as regras do sistema da arte" (Francesco Careri, op. cit, 1991, p. 92). Quem pretende ter uma compreensão detalhada da breve e frequentemente invisível série de movimentos e contramovimentos que caracterizou a década pré-situacionista anterior a 1957 deve consultar o livro de Stewart Home, *The Assault on Culture: Utopian Currents from Lettrisme to Class War* (Edimburgo, AK Press, 1991).

pode ter do mundo. A *psicogeografia* poderia estabelecer como campo o estudo das leis precisas e dos efeitos específicos do ambiente geográfico, conscientemente organizado ou não, sobre as emoções e o comportamento dos indivíduos. O adjetivo "psicogeográfico", conservando uma vagueza bastante cordial, pode assim se aplicar às descobertas a que se chegou com esse tipo de investigação, à sua influência sobre os sentimentos humanos e até, de modo mais geral, a qualquer situação ou conduta que pareça refletir o mesmo espírito de descoberta[31].

Por certo, foi exatamente essa "vagueza cordial" que desde então permitiu a tantos escritores a ligação de si próprios e da sua obra a esse movimento. A psicogeografia se torna para Debord o ponto de intersecção entre a psicologia e a geografia. As ideias românticas sobre uma prática artística já são coisa do passado. O que temos agora é uma experiência a ser realizada sob condições científicas e cujos resultados serão rigorosamente analisados. Os impactos emocional e comportamental do espaço urbano sobre a consciência individual vão ser cuidadosamente controlados e registrados. Seus resultados vão ser usados para fomentar a construção de um novo ambiente urbano que reflita e, ao mesmo tempo, promova os desejos dos seus habitantes. E a sua transformação será realizada por pessoas hábeis nas técnicas psicogeográficas. A principal ferramenta à disposição do psicogeógrafo, afirma Debord, é o deslocamento sem objetivo, ou *deriva*, que capacita seu praticante a averiguar a verdadeira natureza do ambiente urbano enquanto passa por ele. Por conseguinte, zonas emocionais que não podem ser determinadas apenas pelas condições arquitetônicas ou econômicas devem ser reveladas pela *deriva*. Os seus resultados podem então constituir a base de uma nova cartografia, caracterizada por uma completa desconsideração das práticas tradicionais e habituais do turista:

> A produção de mapas psicogeográficos, ou mesmo a introdução de alterações, como a transposição mais ou menos arbitrária de mapas de duas regiões diferentes, pode contribuir para esclarecer algumas perambulações

---
[31] Guy Debord, "Introduction to a Critique of Urban Geography" (1955), in Ken Knabb (org.), *Situationist International Anthology*, Berkeley, Bureau of Public Secrets, 1981, p. 5.

que expressam não subordinação à aleatoriedade, mas a total *insubordinação* a influências habituais [...] Recentemente, um amigo me contou que havia acabado de vagar pela região de Harz, na Alemanha, enquanto seguia cegamente as orientações de um mapa de Londres. Esse tipo de jogo é obviamente apenas um começo medíocre em comparação com a construção completa da arquitetura e do urbanismo que algum dia estará em poder de todas as pessoas"[32].

Escrito em 1956, mas publicado pela primeira vez no *Internationale Situationniste nº*. 2, de dezembro de 1958, o artigo "Theory of the Dérive", de Guy Debord, descreve "uma técnica de passagem breve por atmosferas diversas", envolvendo "comportamento brincalhão-construtivo e consciência dos efeitos psicogeográficos, o que a distingue completamente das ideias clássicas da jornada e do passeio"[33]. Evidentemente, essa declaração é muito controversa, pois parece difícil pensar na deriva de outro modo que não os passeios feitos pelos surrealistas uma geração antes. Mas, examinando melhor, embora pareça que ambas envolvam um elemento de acaso e falta de direção preestabelecida, a deriva não demonstra a pura submissão ao desejo inconsciente que caracterizou as perambulações surrealistas ou as jornadas do *flâneur* passeador[34], pois, embora a deriva possa não ter um destino claro, ela não é destituída de propósito. Pelo contrário, o *dériveur* realiza uma investigação psicogeográfica, e se espera que ele volte para casa tendo observado o modo como as áreas atravessadas ressoam com estados de espírito e ambiências particulares. Na verdade, tem-se afirmado que, longe de ser o deslocamento sem objetivo, de cabeça vazia, do passeador descontraído, o princípio de Debord está mais próximo de uma estratégia militar e tem suas raízes não na experimentação de vanguarda, mas nas táticas militares, nas quais o deslocamento é definido como "uma ação calculada

---

[32] Ibidem, p. 7.
[33] Ibidem, p. 50.
[34] Sadie Plant escreve: "Ao contrário do automatismo surrealista, a deriva não era uma questão de se render às imposições de uma mente inconsciente ou de uma força irracional [...] Tampouco estava tudo subordinado à soberania da escolha: praticar a deriva era observar o modo como algumas áreas, ruas ou prédios ressoam com estados mentais, inclinações e desejos, e buscar para o movimento outras razões que não aquelas para as quais o ambiente foi projetado". (Sadie Plant, *The Most Radical Gesture: The Situationist International in a Postmodern Age*, Londres, Routledge, 1992, p. 59.)

determinada pela ausência de um local próprio". Nessa ótica, a deriva se torna um artifício estratégico para o reconhecimento da cidade, "um reconhecimento para o dia em que a cidade seria tomada de fato"[35]. Resumindo, a deriva faz que o perambulador saia do âmbito do espectador desinteressado e o coloca numa posição subversiva como um revolucionário seguindo um programa político. O *dériveur* é um soldado a pé de uma milícia situacionista, um guarda avançado enviado para observar o território inimigo.

Debord equilibra suas preocupações teóricas com informações mais práticas, indicando que a deriva deve ser realizada em grupos pequenos de duas ou três pessoas e observando que a sua duração média é de um único dia, embora reconheça que uma sequência de derivas durou cerca de dois meses. Na verdade, como Ralph Rumney admitiu posteriormente, para alguns a deriva poderia se tornar a obra de uma vida inteira:

> Com Debord eu comecei a entender o que era a deriva, não tanto pelo fato de ele falar do assunto quanto por ele praticá-la. E desde então eu nunca, ou quase nunca, fiz outra coisa. Minha vida inteira se tornou uma deriva. Eu fui pego e fiquei fascinado pela ideia [...] Em Paris, nós vagávamos de café em café – íamos aonde nossos pés e nossas inclinações nos levavam. Tínhamos de nos arranjar com muito pouco dinheiro. Até hoje eu me pergunto como conseguimos. Fazíamos derivas em Paris numa área extremamente limitada. Descobríamos itinerários para ir de um lugar para outro que mais pareciam desvios [...] Descobrem-se numa cidade determinados lugares que se começa a apreciar, pela acolhida em um bar ou porque de repente nos sentimos melhor [...] se se começa uma deriva com um bom estado de espírito, acaba-se encontrando um lugar bom. Sim, é assim, e até lhe digo que se me puserem numa cidade desconhecida descobrirei o lugar onde eu deveria estar[36].

---
[35] Simon Sadler, *The Situationist City*, Cambridge, Massachusetts, MIT Press, 1982, p. 81.
[36] Ralph Rumney, *The Consul*, Londres, Verso, 2002, p. 65-66. Rumney era membro (o único membro) fundador da London Psychogeographical Committee e estava presente na formação da Internacional Situacionista em julho de 1957 em Cosio d'Arroscia, na Itália. Embora claramente preso à ideia da deriva, Rumney também desdenhava abertamente a ideia de que esse conceito se originara entre os situacionistas: "Por certo não foi uma descoberta", escreveu ele, "o conceito sempre existiu [...] Os letristas lhe deram um nome e uma metodologia [...] No plano das ideias, não acho que tenhamos encontrado algo que ainda não existisse". (ibidem, p. 37)

"Tempestades e outros tipos de precipitação", prossegue Debord, "são aparentemente favoráveis, mas chuvas prolongadas podem tornar essas atividades quase impossíveis. Usar táxis não é proibido, mas pode alterar a natureza da deriva". Como conclusão, Debord escreve:

> As lições tiradas da deriva permitem esboçar os primeiros levantamentos das articulações psicogeográficas da cidade moderna. Além da descoberta de unidades de ambiência, dos seus principais componentes e da sua localização espacial, acaba-se por perceber os seus principais eixos de corredores, suas saídas e defesas. Chega-se à hipótese fundamental da existência de pontos psicogeográficos importantes[37].

Assim, o palco foi montado. Debord nos proporcionou nossa sustentação teórica e também nos forneceu aconselhamento prático. O ano é 1958, Paris está pronta para a mudança revolucionária, e, armados com a deriva, somos mandados para o campo. Nesse ponto, contudo, não se pode evitar notar que, enquanto os elementos teóricos e de instrução da psicogeografia são evidentes, os resultados reais de todas essas experiências estão estranhamente ausentes. Percorrendo toda a extensa literatura sobre psicogeografia e situacionismo, fica-se em grande dificuldade para encontrar exemplos concretos dos resultados dessa atividade psicogeográfica. "Talvez não seja surpreendente", observou um comentarista, "o fato de os situacionistas não terem feito grande coisa no tocante às viagens, pois eles estavam muito ocupados conversando, brigando, escrevendo manifestos e sendo escorraçados, o que não lhes deixava muito tempo para passeios"[38].

Em 1962, o movimento situacionista se dividiu, com um novo ressurgimento das tensões entre prioridades artísticas e políticas. Então a Segunda Internacional Situacionista se separou da Internacional Specto-Situacionista, sendo este grupo, encabeçado por Debord e Vaneigem, agora livre para buscar um programa cada vez mais aberto, e, graças à tradução de suas obras para o inglês, o situacionismo é hoje mais conhe-

---

[37] Guy Debord, "Theory of the Dérive", op. cit., 1981, p. 53.
[38] Rachael Antony e Joel Henry (orgs.), *Lonely Planet Guide to Experimental Travel*, Londres, Lonely Planet, 2005, p. 22).

cido pela ênfase na política revolucionária do que por seu componente cultural. Considerada apenas pelos seus méritos uma ferramenta prática na vanguarda de um movimento revolucionário, a psicogeografia deve ser julgada um lamentável fracasso, pois os escassos resultados da prolongada teorização revelam uma tal pobreza de material útil que não surpreende o fato de ter perdido prestígio. Nesse sentido, assim como em muitos outros, o destino da psicogeografia se parece com o do automatismo surrealista, em que uma posição teórica proeminente inicial foi rapidamente seguida pela percepção das suas óbvias limitações e do seu discreto rebaixamento.

Recordando a amizade mantida com Debord (um período que culminou com a sua inevitável expulsão do movimento situacionista), o escritor *beat*, pornógrafo e *junkie* escocês Alexander Trocchi escreveu: "Eu me lembro de longos e maravilhosos passeios psicogeográficos com Guy [...] ele me levou a lugares de Londres que eu não conhecia, que ele não conhecia, aonde achava que eu nunca iria se não tivesse ido com ele. Guy era um homem que podia descobrir uma cidade"[39]. Essa busca do "corredor para o noroeste", uma metáfora que De Quincey usou para se referir à entrada oculta para o campo mágico, que teve grande destaque entre as primeiras ideias situacionistas, logo seria esquecida, contudo, pois Debord se tornou cada vez mais preocupado com um revisionismo marxista e tinha pouco tempo para o romantismo desagrilhoado tão credulamente lembrado por Trocchi. Mas Debord acabou reconhecendo a natureza essencialmente pessoal da relação entre o indivíduo e a cidade, percebendo que esse campo subjetivo sempre estaria em contradição com os mecanismos objetivos da metodologia psicogeográfica, procurando expor a questão da seguinte maneira: "Os segredos da cidade são, até certo ponto, decifráveis", escreveu ele, "mas o significado pessoal que eles têm para nós é incomunicável"[40].

Resistindo às correntes subjetivas e misteriosas que a deriva promovia, Debord se tornou crescentemente dogmático na sua insistência em um exame rigoroso da sociedade do espetáculo – uma sociedade cuja superfície sedutora ocultava as realidades repressivas do consumo capitalista. So-

---

[39] Greil Marcus, *Lipstick Traces: The Secret History of the Twentieth Century*, Londres, Seeker & Warburg, 1990, p. 385.
[40] Simon Sadler, op. cit., 1982, p. 80.

ciety of the Spectacle, de Debord, foi publicado em 1967, e sua série de *insights* alusivos e frequentemente ambíguos se revelou perfeita para elaborar palavras de ordem que enfeitariam Paris durante a revolta do ano seguinte. A obra icônica de Debord pode não mencionar a psicogeografia, mas na sua exposição do modo como o vazio essencial da vida moderna é obscurecido atrás de uma série complexa e espetacular de bens de consumo, ele tem muito a dizer para o perambulador urbano, pois, em meio à nossa imersão nesse mundo de consumismo desenfreado e monotonia organizada, a vida na rua foi suprimida, e a hostilidade em relação ao pedestre – que fez desaparecer das ruas de Paris o *flâneur* do século XIX – não se abrandou até hoje. O transeunte urbano se subordinou à "ditadura do automóvel", enquanto surge uma nova paisagem urbana, um não lugar dominado pela tecnologia e pela propaganda, cujas ilimitadas superfícies brilhantes são destituídas de individualidade[41]. Esse é o futuro que Debord tinha tentado evitar.

Em sua biografia de Debord, Andy Merrifield posiciona o biografado fora da tradição de Baudelaire, Benjamin e Breton, os vanguardistas que o antecederam. Enfatizando seu programa político, coloca Debord e seus companheiros da revolta de 1968 com os revolucionários de 1848. Na verdade, em sua busca pelo que considera os verdadeiros antecedentes de Debord, ele chega a recuar mais no passado revolucionário francês, pois aqui não é a figura do *flâneur* que é invocada, e sim o seu ancestral mais militante, o *frondeur*.

> Debord idolatrava Retz [o cardeal de Retz, Jean François Paul de Gondi], o mestre da farsa, o herói popular e padroeiro das classes pobres e perigosas de Paris, que entre 1648 e 1652 ajudou a incitar os protestos de rua contra Luís XIV nas revoltas que ficaram conhecidas como "A Fronda". Retz gostou do nome *frondeur*, palavra originalmente aplicada às furiosas gangues de selvagens da rua que brandiam estilingues (*frondes*) e armavam confusão por toda a França medieval. Os *frondeurs* do século XVII se orgulhavam de usar esse nome que, em outros tempos, tivera uma conotação pejorativa. Retz e seu grupo de dissidentes aristocratas se apropriaram dele

---

[41] Guy Debord, "Society of the Spectacle", in Ken Knabb (org.), op. cit., 1992, p. 97.

na sua arriscada revolta. Debord era primo muito distante de Retz. Era o *alter ego* no século XX do cardeal [...] os dois homens levaram uma existência vagabunda e fugitiva no exílio. Juntos, eles se tornaram estetas da subversão, e Debord, o *frondeur* da nossa época espetacular[42].

Assim, se por isso se deve ver Debord em uma tradição politicamente mais radical que muitos de seus congêneres (se não todos), seu papel na tradição assumidamente menos militante (e mais pedestre) do caminhante permanece menos claro. Mas Merrifield nos ajuda a esclarecer essa posição ao identificar Debord como um "aventureiro passivo" que, apesar do papel muito ativo que teve na política de sua época, preparou o caminho para uma investida igualmente radical no "inconsciente urbano":

> Os aventureiros passivos [...] são exploradores mais sensíveis, mais cerebrais, mais estudiosos e solitários, que leem muito e frequentemente sonham. Aventurar-se passivamente [...] é uma forma de arte, "uma questão de ginástica intelectual, de entender exercícios cotidianos e exercitar a metodologia da imaginação" [...] No caso deles, as viagens são mais corriqueiras, escolhidas com mais cuidado: cidades e cabarés, teatro burlesco e livros, vinho e música, amor e ódio, intimidade e morte [...] estudando a vida de Debord e seguindo sua trilha, podemo-nos perguntar com razão: que tipo de aventureiro era Guy Debord? De certo modo é óbvio, mas só agora podemos afirmar: ele foi um proeminente aventureiro passivo [...] a vida de Debord foi uma viagem ativa de descoberta [...] envolvido em atividades secretas aqui, perturbando a paz ali, e, no entanto, apesar de tudo isso, seu legado duradouro é talvez o modo como ele explorou os mistérios do inconsciente urbano, desenterrou a cidade sentimental, revelando suas alturas cotidianas e iluminando suas profundezas noturnas[43].

Sob essa ótica, Debord e os situacionistas podem ser, no final das contas, considerados incapazes de se divorciar por completo de sua

---
[42] Andy Merrifield, op. cit., p. 81-82.
[43] Ibidem, p. 119-120.

herança vanguardista, pois, exatamente do mesmo modo que Debord precisa ser visto em um contexto revolucionário, assim também ele e os situacionistas devem ser considerados em uma tradição mais divertida e experimental da perambulação urbana. Além do mais, ao caracterizar Debord como viajante do inconsciente urbano, Merrifield lembra a tradição visionária de Blake e De Quincey. Evidentemente, o momento situacionista veio e se foi, e o malogro final de 1968 foi seguido pela dissolução do movimento em 1972, mas foi durante esse breve intervalo em Paris que o *flâneur* e o *frondeur* se encontraram pela primeira e única vez até hoje, e esse encontro inspirou um novo papel, politicamente mais ativo, para a geração seguinte de caminhantes urbanos.

Capítulo 9
# A volta do caminhante

*Ninguém quer ser considerado um "topólogo superficial".*
Geoff Nicholson[1]

*Passei a gostar das caminhadas de longa distância como um meio de dissolver a matriz mecanizada que comprime o continuum de espaço-tempo e dissocia o ser humano da geografia física. Assim, não se trata de caminhar como lazer – isso seria simplesmente frívolo, ou até para exercício –, que seria tedioso.*
Will Self[2]

Na obra de Geoff Nicholson, intitulada *Bleeding London* (1997), o protagonista, Stuart London, tem um segredo singular. Casado com Anita Walker, durante o dia ele dirige com ela uma companhia que oferece caminhadas guiadas pela cidade e que se chama, como seria de esperar, O Caminhante Londrino. No entanto, essas excursões por roteiros que incluem importantes prédios históricos são contrabalançadas pela verdadeira paixão de Stuart pelos bairros perdidos e desconsiderados da cidade. Com esse objetivo, ele tenta caminhar por todas as ruas de Londres, meticulosamente, e, à medida que o faz, vai riscando de sua lista cada item correspondente. Espera desse modo executar um ato de eliminação que, quando concluído, culminará em seu suicídio. *Bleeding*

---
[1] Geoff Nicholson, op. cit., 2010, p. 117.
[2] Will Self, "South Downs Way", in *Psychogeography*, Londres, Bloomsbury, 2007, p. 69.

*London* não recebeu muita atenção da crítica, mas, como uma paródia inteligente da crescente moda das excursões psicogeográficas pelos confins de Londres, o livro de Nicholson realça o grau de significação cultural de que, em meados da década de 1990, pelo menos em Londres, se revestira o ato de caminhar. Durante os últimos trinta anos, assistimos a um notável renascimento da representação literária do caminhar, um renascimento que se refletiu no cinema, em espetáculos e nas artes visuais. Examinando retrospectivamente esse período e comentando o crescimento das secretas e, frequentemente, estranhas motivações a que o caminhar ficou associado desde então, Nicholson tem poucas dúvidas quanto a quem atribuir a responsabilidade:

> Planejar o seu próprio sistema de caminhada em Londres não é fácil, exige decisão e até perversidade, talvez. Os verdadeiros caminhantes londrinos evitam o óbvio, mesmo quando isso significa perseguir um programa grandioso, ilógico, quixotesco. Eles caminham em busca de linhas de força, símbolos não reconhecidos, refúgios secretos, indícios de conspiração, buscando o País de Cocagne ou uma nova Jerusalém. Pessoalmente, culpo o autor Iain Sinclair por grande parte disso[3].

Nascido no País de Gales, mas morando em Londres há quarenta anos, boa parte da obra de Sinclair nesse período limita-se ao que ele denominou "Projeto Londres", uma série de poemas e romances, além de estudos documentais e filmes, que celebram os espaços perdidos de Londres e reivindicam para a cidade a posição de supremacia no cânone pedestre[4]. Sua obra tem pouca relação clara com o programa ideológico dos situacionistas, mas deve muito ao impulso surrealista de Breton e Aragon e à tradição visionária de escritores londrinos, de William Blake a Arthur Machen. Foi *Lud Heat* (1975), uma das primeiras obras de Sinclair, que firmou a sua reputação, embora retrospectivamente, pois esse poema em prosa foi quase ignorado até a publicação de *Hawksmoor* (1985), o aclamado romance de Peter Ackroyd, que dez anos depois

---

[3] Geoff Nicholson, op. cit., 2010, p. 46.
[4] "Esse foi o começo de um Projeto Londres", escreve Sinclair, "Percebi que o que eu ia fazer durante algum tempo era lidar com a mitologia e a questão de Londres, incorporando material diário da minha vida cotidiana e das jornadas exploratórias do tipo ensaio etc.". (Iain Sinclair, *Entropy*, 2, 1997, apud Nick Rennison [org.], *Waterstone's Guide to London Writing*, Brentford, Waterstone's Booksellers, 1999, p. 190.)

atestou a influência de suas ideias. Propondo um alinhamento secreto entre as igrejas do arquiteto Nicholas Hawksmoor que haviam sobrevivido em Londres, *Lud Heat* afirma que entre elas se podem mapear "linhas de força" para revelar a verdadeira, mas oculta relação entre as instituições financeiras, políticas e religiosas da cidade:

> Há um triângulo entre a Christ Church, a St George-in-the-East e a St Anne, em Limehouse. Elas são centros de poder para esses territórios: sentinelas, forma de esfinge, dínamos frouxos abandonados enquanto a cultura que sustentavam se aposenta. O poder continua latente, a frustração sobe numa corrente de magnetismo animal, e vítimas ainda são reivindicadas. St George, em Bloomsbury, e St Alfege, em Greenwich, compõem a principal estrela de cinco pontas. O *five card* é invertido, debaixo de neve mendigos passam sob a janela iluminada da igreja: o julgamento é "desordem, caos, ruína, discórdia, depravação". Essas igrejas guardam ou marcam, descansam sobre duas importantes fontes de força secreta: o British Museum e o Observatório de Greenwich[5].

Cerca de vinte anos depois, Sinclair relatou uma caminhada por Londres até a sepultura do mago elisabetano dr. Dee, em Mortlake, resumindo essa excursão como "um casamento de conveniência entre a quiropodia e a alquimia"[6], e é precisamente essa união entre a busca dos aspectos secretos da história de Londres e as suas tentativas de desvendá-los a pé que, a partir de então, se tornou a particularidade de sua obra. Na verdade, todo o seu projeto é sustentado por uma crença inabalável no significado do ato de caminhar não só como meio de acessar os espaços negligenciados da cidade, mas também como uma parte intrínseca do próprio processo criativo, pois Sinclair vê o caminhante-escritor como uma figura híbrida, cuja obra claramente se distinguiria da de seus congêneres mais estáticos:

---

[5] Iain Sinclair, *Lud Heat & Suicide Bridge*, Londres, Granta, 1997, p. 15.
[6] Iain Sinclair e Marc Atkins, "Watching the Watchman", in *Liquid City*, Londres, Reaktion, 2007, p. 84.

> Acredito numa união entre o escrever e o caminhar. Acho que nela acontece tanta coisa – ou até mais – do que aquilo que poderia ser classificado como "psicogeografia". Acho que há dois tipos de escritores: um que se chama "pods" e outro chamado "peds". Os peds são os escritores que definitivamente têm, em seu texto, esse ritmo de jornadas, caminhadas, peregrinações e buscas. E os pods são os outros escritores, os que se sentam numa sala e fazem com que as palavras lhes venham do jeito que elas quiserem. E há um hiato muito nítido entre os dois[7].

Embora a caminhada sempre tenha estado associada à obra de Sinclair, desde as suas primeiras e mais obscuras publicações do final da década de 1960 até hoje, foi somente quando da publicação de *Lights Out for the Territory* (1997) que se conheceu a verdadeira extensão da relação entre a caminhada e a sua obra. Com a rubrica de "nove excursões pela história secreta de Londres", *Lights Out for the Territory* é um exercício tanto de atuação quanto literário, pois Sinclair e seus companheiros usam uma série de caminhadas pela cidade para delinear a mensagem subjacente, oculta ou escondida:

> A ideia era recortar um V grosseiro na aglomeração da cidade, com um ato de sinalização ambulante vandalizar energias inativas [...] (Eu havia desenvolvido esse curioso conceito enquanto trabalhava no meu romance *Radon Daughters*: a ideia de que os movimentos físicos dos personagens por seu território podem escrever as letras de um alfabeto secreto. Formas dinâmicas, com a ambição de atingir uma vida própria, bem independente do seu suposto autor. Da ferrovia para o bar, do bar para o hospital: trace a linha no mapa. Essas avariadas letras enigmáticas, de significado mágico, queimadas no manuscrito no calor da criação, oferecem uma leitura alternativa – um

---

[7] Entrevista com Iain Sinclair, *Varsity*, 27 fev. 2009. Sinclair afirmou reiteradamente a sua crença num vínculo transformador entre caminhar e escrever. Em *Liquid City*, por exemplo, ele fala de "Caminhadas meramente pelos seus benefícios intrínsecos, furiosamente decretadas mas sem plano. Caminhadas estratégicas [...] como um método de interrogar colegas peregrinos. Caminhadas como retratos. Caminhadas como profecia. Caminhadas como moda. Caminhadas como sedução. Caminhadas com o objetivo de elaborar a trama [...] Caminhadas que liberam no cérebro uma química delirante ao ligarem paisagens aleatórias [...] Caminhadas selvagemente mudas que provocam a linguagem". (Iain Sinclair, 2007, p. 15.)

texto pré-consciente, subterrâneo, capaz de adivinhação e profecia. Um manual de magia negra que atuaria como uma maldição ou uma bênção)[8].

*Lights Out for the Territory* foi o livro que atraiu a atenção do grande público para a obra de Sinclair, e é uma obra que reitera a sua crença no poder da caminhada para moldar a nossa percepção da paisagem. Mas, embora Sinclair esteja alerta para a herança vanguardista de Aragon e Debord, ele não é um *flâneur*, pois está igualmente ciente da transformação que essa figura foi forçada a sofrer para encarar os rigores da cidade moderna:

> Caminhar é o melhor modo de explorar e tirar proveito da cidade: as mudanças, trocas, rupturas no capacete de nuvens, o movimento da luz na água. O deslocamento sem propósito é o modo recomendado, pisando firme o chão asfaltado em um devaneio alerta, deixando que se revele a ficção de um padrão subjacente. Para o materialista que não perde tempo com bobagens isso cheira a decadência *fin-de-siècle*, uma entropia poética – mas o *flâneur* renascido é uma criatura teimosa, menos interessado em textura e tecido, escutando atrás da porta pedaços de conversas filosóficas, do que em observar *tudo*[9].

O *flâneur* evoluiu. Agora o observador é participante, o vagar sem destino cedeu lugar a um modo de deslocamento com mais propósito, o passeador se tornou espreitador:

> O conceito de "passear", o vagar pela cidade sem ter destino certo, o *flâneur*, foi substituído. Tínhamos passado para uma época do espreitador; deslocamentos feitos com objetivo – com o olho alerta e sem patrocínio. O espreitador era o nosso modelo: caminhando com intenção, e

---

[8] Iain Sinclair, *Lights Out for the Territory*, Londres, Granta, 1997, p. 1. O "conceito curioso" de Sinclair lembra o do romance *City of Glass* (1985), de Paul Auster, no qual o solitário detetive Quinn perambula por uma Nova York labiríntica, e todo dia as suas caminhadas soletram, letra por letra: "A Torre de Babel". As tentativas de Sinclair de traduzir a natureza igualmente ilegível de sua própria cidade fornecem o equivalente da assinatura de Quinn como pedestre: "Eu espero de fora, às voltas com a ideia de que cada artigo escrito até agora para este livro possa receber uma letra do alfabeto. Obviamente, as duas partes ficam juntas, a jornada de Abney Park até Chingford Mount: V. A circundação da City: um O oval. A história do Vale Royal, seu poeta e editor: um X no mapa. Vox. A voz não ouvida que está sempre presente na escuridão". (ibidem, p. 162)
[9] Ibidem, p. 4.

não vadiando, nada de olhadelas. Não é hora de saborear seu reflexo nas vitrines, de admirar o ferro-batido *art nouveau*, caixas de fósforo interessantes na sarjeta. Aquela caminhada tinha uma tese. Com uma presa [...] O espreitador é um passeador que transpira, um passeador que sabe aonde vai, mas não por que ou como[10].

À forma singular de pesquisa histórica e geográfica adotada por Sinclair se sobrepõe um misto de autobiografia e ecletismo literário. Mas, subjacente a essa superfície conotativa, está um envolvimento político e uma clara fúria contra o legado do redesenvolvimento de Thatcher e Blair. Essa dimensão política deve pouca coisa ao fervor revolucionário dos situacionistas, mas compartilha bastante o ânimo de frustração e desalento encontrado nas páginas de *Le Paysan de Paris*, de Aragon, pois *Lights Out for the Territory*, com sua exploração da cidade oculta e a homenagem a uma Londres perdida, repete a fúria de Aragon pela destruição das galerias de Paris, focalizando os efeitos destrutivos do redesenvolvimento recente de Londres.

Numa entrevista publicada no *Fortean Times*, Sinclair reconhece a sua dívida com o passeio surrealista: "Eu gostava da ideia desse passeio", afirma ele, "mas não era exatamente o que eu estava fazendo. Eu gostava da ideia de encontrar parques estranhos nos limites da cidade, de criar uma caminhada que me permitisse entrar numa ficção"[11]. Porém, como Sinclair expõe em *Lights Out*, Londres é cada vez mais uma cidade em que o caminhante está sob ameaça de acesso frequentemente negado, com resistência ou restrição ao seu avanço, monitoração e registro dos seus movimentos. Num ambiente assim, em que o centro continua hostil ao pedestre que não está disposto a sintonizar seus movimentos ao trajeto dos monumentos históricos, o passeador, o espreitador, precisa dar meia-volta e rumar para o perímetro.

"Pode-se velejar facilmente em torno da Inglaterra ou circunavegar o globo", escreveu Ford Madox Ford em 1907, "mas nem o mais entusiástico geógrafo [...] jamais soube de cabeça um mapa de Londres.

---

[10] Ibidem, p. 75.
[11] "City Brain" (2002), entrevista com Iain Sinclair. Disponível em: http://www.forteantimes.com/features/interviews/37/iain_sinclair.html.

Certamente ninguém jamais caminha em torno dela"[12]. Pouco menos de um século depois, contudo, essa foi exatamente a tarefa que Iain Sinclair empreendeu em *London Orbital* (2002), um relato de sua épica jornada a pé na autoestrada perimetral londrina, a M25. "Tudo o que eu fiz teve sempre por base a caminhada", diz Sinclair, "assim, resolvendo que a M25 praticamente delineava essa cerca perimetral de Londres, o único jeito de lidar com ela do meu ponto de vista seria andar por ela"[13]. O método usado por Sinclair para "lidar" com a M25 envolveu uma série de caminhadas mensais feitas ao longo de um ano, acompanhadas por muitos dos companheiros de costume das expedições anteriores. Avançando no sentido anti-horário, a caminhada pela M25 começou em janeiro de 1998, em Enfield, e durante os doze meses seguintes Sinclair e seus companheiros registraram uma viagem pelas paisagens desprezadas e frequentemente abandonadas nos limites externos de Londres. Contudo, quem quiser encontrar uma razão para essa excursão, um significado a ser retirado de uma trajetória tão pouco provável, ficará desapontado. Como sempre acontece com Sinclair, a caminhada não exige nenhuma justificativa, nenhuma desculpa; é uma atividade totalmente autossuficiente que aceita o desafio implícito apresentado por um ambiente tão abertamente hostil ao pedestre. Uma interpretação mais oculta, no entanto, é a hipótese de que essa caminhada feita no sentido anti-horário pode, invertendo a passagem do tempo, apagar o passado, tornando-se uma tentativa ritualística de "exorcizar a malignidade inimaginável do Domo [do Milênio], de celebrar o crescimento de Londres"[14].

Ao se deslocar por uma paisagem tão frequentemente caracterizada por instituições invisíveis, o tema da caminhada de Sinclair é o manicômio e seus habitantes esquecidos, uma população que ele considera de certo modo emblemática desse interstício suburbano. E assim, ao se aproximar de Shenley (onde já funcionou o Shenley Hospital para doenças psiquiátricas), Sinclair começa a interpretar a própria caminhada como sintomática de loucura, um ato de esquecimento deliberado, uma progressão onírica para um estado de fuga:

---

[12] Ford Madox Ford, *The Soul of London* (1907), Londres, Phoenix Press, 1995, p. 31.
[13] Iain Sinclair, The Verbals: *Iain Sinclair in Conversation with Kevin Jackson*, Tonbridge, Worple Press, 2003, p. 135.
[14] Iain Sinclair, *Londres Orbital*, Londres, Granta, 2002, p. 342.

Tento explicar a ideia da nossa caminhada como uma fuga [...] acho a palavra *fugueur* mais atraente do que *flâneur*, que já está um tanto gasta. *Fugueur* soava como um xingamento, um Tommy de mente suja nas trincheiras de Flandres resmungando por cima da lata de fumo. *Fugueur* era uma boa descrição para a nossa caminhada, os nossos episódios mensais de doença mental temporária. Loucura como viagem [...] A fuga é ao mesmo tempo deslocamento *e* fratura. A história da viagem só pode ser recuperada por algum tipo de hipnose, pelo estímulo do diário ou do álbum de fotos sobre a nossa memória. As evidências documentais das coisas que podem nunca ter acontecido [...] Nas representações da fuga datadas do século XX, o caminhante desaparece da caminhada [...] O caminhante se torna um fanático pelo controle, compulsivamente registrando distâncias, direções, pisando em abstrações no mapa produzido pelo Ordnance Survey. Cuidando de apartes minimalistas e de direitos autorais de haicais[15].

*London Orbital* assinala um estágio posterior na evolução do caminhante na obra de Sinclair, enquanto passamos do *flâneur* para o espreitador, e depois, finalmente, para o *fugueur*. Desde o observador não envolvido até o louco, a metáfora de Sinclair demonstra como o ato de caminhar não somente nos permite uma nova compreensão do nosso ambiente, mas também pode distanciar o caminhante do seu meio, com o ritmo metronômico do andar liberando a sua memória e lhe permitindo flutuar livre de amarras. Do mesmo modo como Virginia Woolf expôs a perda de identidade que experimentou na multidão, também Sinclair indicou o modo como o caminhante pode se perder em terreno

---

[15] Ibidem, p. 119-121. Ao explicar sua ideia do *fugueur*, Sinclair se inspira em *Mad Travelers: Reflections on the Reality of Transient Mental Illness* (Charlottesville, University Press of Virginia, 1998), de Ian Hacking. Esse autor descreve a efêmera epidemia que surgiu em Bordeaux no final do século XIX, que levou suas vítimas a embarcar em jornadas a pé aleatórias e aparentemente compulsivas pela Europa. O primeiro caso, e o mais celebrado a ser registrado, foi o de Albert Dadas, empregado eventual da companhia de gás, que se tornou notório pelas viagens involuntárias que o levaram até a Argélia, Moscou e Constantinopla. Tudo começou "numa manhã de julho passado", escreveu em 1886 o então estudante de medicina Philippe Tissié, "quando notamos um jovem de 26 anos chorando na sua cama da ala do dr. Pitress. Ele havia acabado de chegar de uma longa jornada a pé e estava exausto. Mas não era essa a causa das suas lágrimas. Ele chorava por não conseguir evitar fazer uma viagem quando essa necessidade tomava conta dele. Ele abandonou a família, o trabalho e a vida cotidiana para caminhar o mais rápido que podia, sempre em frente, fazendo às vezes setenta quilômetros diários a pé, até que no final foi detido por vagabundagem e jogado na prisão". (ibidem, 1998, p. 7)

desconhecido: caminhando onde não há nada familiar, nada para estimular a memória pessoal, não somos nós mesmos; precisamos começar de novo, e nisso está a emoção [...] eu não estou realmente presente enquanto caminho", confessa Sinclair, e o que em outro texto ele classifica de "amnésia ambulatória" permanece como um risco ocupacional e uma oportunidade de renovação[16].

Obviamente, a palavra com que Iain Sinclair é popularmente associado hoje tem mais a ver com deriva do que com fuga, pois se considera que ele é (independentemente dos méritos da denominação), mais que qualquer outra coisa, um *psicogeógrafo*. É difícil avaliar o que isso significa exatamente, pois, como Geoff Nicholson observou, na sua forma atual, a psicogeografia parece ser pouco mais do que "um modo de os jovens inteligentes vagabundearem pelas cidades sem fazer nada, afirmando que estão [...] fazendo algo realmente importante e frequentemente tomando Iain Sinclair como modelo"[17]. No entanto, isso não é, absolutamente, um acontecimento novo, pois já em 1991 o historiador Patrick Wright identificava os efeitos da crescente reputação de Sinclair, comentando que: "Nos últimos anos, o mapeamento apóstata que Sinclair fez da cidade irritou todo um setor"[18]. Na verdade, independentemente da alardeada estupefação de Sinclair com a ubiquidade desse termo, parece que a psicogeografia na sua atual encarnação veio para ficar, pois tão bem-sucedido, tão reconhecível e tão disseminado se tornou o método de Sinclair que ele parece ter inaugurado um gênero inteiramente novo de texto topográfico centrado em Londres que ajudou a desalojar Debord e o situacionismo da situação de ramo oficial da psicogeografia. Alerta como sempre para essa evolução, Sinclair escreve:

> Para mim é um jeito de psicanalisar a psicose do lugar onde eu moro. Só o exploro porque acho que é um jeito legal de escrever sobre Londres. Agora o termo é título de uma coluna de Will Self em que ele parece caminhar

---

[16] Iain Sinclair, *Ghost Milk: Calling Time on the Grand Project*, Londres, Hamish Hamilton, 2011, p. 171, 34.
[17] Geoff Nicholson, op. cit., 2010, p. 49-50.
[18] Patrick Wright, *A Journey Through Ruins: The Last Days of London*, Londres, Radius, 1991, p. 164. Confirmando a observação de Wright, a caminhada de Sinclair pela M25 provocou uma expedição semelhante e igualmente improvável pela M62. Para um registro dessa caminhada, feito em 2007 pelo vigário de Liverpool, John Davies, veja "Walking the M62". Disponível em http://johndavies.typepad.com/walking_the_m62/. A reação do próprio Sinclair a essa caminhada pode ser encontrada em Ghost Milk (Iain Sinclair, op. cit., 2011, p. 311-313).

por South Downs com um cachimbo, o que não tem absolutamente nada a ver com a psicogeografia. Fica uma impressão terrível de que se criou um monstro. De certo modo, eu me permiti tornar-me essa marca londrina. Transformei-me espúrio à minha própria mitologia, o que me fascina. A partir de então se pode aderir a ela ou a subverter[19].

Apesar dos comentários de Sinclair e de outros comentaristas que questionaram a autenticidade de suas credenciais como psicogeógrafo, Will Self certamente escreveu muito e caminhou uma enorme distância em favor dessa disciplina[20]. Ele se referiu a si mesmo como empenhado numa missão "de desenredar a geografia humana e física", uma empreitada que começou no final da década de 1980: "A minha epifania aconteceu em 1988, quando certa vez me vi no centro de Londres com um dia inteiro sem fazer nada". Percebendo que, apesar de ter passado toda a sua vida em Londres, ele nunca havia visto a foz do Tâmisa, Self imediatamente entrou no carro e se dirigiu para lá. "Nem preciso dizer que não era nada como eu havia imaginado", diz ele, e, no entanto, foi a percepção "da força com que essa geografia definida pelo homem ainda domina", exercendo um controle invisível sobre todos os nossos movimentos, que o pôs no caminho que ele seguiu depois[21]. E embora ele possa ter chegado relativamente tarde às borbulhantes fileiras da comunidade psicogeográfica, a sua carreira de caminhante tem raízes bem mais profundas, como ele explica no prefácio da coleção de cenas de caminhadas que Duncan Minshull reuniu em *The Burning Leg* (2010):

> Meu pai me criou para ser caminhante. E quando digo que ele era caminhante, isso significa travessias de Dartmoor que duravam 24 horas com apenas algumas barras de chocolate e uma maçã como sustento [...] Fui levado a prezar o seu legado, que foi o seguinte: todos os pensa-

---

[19] Iain Sinclair em entrevista com Stuart Jeffries, *The Guardian*, 24 abr. 2004. Disponível em: www.classiccafes.co.uk/isinclair.htm.
[20] Geoff Nicholson escreve: "Pode-se afirmar que Will Self chegou um pouco tarde à festa da psicogeografia. Já disseram que ele não é absolutamente psicogeógrafo, o que eu acho uma tolice. Se você quer dar o nome de 'Psicogeografia' à sua coluna no jornal e ao seu livro, então, diabos, você é psicogeógrafo". (op. cit., 2010, p. 117)
[21] Will Self, "On Psychogeography and the Places that Choose You", entrevista com Frank Bures, Worldhum, 17 dez. 2007. Disponível em: http://www.worldhum.com/features/travel-interviews/will_self_on_psychogeography_and_the_places_that_choose_you_20071217/.

mentos revelados em ritmo de caminhada; a constante batida de 4/4 do seu compasso enquanto ele lia a paisagem e depois a interpretava para mim [...] Desde a sua morte, o impulso de caminhar, que eu sempre tive – mas era estorvado pelos grilhões de prazeres mais grosseiros que me prendiam em casa –, tornou-se irresistível. Ele começou de modo muito convencional, com escaladas pitorescas nas colinas escocesas e excursões na costa de Suffolk, mas logo me senti empurrado para um tipo de caminhada diferente: uma busca antirromântica do sublime, não na natureza, mas nas partes da civilização que são terrivelmente ignoradas.

Foi assim que, em todos os verões dos seis anos seguintes, eu saí de casa, em South London, e caminhei por um dos pontos básicos da bússola: norte, depois noroeste, sul, depois sudeste, e assim por diante. Voltei minha atenção para os confins da cidade – observáveis somente a pé – que de trem ou de carro os outros viajantes simplesmente pulam. Encantava-me a visão da curiosa sinuosidade dos rios em meio à terra cultivada – que perdemos quando viajamos por eles – e eu me sentia um rebelde, andando na ponta dos pés ao longo dos caminhos emoldurados por sarças numa paisagem despovoada – quer dizer, até a minha chegada a uma estrada[22].

A reencarnação de Self como pedestre renascido coincidiu com o término da sua encarnação anterior como um proclamado usuário de drogas, um hábito que ele aboliu logo depois da sua demissão do *Observer*, em 1997, por ter sido pego consumindo heroína no banheiro do avião do então primeiro-ministro John Major. O novo hábito de Self se instalou rapidamente, e ele logo passou a fazer jornadas cada vez mais longas,

---

[22] Will Self, *The Burning Leg: Walking Scenes from Classic Fiction*, Londres, Hesperus, 2010, p. vii-ix. Ao revelar a sua obsessão pelos confins desprezados de Londres, Self descreve uma área que absolutamente não é negligenciada como ele acha. Na verdade, nos últimos quarenta anos esses "não lugares" intersticiais vêm crescentemente formando o pano de fundo de uma literatura emergente que tenta levá-los ao escrutínio do público. A principal figura aqui é J. G. Ballard, escritor radicado em Shepperton que se tornou uma espécie de santuário para os caminhantes literários desde a sua morte, em 2009, e que figura em caminhadas feitas por Iain Sinclair, Will Self e Geoff Nicholson. Romances como *Crash* (1973) e *Concrete Island* (1974) tiveram uma enorme influência na demarcação desse perímetro, e, junto com *The Unofficial Countryside* (1973), de Richard Mabey, eles podem ser considerados os textos básicos no estabelecimento da tradição a que Self se refere. Iain Sinclair obviamente vestiu o manto de principal celebrante para esses espaços nos seus registros documentais da cidade, ao passo que, como veremos, Self continuou, e estendeu notavelmente, o âmbito dessas excursões. O acréscimo mais recente a esse cânone é *Edgelands* (2011), de Paul Farley e Michael Symmons Roberts.

como caminhadas de dezesseis ou 32 quilômetros, dando vez a jornadas de até 160 quilômetros[23], pois, como ele explica, esses passeios colossais simplesmente substituíram uma forma de torpor deliberado por outra, concedendo acesso a exatamente o estado de fuga a que Sinclair se refere, no qual os papéis de escritor e caminhante se juntam:

> Evidentemente todas aquelas excursõezinhas a pé eram métodos de legitimação. Perto do final do meu período de dependência de drogas, ocorreu-me que as euforias da cocaína, os torpores da heroína e as psicoses dos alucinógenos eram estados preexistentes de angústia mental que apenas pareciam ser autoinduzidos, e, assim, talvez, controláveis, por causa das drogas. O mesmo se dava com o caminhar, que era um dia de folga de um motorista de ônibus, pois enquanto me arrastava por campos, colinas, atalhos, eu continuava profundamente mergulhado no meu próprio solipsismo – depois voltava para a solidão crônica, deliberada, da vida de escritor. A única diferença real que eu via entre caminhar e escrever era que, envolvido na primeira, a minha digestão chegava a certa [...] regularidade, ao passo que, quando escrevia, eu tinha uma terrível prisão de ventre: um estilita digitando em cima de uma coluna do seu próprio cocô[24].

Entre 2003 e 2008, Self escreveu uma coluna semanal para o *The Independent* chamada "Psychogeography", e uma seleção delas foi publicada como *Psychogeography* (2007), seguida por *Psycho Too* (2008). Ao conceder à psicogeografia esse reconhecimento popular, contudo, a coluna de Self simplesmente reafirmou a distância que esse termo havia percorrido desde o seu surgimento inicial nas publicações independentes de Paris na década de 1950, provocando algum ceticismo em quem tinha uma afeição pelo radicalismo das ideias de Debord. Evidentemente, a coluna de Self, como Sinclair aponta, tem pouca coisa em comum com a prática da psicogeografia em sua concepção original. No entanto, Self revela uma opinião original sobre a ideia da caminhada de longa distância, estendendo maciçamente o âmbito

---

[23] Will Self, "On Psychogeography and the Places that Choose You", *Worldhum*, 17 dez. 2007.
[24] Will Self, "Spurn Head", in *Walking to Hollywood*, Londres, Bloomsbury, 2010, p. 336-337.

dessa atividade por meio do expediente simples, mas revolucionário, de inserir uma viagem de trem, ou mais frequentemente um voo, no itinerário que, do contrário, seria apenas pedestre. Aplicando essa técnica, Self é capaz de transformar um descanso de fim de semana numa epopeia, sem, obviamente, ter de experimentar o desconforto prolongado da versão não abreviada:

> Em Toulouse, caminhei até o hotel, caminhei até o teatro [...], caminhei até o restaurante para jantar, a custo caminhei até a cama, e de manhã fiz tudo ao contrário: um bom passeio de fim de semana, cobrindo mais de 2.200 quilômetros. Minha mulher, cética quanto a essas peregrinações, sempre diz a mesma coisa: "Você vai ficar andando para cima e para baixo no trem?". Ela se recusa a aceitar a musicalidade dos meus passos gigantescos, sua alternância no caminhar rítmico e a *fermata* no assento do trem[25].

O ceticismo da mulher de Self certamente parece legítimo e, ao mesmo tempo, justo com ele, uma vez que suas excursões muitíssimo distribuídas parecem levá-lo a algumas das cidades mais inóspitas para os pedestres. Na verdade, são as suas jornadas para duas cidades – Dubai e Los Angeles –, com um registro anterior de uma caminhada para Nova York, que constituem o tema de seus comentários mais longos. A primeira dessas caminhadas ocorreu em novembro de 2006, quando Self, classificando-se como "viajante deambulatório do tempo", sai para Nova York numa viagem de descoberta feita a pé:

> Resolvi ir a pé até Nova York interessado em escrever sobre a experiência, certamente, mas também com objetivos ao mesmo tempo mais triviais e mais ambiciosos [...] resolvi caminhar até Nova York porque queria explorar. Tinha aqui um verdadeiro Bairro Vazio, e, assim como em outras caminhadas longas que havia feito saindo da minha cidade natal, eu tinha um palpite de que essa seria a primeira vez na era pós-industrial que alguém se arriscava por ele. Na verdade, eu já havia ca-

---

[25] Will Self, "So Long Toulouse", in *Psycho Too*, Londres, Bloomsbury, 2009, p. 166.

minhado do centro de Londres até Heathrow antes, e tomara conhecimento de um aventureiro que caminhara do JFK até Manhattan, mas tinha certeza de que seria a primeira pessoa a fazer todo o percurso apenas com o interlúdio mudo e apático de um lugar na classe turística perturbando o ritmo metronômico constante de duas milhas por hora, que é o das minhas pernas separando-se e casando-se, separando-se e casando-se[26].

Enquanto a excursão-maratona de Self é realizada, pelo menos em parte, como uma incursão no desconhecido, uma tentativa de caminhar onde ninguém jamais caminhou, seus motivadores são múltiplos e o espírito de aventura se une a exigências mais profundas, atendidas com mais dificuldade:

Resolvi ir a pé para Nova York porque tinha assuntos a tratar lá, para explorar e também porque, fazendo isso, esperava suturar uma das feridas da minha psique dividida: costurar juntas a minha pele americana e a inglesa, o corpo da minha mãe e o do meu pai, que foram separados pelo casamento e fendidos pela morte. E talvez até mesmo, num nível maior [...], expiar a impressão de estranha culpabilidade que me perseguira desde o 11 de setembro de 2001 [...] O meu avanço lento, com os membros furando e voltando a furar o tecido da realidade, poderia costurar essa singularidade, esse rasgão no *continuum* de tempo-espaço pelo qual o medievalismo tinha avançado em prolapso?[27]

Muitas motivações estão por trás dos feitos de resistência pedestre esboçados nesse livro, mas certamente nenhuma pode ofuscar a estonteante ambição revelada aqui, visto que Self atribui ao ato de caminhada até agora reservas insuspeitadas de poder temporal e psíquico. Nas páginas que se seguem, contudo, enquanto assistimos ao seu progresso pela cidade, essas esperanças são obscurecidas momentaneamente ou até mesmo se esvaziam por completo, pelas realidades mais momentâneas dos subúrbios do leste de Nova York, pois a paisagem com que Self se

---

[26] Will Self, "Walking to New York", op. cit., 2007, p. 11-13.
[27] Will Self, "Walking to New York", op. cit., 2007, p. 13-14.

defronta na sua caminhada é uma série persistentemente desanimadora de blocos de apartamentos arruinados e calçadas entulhadas de lixo. Um território marginal e disputado em que o ato de caminhar se torna um meio de transporte incongruente e altamente visível. Mas, no final das contas, com o término da caminhada em segurança e a psique inegavelmente curada, Self é capaz de declarar que sua missão foi um sucesso:

> No entanto, caminhar até Nova York tinha dado certo. A caminhada havia feito exatamente o que eu queria que ela fizesse: o Atlântico havia sido subtraído, a plataforma continental fora elevada, e Hayes, em Middlesex, tinha sido cravada, na maior sem-cerimônia, no South Ozone Park.
>
> Não se podia negar que eu havia caminhado continuamente de Stockwell, no sul de Londres, até a Rivington Street, no Lower East Side de Manhattan – pois o meu corpo me dizia que isso tinha acontecido, que ele cobrira quase sessenta quilômetros nos dois dias anteriores. E a consciência do corpo é muito mais vibrante do que a de qualquer mente comum. Corpos como o meu têm caminhado distâncias como essas durante centenas – Isso!, milhares – de milênios. Ao lado desse arrastar-se imemorial, o que podem significar uns poucos anos de rotação propulsionada e voo ruidoso?[28]

Self se classificou como um *flâneur* moderno, mas a jornada que ele registra em *Walking to Hollywood* (2010) destaca as dificuldades muito reais que essa figura enfrenta numa cidade que claramente foi projetada tendo em mente o motorista, e não o pedestre. Do mesmo modo como em geral se supõe – pelo menos no caso dos europeus – que Los Angeles, como tantas outras cidades norte-americanas, apresenta problemas quase incontornáveis para o aspirante a pedestre, as experiências de Self revelam não tanto um ambiente hostil quanto uma situação em que o pedestre é exposto a um número demasiado de opções:

---

[28] Will Self, "Walking to New York", op. cit., 2007, p. 61.

Ao contrário do que se espera, um planejamento urbano em grade força o pedestre a tomar mais decisões que a tradição sinuosa de uma antiga urbanidade mais aleatória. Uma vez que a progressão em diagonal pode ser feita com igual eficiência por qualquer série dada de avanços horizontais e perpendiculares, em cada interseção permanece, de forma irritante, a escolha de duas direções[29].

Se a observação de Self estiver certa, cidades como Nova York e Los Angeles são, pela própria natureza, resistentes à caminhada, sendo intrinsecamente avessas arquitetonicamente ao pedestre ou pelo menos ao pedestre *sem objetivo*. Ao passo que a facilidade de compreensão do padrão dessas cidades pode muito bem contribuir para a boa velocidade do trânsito dos que caminham com uma razão claramente definida, é essa mesma simplicidade que, de alguma forma, repele o deslocamento digressivo e serpeante da deriva, forçando o aspirante a *flâneur* a fazer escolhas, tomar decisões, mapear um trajeto em vez de deixar que a cidade o guie. Resumindo, é exatamente ao ajudar o caminhante a encontrar seu caminho que esse planejamento das ruas lhe nega a possibilidade de se perder, e talvez seja por essa razão que a disposição mais antiga e mais labiríntica de cidades como Paris e Londres se revelou historicamente mais propícia ao passeio a esmo.

*Walking to Hollywood* não é um relato documental da viagem de Self. Mais exatamente, o livro cria a base de um tipo de autobiografia ficcional, uma viagem alucinatória em que a caminhada do autor se anula numa estranha exploração de identidade e celebridade, em que todos os personagens do livro – inclusive Self – são "interpretados" por atores de Hollywood. Desse modo, a viagem se torna tema menos de um livro do que de um filme, apesar de ser uma versão sem cortes rodada numa única tomada:

---

[29] Will Self, *Walking to Hollywood*, p. 177. Em outro texto, contudo, Self oferece uma explicação alternativa, ou melhor, mais uma explicação: "As pessoas sempre dizem que você não pode caminhar nas cidades norte-americanas, dando a entender que as próprias calçadas se enroscam diante dos nossos pés ou que o tráfego nos extermina. Mas não é isso: sou forçado a concluir que ninguém caminha pelo leste de Nova York porque isso é muito chato". ("Walking to New York", op. cit., 2007, p. 54.)

> Caminhar é muito mais lento do que um filme – especialmente os filmes contemporâneos de Hollywood, com sua gaguejante gramática de filmagem em tomadas que duram uma fração de segundo –, e não há *frame*: quando caminhamos, flutuamos vendo o mundo num aquário. Não pode haver edição: não há transições graduais de uma imagem para outra, não há cortes, não há divisão de tela e – o que é melhor – não há efeitos especiais, não há reproduções do mundo retocadas no computador[30].

Ao contrário de *Walking to Hollywood*, com seu tom de intensidade surreal, a caminhada de Self para Dubai é realizada com um espírito bem mais meditativo. Começa na casa de J. G. Ballard, em Shepperton, e foi escrita logo antes da morte do romancista, em 2009. Talvez por isso a caminhada seja obscurecida pela presença do próprio Ballard, uma figura cuja obra antecipa e celebra o parque de diversões bizarro e hiper-real explorado na caminhada de Self, pois o destino final do artigo "Walking to the World", de Self, é o próprio "The World", um arquipélago de trezentas ilhotas artificiais que formam uma península "exclusiva" ao largo da costa de Dubai.

Se em Los Angeles as escolhas de Self foram excessivas, Dubai parece oferecer ao pedestre pouquíssimas ou talvez nenhuma alternativa. Ele não demora a descobrir que caminhar na cidade é visto principalmente como "uma atividade de lazer inseparável das oportunidades de compras", sendo como tal realizada dentro do esplendor climatizado do *shopping center*[31]. Para quem é destemido a ponto de caminhar em outro lugar, contudo, um destino diferente está à espera: o da invisibilidade, pois, embora Self transite de modo absurdamente incongruente nas vias expressas e nos intermináveis locais de construção, sua excursão não autorizada é recebida com total desprezo: "Vi muitos pedestres na minha caminhada para The World", escreve ele, "mas, sem exceção, todos eles tinham pele escura ou negra"[32]. Como alguém de pele branca, Self recebe um status que aparentemente lhe permite caminhar sem ser

---
[30] Ibidem, p. 124-125.
[31] Will Self, "Walking to the World", op. cit., 2009, p. 27.
[32] Ibidem, p. 34-35.

molestado nem interrogado, na verdade um espectador invisível numa paisagem de pessoas de classe visivelmente baixa. Self completa o que, por vezes, é uma jornada árdua e volta para casa, mas durante toda a caminhada parece preocupado com o objetivo fundamental dessa excursão. Pode-se efetivamente dizer que uma caminhada como essa oferece uma percepção da paisagem negada a outros modos de viagem? Além do simples fato de ter alcançado o destino previsto, como se pode considerar que uma caminhada desse tipo foi um sucesso? Antecipando essas perguntas, ele parece desafiar os próprios princípios sobre os quais caminhadas como a sua parecem depender, pois a menos que o "método" empregado por ele possa gerar algum tipo de significado, por que ele está ali, afinal de contas, pergunta-se Self?

> Eu me xinguei de idiota, arrastando-me pela calçada, passando por abrigos de ônibus climatizados. Dessa vez a caminhada para o aeroporto não tinha dado certo. Em viagens anteriores – de casa para Nova York, Los Angeles e até Zurique – a mediação da distância apenas pelas pernas, com a única interrupção enfadonha num assento de avião, havia puxado as massas de terra até elas ficarem próximas da compressão: parecia que eu tinha caminhado o tempo todo [...] Ocorreu-me a ideia de que devia ter sido pelo fato de eu ter caminhado desde a casa de Jim Ballard, em Shepperton, e não desde a minha, que a meta espacial desejada não tinha sido atingida [...] na verdade, eu estava cansado, indisposto, e comecei a duvidar da validade da minha busca: que sentido há nessas perambulações? Elas não me disseram nada que eu já não soubesse, ou, melhor, o meu método impôs sobre os dados brutos da experiência uma narrativa pré-fabricada: em todo lugar tudo era igual; todo mundo era forçado a seguir a mesma estrada/ferrovia/rota de voo, eu era o único a ter escapado da matriz homem/máquina para perambular, descalço, pela faixa do meio.

> Mas não era verdade que eu era muito determinado? Além disso, abstendo-me do transporte terrestre, a visão que tive das terras estrangeiras ficou bastante circunscrita, e ao mesmo tempo as minhas ambicio-

sas quilometragens implicavam a indisponibilidade de tempo para parar e contemplar [...] Em vez disso, imprimindo a máxima velocidade no meu motor ambulatório, eu me sentei no compartimento quente e flexível do meu esqueleto, louco de frustração, olhando para fora pelo para-brisa dos meus próprios olhos[33].

O relato de Self sobre as suas caminhadas, seja por Nova York, Los Angeles ou Dubai, sempre se ajusta a um padrão semelhante, não somente quanto à estrutura como também quanto à disposição de espírito: o entusiasmo da partida gradualmente cede lugar a um tom mais questionador à medida que o cansaço se instala e o objetivo da caminhada se torna menos claro. Isso, sem dúvida, é apenas uma resposta natural às exigências físicas da cobertura de distâncias tão grandes, mas, no caso de Self, a caminhada em Dubai, em que ele experimenta a bizarra epifania automotiva delineada anteriormente, parece ter sido uma caminhada que foi longe demais, e assinala o fim da série de excursões de longo percurso que ele vinha realizando nos anos anteriores. Então, Self conclui:

> Mas a necessidade de sentir que nossas peregrinações têm um objetivo precisa ser parte do nosso problema? Por outras palavras: não deveríamos simplesmente aceitar que estamos apenas saindo para uma caminhada?[34]

É essa questão de qual significado, se é que há algum, deveríamos atribuir ao ato de caminhar, que foi respondida, se não vivida, por um amigo e durante algum tempo companheiro de caminhada de Self, cuja própria jornada pelos limites externos de Londres fornece um equivalente nacional, mas não menos notável, dos feitos de pedestrianismo internacional logrados por Self.

Publicado pela primeira vez em 1925, um ano depois do livro *The London Adventure*, de Machen, *The London Perambulator*, de James Bone, é também um livro inclassificável, escrito num estilo onírico que revela um pouco do encanto de Machen com a natureza espiritual da cidade. Bone era correspondente do *Manchester Guardian* em Londres, e

---
[33] Ibidem, p. 37-38.
[34] Self em discussão com Geoff Nicholson. Disponível em: http://joysofpedestrianism.blogspot.com/.

em sua coluna usava o pseudônimo "The London Perambulator". Hoje, no entanto, o título de Bone ressuscitou, desta vez como o nome de um documentário que explora a obra de outro memorialista da periferia de Londres, o autoproclamado "topógrafo profundo" Nick Papadimitriou. "Eu sempre andei muito", lembra Papadimitriou. "Quando criança em Finchley, no condado de Middlesex, caminhar era o que eu fazia para conhecer o meu mundo"[35]. Nascido em 1958, nos últimos vinte anos, Papadimitriou vem realizando, numa situação de quase inabalável obscuridade, um exaustivo e minucioso exame topográfico do norte de Londres e de Middlesex, o que o alçou, um tanto tardiamente, à categoria de psicogeógrafo *par excellence*. Abandonando esse termo, contudo, para dar preferência ao que é, pelo menos por enquanto, o rótulo menos banal de "topógrafo profundo", Papadimitriou é hoje uma figura respeitada. Na verdade, Iain Sinclair, em sua recente apresentação de *The Unofficial Countryside*, de Richard Mabey, refere-se a ele como "o herdeiro mais escondido" de uma genealogia que se estende no passado para incluir luminares como Cobbert e Defoe; "um invisível sólido, que pisa e assombra o terreno familiar de Mabey, o vale do Colne: o corredor entre Watford e Heathrow, com seus canais, reservatórios e fazendas irrigadas com esgoto"[36]. Papadimitriou foi também um companheiro habitual de Will Self em suas jornadas psicogeográficas, inclusive na sua "caminhada" até Nova York, quando eles estiveram juntos na etapa no exterior, levando Self a se referir ao amigo como "um compêndio ambulante de fatos, opiniões e suposições: um grande Nilo de verbosidade, que muda totalmente de cor quando é desviado para se misturar ao meu próprio afluente de pensamento"[37]. No entanto, um pouco antes, no mesmo relato, Self expõe a posição de Papadimitriou no que ele chama, com algum desprezo, de "fraternidade psicogeográfica":

> Outros, como o meu amigo Nick Papadimitriou, buscam o que ele prefere chamar de "topografia profunda": exames minuciosamente detalhados, de múltiplos

---

[35] Nick Papadimitriou, in John Rogers (dir.), *The London Perambulator*, Londres, Vanity Projects, 2009.
[36] Iain Sinclair, "Introduction", in Richard Mabey, *The Unofficial Countryside* (1973), Dorset: Little Toller Books, 2010, 7-13, p. 11. Sinclair manifestou grande entusiasmo pelo termo "topografia profunda", afirmando que ele é fruto de uma tradição caracteristicamente prática do naturalismo inglês, por oposição ao que considera a tradição mais conceitual e predominantemente europeia da qual surgiu a psicogeografia (John Rogers, op. cit., 2009).
[37] Will Self, "Walking to New York", op. cit., 2007, p. 35.

níveis, feitos em locais selecionados que impressionam o microscópico olho interno do próprio escritor. Ele produz *slides*, nos quais estão fixados ecologia, história, poesia, sociologia. Nick mostra que a maior parte da fraternidade psicogeográfica [...] é constituída apenas por historiadores locais com um problema de atitude. Na verdade, os reais historiadores locais, os profissionais, veem-nos como insuportavelmente falsos e em viagem para nós mesmos – se é que há algum destino[38].

Obviamente, determinar com precisão o que significa topografia profunda e tentar diferenciá-la de outras formas de atividade topográfica revelou-se algo difícil de se fazer, especialmente porque Papadimitriou publicou muito pouca coisa sobre o assunto (embora seu relato *Scarp*, cujo nome provém da quase desconhecida Escarpa Terciária do Norte de Middlesex, estivesse com publicação prevista para 2012)[39]. Entretanto, numa conversa com John Rogers, diretor do *The London Perambulator*, Papadimitriou tentou esclarecer a sua posição:

> O que vem a ser a topografia profunda? Não é um programa. É um reconhecimento da magnitude da reação a uma paisagem. Algo que eu não vejo na maioria dos relatos que leio sobre paisagens. Acho que há dois modos de fazer descrições de paisagem. O primeiro põe no centro a pessoa que está passando pela experiência, e que sempre parece um pouco narcisista: "Eu reajo a isso", "Eu descobri isso". Trata-se mais da própria pessoa do que da paisagem. O outro modo tende a ser voltado para a ecologia ou para o turismo, um dos dois. Assim, ou há uma tentativa de colocar a paisagem dentro de uma moldura da filosofia verde reinante, ou então se segue o outro modo, que é simplesmente se tornar turístico: "O campo é mesmo lindo em abril". Esse tipo de coisa[40].

---

[38] Ibidem, p. 11-12.
[39] Muitas das colaborações de Papadimitriou com o cineasta John Rogers podem ser acessadas *on-line*. De particular interesse é uma série de conversas gravadas para a Resonance FM em 2009, intitulada *Ventures and Adventures in Topography*, na qual suas discussões sobre caminhadas empreendidas em e em torno de Londres são intercaladas a extratos de registros da região feitos no início do século XX. Disponível em: http://venturesintopography.wordpress.com/podcasts/.
[40] Nick Papadimitriou em conversa com John Rogers. Em *The London Perambulator* (op. cit., 2009), Papadimitriou responde assim à pergunta "O que é topografia profunda?": "Ela trata de um equilíbrio muito, muito perigoso entre descobrir o negligenciado e mostrá-lo às outras pessoas que têm um olho para o negligenciado

"Bedfont Court Estate", a contribuição de Papadimitriou para a antologia de Iain Sinclair, *London: City of Disappearances* (2009), oferece uma demonstração sucinta da topografia profunda em ação. Mesmo começando no estilo do historiador local, embora seja um historiador cuja localidade escolhida, na extremidade da cidade, quase lhe garanta proeminência no seu campo, o meticuloso relato de Papadimitriou sobre uma paisagem que nada tinha de promissora, com instalações de irrigação com esgoto abandonadas e policiamento intenso na cerca perimetral, consegue, contra todas as probabilidades, transmitir uma impressão mágica:

> Durante todo o verão, atraído pela energia bruta, permanente, dos jatos, voltei obsessivamente para o aeroporto Heathrow e suas imediações. Estava fascinado pelos prédios achatados das companhias de serviços públicos das décadas de 1940 e 1950, mas o que mais me atraía era uma zona não mapeada, para além da Western Perimeter Road do aeroporto [...] Eu pegava a câmera e meus manuais de reconhecimento de plantas e saía com o olho atento para casas vazias e caçambas na beira da estrada. Passei anos criando um arquivo de materiais – documentos e fotos antigos, objetos familiares –, registrando vestígios de vidas vividas no antigo condado de Middlesex. Salvar as cartas, diários e guias do lugar encontráveis nessas cápsulas do tempo não oficiais era um dos prazeres das minhas caminhadas[41].

Assim como Will Self, a carreira de caminhante de Papadimitriou tinha coincidido com uma prolongada luta contra a dependência química, ambas frequentemente ao mesmo tempo e avançando na explicação, se não na atribuição de responsabilidade, pela intensidade da sua percepção. Num raio a partir da sua casa em Child's Hill, North London, a odisseia de Papadimitriou em Middlesex resultou na criação de um amplo arquivo de objetos encontrados: livros, jornais e lembranças variadas das suas jornadas, que revelam, em miniatura, a história comprimida da

---

sem transformar o negligenciado em algo que é contemplado [...] como pessoas que olham através das barras da jaula de um macaco enquanto ele brinca com o pênis ou com o traseiro. O que provavelmente é uma descrição muito boa do que eu e Sinclair fazemos".

[41] Nick Papadimitriou, "Bedfont Court Estate", in Iain Sinclair (org.), *London: City of Disappearances*, Londres, Hamish Hamilton, 2006, p. 612.

paisagem local que ele escolheu. Papadimitriou estabelece o início da sua obsessão de pedestre em julho de 1989, quando ele fez o que chama de sua primeira caminhada "consciente", uma viagem entre Amersham e Rickmansworth[42]. Desde então, ele esteve rastreando essa paisagem invisível, tentando recuperar a história perdida de um lugar que parece estar imune aos imperativos culturais e temporais que governam o centro. Aqui, em meio a essa zona limítrofe, suas escavações topográficas revelaram uma profundidade dupla, com a descida vertical pelo passado, gerando uma reação emocional ao lugar igualmente profunda:

> Atrás das casas, por uma terra com abundância de cardos e bardana, uma frágil cerca de arame marcava a parte inferior dos montes de cascalho. Era difícil afastar a impressão de que algo desastroso acontecera ali. Era como se tivesse ocorrido uma grande contaminação do local, um Chernobyl não divulgado que teria evacuado da área todos os seus habitantes. As lembranças das pessoas tinham sido substituídas pelo borrão que se via do carro passando em alta velocidade pelo novo terminal.

> Mas o significado especial não surgia das relíquias abandonadas pelos usuários anteriores: as cercas quebradas ocultas pela vegetação, um carro destruído estacionado num pátio, os arbustos agonizantes. Havia uma multiplicidade nodosa, camadas de associações culturais, evidente nas grandes pinceladas do lugar[43].

"A minha ambição", diz Papadimitriou, "é ter essa região na minha mente. De tal modo que eu seja a região. De tal modo que, quando morrer, eu literalmente me vá de algum modo me tornar Middlesex. Para mim, essa é a minha mais alta aspiração espiritual"[44]. É uma aspiração

---

[42] De acordo com Papadimitriou, a sua carreira como escritor também se originou no ato de caminhar. Não, contudo, como se pode esperar: como consequência de ter utilizado o ato de caminhar pelo seu potencial criativo; mas de modo bem mais direto, como resultado de se ter deparado com uma caderneta caída na rua durante uma caminhada de três dias ao norte de St Albans. Assim, se é possível dizer que a sua carreira se originou, literalmente, na rua, assim também Papadimitriou está igualmente desejoso de que no devido tempo sua obra volte para lá: "Eu gostaria que, em quarenta anos, a minha obra fosse encontrada numa caçamba em Southgate ou outro lugar qualquer". (Rogers, op. cit., 2009.)
[43] Nick Papadimitriou, op. cit., 2006, p. 615.
[44] John Rogers, op cit., 2009.

que faz de Papadimitriou a figura natural para concluir esse registro, pois essa obsessão com paisagens perdidas, sua clareza ao registrá-las e, obviamente, sua determinação de empreender o trabalho de campo necessário, tudo isso confirma a sua posição dentro da tradição íntegra de escritores-caminhantes visionários que povoaram os capítulos anteriores. Pois ao registrar essa "multiplicidade nodosa" de lugar e a magnitude da sua reação a ela, Papadimitriou elevou o ato de caminhar a algo muito além do lugar-comum. Aqui, novamente, caminhar revelou-se capaz de inspirar não somente um ato de recordação, mas de iniciação, naqueles que sabem como olhar, um meio de ler a paisagem de uma forma nova, expondo uma visão do nosso ambiente local em absoluto desacordo com a versão aceita ou oferecida.

# Bibliografia

No longo passeio pela literatura e a história da caminhada há muitos marcos: a partir do final do século XIX, encontram-se títulos como os de Alfred Barron, *Foot Notes, or, Walking as a Fine Art* (1875) e Arnold Haultain, *Of Walks and Walking Tours: An Attempt to Find a Philosophy and a Creed* (1914). No entanto, a primeira visão geral do tema – e um indiscutível clássico por direito próprio – é de Morris Marples, *Shanks's Pony* (1959). Seguindo de perto as pegadas de Marples, o livro *Walkers* (1986), de Miles Jebbs, cobre um território semelhante, ao passo que recentemente houve algumas das principais contribuições para o tema, entre elas, Rebecca Solnit, *Wanderlust: A History of Walking* (1999); Joseph A. Amato, *On Foot: A History of Walking* (2004); e Geoff Nicholson, *The Lost Art of Walking: The History, Science, Philosophy and Literature, Theory and Practice of Pedestrianism* (2010) se revelaram particularmente valiosos na pesquisa desse assunto.

A palavra final, no entanto, deve ficar com Francesco Careri, *Walkscapes: Walking as an Aesthetic Practice* (2002), uma brilhante análise da função estética do caminhar, desde as suas mais antigas fontes bíblicas até os movimentos de vanguarda do século XX.

Além das histórias delineadas acima, há também algumas antologias que reúnem os melhores exemplos da grande quantidade de artigos, poemas e romances inspirados pela caminhada. Entre eles, a melhor seleção se encontra em *The Pleasures of Walking*, organizada por Edwin Valentine Mitchell (1934). Mais recentemente, Duncan Minshull organizou outras duas coleções, *The Vintage Book of Walking* (2000) e *The Burning Leg: Walking Scenes from Classic Fiction* (2010).

É preciso mencionar também Bruce Chatwin, *The Songlines* (1987), que contém uma ampla seleção de citações e observações sobre o tema da caminhada e do nomadismo, colhidas nas suas cadernetas.

ACKROYD, Peter, *Dickens*, Londres, Sinclair-Stevenson, 1990.

_____. *Blake*, Londres, Sinclair-Stevenson, 1995.

_____. *Poe: A Life Cut Short*, Londres, Chatto & Windus, 2008.

AMATO, Joseph A., *On Foot: A History of Walking*, Nova York, New York University Press, 2004.

ANDREOTTI, Libero; COSTA, Xavier (orgs.), *Theory of the Dérive and Other Situationist Writings on the City*, Barcelona, Museu d'Art Contemporani, 1996.

ANTONY, Rachael; HENRY, Joel (orgs.), *The Lonely Planet Guide to Experimental Travel*, Londres, Lonely Planet Publications, 2005.

ARAGON, Louis, *Paris Peasant*, Simon Watson-Taylor (trad.), Cambridge, Massachusetts, Exact Change, 1995.

AUSTER, Paul, *City of Glass*, Los Angeles, Califórnia: Sun & Moon Press, 1985.

AVERY, George C, *Inquiry and Testament: A Study of the Novels and Short Prose of Robert Walser*, Filadélfia, University of Pennsylvania Press, 1968.

BAKER, Phil, "Secret City: Psychogeography and the End of London", in *London from Punk to Blair*, Joe Kerr; Andrew Gibson (orgs.), Londres, Reaktion, 2003.

BARRELL, John, *The Idea of Landscape and the Sense of Place 1730-1840: An Approach to the Poetry of John Clare*, Cambridge, Cambridge University Press, 1972.

BARRON, Alfred, *Foot Notes, or, Walking as a Fine Art*, Wallingford, Connecticut, Wallingford Printing Company, 1875.

BARTA, Peter I, *Bely, Joyce, and Döblin: Peripatetics in the City Novel*, Gainesville, Flórida, University Press of Florida, 1996.

BATE, Jonathan, *John Clare: A Biography*, Londres, Picador, 2003.

BAUDELAIRE, Charles, *Intimate Journals*, Christopher Isherwood (trad.), Londres, Picador, 1990.

_____. *The Painter of Modern Life & Other Essays*, Johathan Mayne (org. e trad.), Londres, Phaidon, 1995.

BAUMAN, Zygmunt, "*Desert Spectacular*", in *The Flâneur*, Keith Tester (org.), Londres, Routledge, 1994.

BELLOC, Hilaire, *The Path to Rome*, Londres, George Allen, 1902.

_____. "The Idea of Pilgrimage", in *Hills and the Sea*, Londres, Methuen, 1906.

BENJAMIN, Walter, *Charles Baudelaire: A Lyric Poet in the Era of High Capitalism*, Harry Zohn (trad.), Londres, New Left Books, 1973.

_____. *One-Way street and Other Writings*, K. Shorter e E. Jephcott, Londres (trad.), Verso, 1979.

_____. *Reflections: Essays, Aphorisms, Autobiographical Writings*, Peter Demetz (org.), Nova York, Schocken, 1986.

BLAKE, William, *The Complete Poems*, Alicia Ostriker (org.), Londres, Penguin, 2004.

BLANCHARD, Marc Eli, *In Search of the City: Engels, Baudelaire, Rimbaud*, Saratoga, Califórnia, Stanford University, Dept. de Francês e Italiano, 1985.

BONE, James, *The London Perambulator*, Londres, Jonathan Cape, 1925.

BOSELEY, Mark, *Walking in the Creative Life of John Cowper Powys: The Triumph of the Peripatetic Mode*, Västeras, Suécia, Mälardalens Högskola, 2001.

BRADBURY, Ray, "The Pedestrian", in *The Golden Apples of the Sun*, Londres, Hart-Davis, 1953.

BRANT, Clare, e WHYMAN, Susan E., orgs., *Walking the Streets of Eithteenth Century London: John Gay's Trivia (1716)*, Oxford, Oxford University Press, 2007.

BRETON, André, *Manifestoes of Surrealism*, Richard Seaver e Helen Lane (trad.), Ann Arbor, Michigan, University of Michigan, 1972.

_____. *Nadja*, Mark Polizzotti (org.), Richard Howard (trad.), Londres, Penguin, 1999.

BRIGGS, Julia, *Virginia Woolf: An Inner Life*, Londres, Penguin, 2005.

BUCK-MORSS, Susan, *The Dialectics of Seeing: Walter Benjamin and the Arcades Project*, Cambridge, Massachusetts, MIT Press, 1991.

BUNYAN, John, *The Pilgrim's Progress*, Roger Sharrock (org.), Harmondsworth, Penguin, 1965.

CAPPELORN, Niels Jorgen; GARFF, Joakim & Kondrup, Johnny (orgs.), *Written Images: Soren Kierkegaard's Journals, Notebooks, Booklets, Sheets*,

*Scraps, and Slips of Paper*, Bruce H. Kirmmse (trad.), Princeton, Nova Jersey, Princeton University Press, 2003.

CARERI, Francesco, *Walkscapes: Walking as an Aesthetic Practice*, Barcelona, Editorial Gustavo Gili, 2002.

CHATWIN, Bruce, *The Songlines*, Londres, Viking, 1987.

_____. "Werner Herzog in Ghana", in *What Am I Doing Here?*, Londres, Jonathan Cape, 1989.

CHESTERTON, G. K., *Charles Dickens*, Londres, Wordsworth Editions, 2007.

CLARE, John, *The Journal, Essays, The Journey from Essex*, Anne Tibble (org.), Manchester, Carcanet New Press, 1980.

_____. *John Clare: Everyman's Poetry*, RKR Thornton (org.), Londres, Phoenix, 1997.

_____. *Major Works*, Eric Robinson, David Powell e Tom Paulin (orgs.), Oxford, Oxford University Press, 2004.

COVERLEY, Merlin, *Psychogeography*, Harpenden, Pocket Essentials, 2006.

Dante Alighieri, *The Portable Dante*, Paolo Milano (org.), Harmondsworth, Penguin, 1977.

_____. *The Divine Comedy: Purgatory*, Dorothy L. Sayers (trad.), Londres, Penguin, 2004.

_____. *The Divine Comedy*, David H. Higgins (org.), C. H. Sisson (trad.), Oxford, Oxford World's Classics, 2008.

DAVIES, W. H., *The Autobiography of a Super-Tramp*, Oxford, Oxford University Press, 1980.

DEBORD, Guy, *Society of the Spectacle*, Ken Knabb (trad.), Londres, Rebel Press, 1992.

DE BOTTON, Alain, *The Art of Travel*, Londres, Hamish Hamilton, 2002.

DE CERTEAU, Michel, *The Practice of Everyday Life*, Steven Rendall (trad.), Berkeley, Califórnia, University of California Press, 2002.

DE MAISTRE, Xavier, *A Journey Around my Room*, Andrew Brown (org. e trad.), prefácio de Alain de Botton, Londres, Hesperus, 2004.

DE QUINCEY, Thomas, *Recollections of the Lake Poets*, David Wright (org.), Harmondsworth, Penguin, 1970.

*Confessions of an English Opium Eater and Other Writings*, Barry Milligan (org.), Londres, Penguin, 2003.

"Walking Stewart" (1823). Disponível em: http://www.readbookonline.net/readOnLine/47766/

DEXTER. Gary, *Poisoned Pens: Literary Invective from Amis to Zola*, Londres, Frances Lincoln, 2009.

DICKENS, Charles, *The Old Curiosity Shop: A Tale*, Norman Page (org.), Londres, Penguin, 2000.

_____. *Martin Chuzzlewit*, Patricia Ingham (org.), Londres, Penguin, 2004.

_____. *The Uncommercial Traveller*, Stroud, Nonsuch Publishing, 2007.

DUN, Aidan Andrew, *Rimbaud: Psychogeographer*, Londres, Bookchase, 2006.

ESPEDAL, Tomas, *Tramp: Or the Art of Living a Poetic Life*, James Anderson (trad.), Londres, Seagull Books, 2010.

FARLEY, Paul, e Roberts, Michael Symmons, *Edgelands: Journeys into England's True Wilderness*, Londres, Jonathan Cape, 2011.

FERRIS, Joshua, *The Unnamed*, Londres, Viking, 2010.

FORD, Ford Madox, *The Soul of London*, Londres, Phoenix Press, 1995.

GILBERT, Roger, *Walks in the World: Representation and Experience in Modern American Poetry*, Princeton, Nova Jersey, Princeton University Press, 1991.

GLEBER, Anke, The *Art of Taking a Walk: Flanerie, Literature, and Film in Weimar Culture*, Princeton, Nova Jersey, Princeton University Press, 1999.

GRAHAM, Stephen (org.), *The Tramp's Anthology*, Londres, Peter Davies, 1928.

GRAY, Timothy, *Urban Pastoral: Natural Currents in the New York School*, Iowa City, Iowa, University of Iowa Press, 2010.

GRAYEFF, Felix, *Aristotle and his School*, Londres, Duckworth, 1974.

GROHMANN, Alexis; WELLS, Caragh, *Digressions in European Literature: From Cervantes to Sebald*, Basingstoke, Palgrave Macmillan, 2011.

Hacking, Ian, *Mad Travelers: Reflections on the Reality of Transient Mental Illness*, Charlottesville, Virginia, University of Virginia Press, 1998.

HAMPSON, Robert; MONTGOMERY, Will (eds.), *Frank O'Hara Now: New Essays on the New York Poet*, Liverpool, Liverpool University Press, 2010.

HARMAN, Claire, *Robert Louis Stevenson: A Biography*, Londres, HarperCollins, 2005.

HARMAN, Mark (org.), *Robert Walser Rediscovered: Stories, Fairy-Tale Plays, and Critical Responses*, Hanover, Nova Inglaterra, University Press of New England, 1985.

HAULTAIN, Arnold, *Of Walks and Walking Tours: An Attempt to Find a Philosophy and a Creed*, Londres, T Werner Laurie Ltd, 1914.

HAYES, Kevin J., *Edgar Allan Poe*, Londres, Reaktion, 2009.

HAZLITT, William, "On Going a Journey", in *Selected Essays*, George Sampson (org.), Cambridge, Cambridge University Press, 1917.

HERZOG, Werner, "Minnesota Declaration" (1999). Disponível em: http://www.wernerherzog.com/52.html.

_____. *Herzog on Herzog*, Paul Cronin (org.), Londres, Faber, 2002.

_____. *Of Walking in Ice: Munich-Paris 23 November-14 December 1974*, Marje Herzog e Alan Greenberg (trad.), Nova York, Free Association, 2007.

HOLLOWAY, Julia Bolton, *The Pilgrim and the Book: A Study of Dante, Langland and Chaucer*, Nova York, Peter Lang, 1992.

HOLMES, Richard, *Footsteps: Adventures of a Romantic Biographer*, Londres, Vintage, 1985.

_____. *The Age of Wonder: How the Romantic Generation Discovered the Beauty and Terror of Science*, Londres, HarperPress, 2008.

HOME, Stewart, *The Assault on Culture: Utopian Currents from Lettrisme to Class War*, Edimburgo, AK Press, 1991.

HOOPER, Barbara, *Time to Stand and Stare: A Life of W. H. Davies, Poet & Super-Tramp*, Londres, Peter Owen, 2004.

HOU JE BEK, Wilfried, "Pedestrian Culture Through the Ages" (2002). Disponível em: http://www.scenewash.org/lobbies/chainthinker/situationist/debord/reviews/walking.html.

HUIZINGA, Johan, *Homo Ludens: A Study of the Play Element in Culture*, R. F. C. Hull (trad.), Boston, Massachusetts, Beacon Press, 1955.

HUYSMANS, Joris-Karl, *Against Nature*, Nicholas White (org.), Margaret Mauldon (trad.), Oxford, Oxford University Press, 1998.

INGOLD, Tim, *Lines: A Brief History*, Londres, Routledge, 2007.

_____. *Being Alive: Essays on Movement, Knowledge and Description*, Londres, Routledge, 2011.

INGOLD, Tim; VERGUNST, Jo Lee (orgs.), *Ways of Walking: Ethnography and Practice on Foot*, Surrey, Ashgate Publishing, 2008.

JARVIS, Robin, *Romantic Writing and Pedestrian Travel*, Basingstoke, Macmillan, 1997.

JEBB, Miles, *Walkers*, Londres, Constable, 1986.

JOHNSON, Barbara A., *Reading Piers Plowman and The Pilgrim's Progress: Reception and the Protestant Reader*, Carbondale, Illinois, Southern Illinois University Press, 1992.

KEROUAC, Jack, *Rimbaud*, São Francisco, Califórnia, City Lights Books, 1960.

KIERKEGAARD, Søren, *The Journals of Kierkegaard: 1834-1854*, Alexander Dru (org. e trad.), Londres, Fontana, 1958.

KNABB, Ken (org.), *Situationist International Anthology*, Berkeley, Califórnia, Bureau of Public Secrets, 1981.

LACHMAN, Gary, *The Dedalus Book of the Occult: A Dark Muse*, Sawtry, Dedalus, 2003.

LANDRY, Donna, *The Invention of the Countryside: Hunting, Walking and Ecology in English Literature 1671-1831*, Basingstoke, Palgrave, 2001.

_____. "Radical Walking" (2001). Disponível em: www.opendemocracy.net/ecology-climate_change_debate/article_465.jsp

LANGAN, Celeste, *Romantic Vagrancy: Wordsworth and the Simulation of Freedom*, Cambridge, Cambridge University Press, 1995.

LANGLAND, William, *Piers Plowman*, A. V. C. Schmidt (org. e trad.), Oxford, Oxford University Press, 1992.

LEE, Hermione, *Virginia Woolf*, Londres, Chatto & Windus, 1996.

LINDOP, Grevel, *The Opium-Eater: A Life of Thomas De Quincey*, Londres, J. M. Dent, 1981.

LOPATE, Phillip, "On the Aesthetics of Urban Walking and Writing" (2004). Disponível em: http://mrbellersneighborhood.com/2004/03/on-the-aesthetics-of-urban-walking-and-writing

MABEY, Richard, *The Unofficial Countryside*, apresentação de Iain Sinclair, Dorset, Little Toller Books, 2010.

MACFARLANE, Robert, *The Wild Places*, Londres, Granta, 2007.

MACHEN, Arthur, *Things Near and Far*, Londres, Martin Seeker, 1923.

_____. *The London Adventure, or, the Art of Wandering*, Londres, Martin Seeker, 1924.

_____. *Tales of Horror and the Supernatural*, Philip van Doren Stern (org.), Londres, Richards Press, 1949.

_____. *The Collected Arthur Machen*, Christopher Palmer (org.), Londres, Duckworth, 1988.

_____. *The Secret of the Sangraal & Other Writings*, Leyburn, Tartarus Press, 2007.

_____. *N*, Leyburn, Tartarus Press, 2010.

MANDELSTAM, Osip, "Conversation about Dante", in *The Selectec Poems of Osip Mandelstam*, Clarence Brown e W. S. Merwin (trad.), Nova York, New York Review of Books, 2004.

MARCUS, Greil, *Lipstick Traces: The Secret History of the Twentieth Century*, Londres, Seeker & Warburg, 1990.

MARPLES, Morris, *Shanks's Pony: A Study of Walking*, Londres, Dent, 1959.

McDONOUGH, Tom (org.), *Guy Debord and the Situationist International: Texts and Documents*, Cambridge, Massachusetts, MIT Press, 2002.

MERRIFIELD, Andy, *Guy Debord*, Londres, Reaktion, 2005.

MILLER, Sally M.; MORRISON, Daryl, *John Muir: Family, Friends and Adventure*, University of New Mexico Press, 2005.

MILTON, John, *Paradise Lost*, John Leonard (org.), Londres, Penguin, 2003.

MINSHULL, Duncan (org.), *The Vintage Book of Walking*, Londres, Vintage, 2000.

_____. (ed.), *The Burning Leg: Walking Scenes from Classic Fiction*, Londres, Hesperus, 2010.

MITCHELL, Edwin Valentine (org.), *The Pleasures of Walking*, Bourne End, Bucks, Spurbooks, 1975.

MOCK, Roberta (org.), *Walking, Writing & Performance*, Bristol, Intellect Books, 2009.

MUIR, John, *The Unpublished Journals of John Muir*, L. M. Wolfe (org.), Madison, Wisconsin, University of Wisconsin Press, 1979.

_____. *A Thousand-Mile Walk to the Gulf*, Nova York, Mariner Books, 1998.

NADEAU, Maurice, *The History of Surrealism*, Richard Howard (trad.), Londres, Jonathan Cape, 1968.

NICHOLL, Charles, *Somebody Else: Arthur Rimbaud in Africa (1880-91)*, Londres, Jonathan Cape, 1995.

NICHOLSON, Geoff, *Bleeding London*, Londres, Gollancz, 1997.

_____. *The Lost Art of Walking: The History, Science, Philosophy, Literature, Theory and Practice of Pedestrianism*, Chelmsford, Harbour Books, 2010.

NIETZSCHE, Friedrich, *The Twilight of the Idols*, Duncan Large (org. e trad.), Oxford, Oxford University Press, 2008.

_____. *Thus Spoke Zarathustra*, Graham Parkes (org. e trad.), Oxford, Oxford University Press, 2008.

O'HARA, Frank, *Lunch Poems*, São Francisco, Califórnia, City Lights Books, 1964.

_____. *The Collected Poems of Frank O'Hara*, Donald Allen (org.), Nova York, Alfred A. Knopf, 1972.

_____. *The Selected Poems of Frank O'Hara*, Donald Allen (org.), Nova York, Vintage, 1974.

_____. *Standing Still and Walking in New York*, Donald Allen (org.). Bolinas, Califórnia, Grey Fox Press, 1975.

PAPADIMITRIOU, Nick, "Bedfont Court Estate", in Iain Sinclair (org.), *London: City of Disappearances*, Londres, Hamish Hamilton, 2006.

PHOTINOS, Christine, "The Tramp in American Literature, 1873-1939", (2008). Disponível em: http://ejournals.library.vanderbilt.edu/ameriquests/viewarticle.php?id=71&layout= html

PLANT, Sadie, *The Most Radical Gesture: The Situationist International in a Postmodern Age*, Londres, Routledge, 1992.

PLATÃO, *Phaedrus*, Robin Waterfield (org. e trad.), Oxford, Oxford University Press, 2002.

POE, Edgar Allan, "The Man of the Crowd", in *The Fall of the House of Usher and Other Tales*, David Galloway (org.), Londres, Penguin, 2003.

POLIZZOTTI, Mark, *Revolution of the Mind: The Life of André Breton*, Londres, Bloomsbury, 1995.

REDA, Jacques, *The Ruins of Paris*, Mark Treharne (org.), Londres, Reaktion Books, 1996.

RICKETT, Arthur, *The Vagabond in Literature*, Londres, Dent, 1906.

RIMBAUD, Arthur, *Rimbaud Complete*, Wyatt Mason (org. e trad.), Londres, Scribner, 2003.

ROBB, Graham, *Rimbaud*, Londres: Picador, 2000.

ROBINSON, Jeffrey, *The Walk: Notes on a Romantic Image*, Norman, Oklahoma, University of Oklahoma Press, 1989.

ROGERS, John, *The London Perambulator* (filme), Londres, Vanity Projects, 2009. Disponível em: http://londonperambulator.wordpress.com/

ROUSSEAU, Jean-Jacques, *Confessions*, J. M. Cohen (trad.), Harmondsworth, Penguin, 1954.

_____. *Émile, or On Education*, Allen Bloom (trad.), Nova York, Basic Books, 1979.

_____. *Reveries of a Solitary Walker*, Peter France (trad.), Londres, Penguin, 2004.

RUMNEY, Ralph, *The Consul*, Malcolm Imrie (trad.), Londres, Verso, 2002.

SADLER, Simon, *The Situationist City*, Cambridge, Massachusetts, MIT Press, 1982.

Salter, Elizabeth, *Piers Plowman: An Introduction*, Oxford, Blackwell, 1969.

SEBALD, W. G., *The Rings of Saturn*, Michael Hulse (trad.), Londres, Harvill, 1998.

SELF, Will, *Psychogeography*, Londres, Bloomsbury, 2007.

_____. *Psycho Too*, Londres, Bloomsbury, 2009.

_____. *Walking to Hollywood*, Londres, Bloomsbury, 2010.

SHAKESPEARE, Nicholas, *Bruce Chatwin*, Londres, Vintage, 2000.

SHEPPARD, Robert, *Iain Sinclair*, Tavistock, Northcote House, 2007.

SHERINGHAM, Michael, *Everyday Life: Theories and Practices from Surrealism to the Present*, Oxford, OUP, 2006.

SINCLAIR, Iain, *Lights Out for the Territory: 9 Excursions in the Secret History of Londres*, Londres, Granta, 1997.

_____. *Lud Heat & Suicide Bridge*, Londres, Granta, 1997.

_____. *Liquid City*, (com Marc Atkins), Londres, Reaktion, 1999.

_____. *Londres Orbital: A Walk Around the M25*, Londres, Granta, 2002.

_____. *The Verbals: Iain Sinclair in Conversation with Kevin Jackson*, Tonbridge, Worple Press, 2003.

_____. *Edge of the Orison: In the Traces of John Clare's Journey Out of Essex*, Londres, Hamish Hamilton, 2005.

_____. *London: City of Disappearances*, Iain Sinclair (org.), Londres, Hamish Hamilton, 2006.

_____. *Blake's London: The Topographic Sublime*, Londres, The Swedenborg Society, 2011.

_____. *Ghost Milk: Calling Time on the Grand Project*, Londres, Hamish Hamilton, 2011.

SLATER, Michael, *Charles Dickens*, Londres, Yale University Press, 2009.

SMITH, Hazel, *Hyperscapes in the Poetry of Frank O'Hara: Dofference/Homosexuality/Topography*, Liverpool, Liverpool University Press, 2000.

SMITH, Phil, "A Short History of the Future of Walking", *Rhizomes* (2003). Disponível em: http://www.rhizomes.net/issue7/smith.htm

SOLNIT, Rebecca, *Wanderlust: A History of Walking*, Londres, Viking, 1999.

SOUPAULT, Philippe, *The Last Nights of Paris*, William Carlos Williams (trad.), Nova York, Full Court Press, 1982.

SPEER, Albert, *Spandau: The Secret Diaries*, Richard e Clara Winston (trad.), Londres, Collins, 1976.

STEPHEN, Leslie, "In Praise of Walking", in *The Pleasures of Walking*, Edwin Valentine Mitchell (org.), Bourne End, Bucks, Spurbooks, 1975.

STEVENSON, Robert Louis, "Walking Tours", in *The Magic of Walking*, Aaron Sussman e Ruth Goode (orgs.), Nova York, Simon and Schuster, 1980.

_____. *Travels with a Donkey in the Cévennes and the Amateur Emigrant*, Christopher MacLachlan (org.), Londres, Penguin, 2004.

SUMPTION, Jonathan, *Pilgrimage: An Image of Medieval Religion*, Londres, Faber, 1975.

SUSSMAN, Aaron; GOODE, Ruth, *The Magic of Walking*, Nova York, Simon & Schuster, 1967.

SUTHERLAND, John, "Clarissa's Invisible Taxi", in *Can Jane Eyre be Happy? More puzzles in Classic Fiction*, Oxford, OUP, 1997.

SVEVO, Italo, *Zeno's Conscience*, William Weaver (org. e trad.), Londres, Penguin, 2002.

TAPLIN, Kim, *The English Path*, Sudbury, Suffolk, The Perry Green Press, 2000.

TESTER, Keith (org.), *The Flâneur*, Londres, Routledge, 1994.

THELWALL, John, *The Peripatetic*, Judith Thompson (org.), Detroit, Michigan, Wayne State University Press, 2001.

THOMAS, Edward, *Collected Poems*, Londres, Faber, 1979.

THOREAU, Henry David, "Walking", in *The Pleasures of Walking*, Edwin Valentine Mitchell (org.), Bourne End, Bucks, Spurbooks, 1975.

URRY, John, *Mobilities*, Cambridge, Polity Press, 2007.

VALENTINE, Mark, *Arthur Machen*, Bridgend, Seren, 1995.

WALLACE, Anne D., *Walking, Literature, and English Culture: The Origins and Uses of the Peripatetic in the Nineteenth Century*, Oxford, Clarendon, 1993.

WALSER, Robert, *The Walk*, Susan Sontag (org.) e Christopher Middleton (trad.), Londres, Serpent's Tail, 1992.

_____. *Masquerade & Other Stories*, William H. Gass (org.) e Susan Bernofsky (trad.), Londres, Quartet, 1993.

_____. *The Microscripts*, Susan Bernofsky (org. e trad.), Nova York, New Directions, 2010.

WELLS, H. G., "The Door in the Wall", in *The Country of the Blind and Other Selected Stories*, Patrick Parrinder (org.), Londres, Penguin, 2007.

WERNER, James V, *American Flaneur: The Cosmic Physiognomy of Edgar Allan Poe*, Londres, Routledge, 2004.

WHITE, Edmund, *The Flâneur: A Stroll through the Paradoxes of Paris*, Londres, Bloomsbury, 2001.

WHITMAN, Walt, *Leaves of Grass*, Jerome Loving (org.), Oxford, Oxford University Press, 2008.

WOOLF, Virginia, *The London Scene: Five Essays by Virginia Woolf*, Londres, Hogarth Press, 1982.

_____. *Mrs Dalloway*, Elaine Showalter (org.), Londres, Penguin, 1992.

_____. "Street Haunting", in *Selected Essays*, David Bradshaw (org.), Oxford, OUP, 2008.

WORDSWORTH, Dorothy, *The Grasmere and Alfoxden Journals*, Pamela Woof (org.), Oxford, Oxford University Press, 2008.

WORDSWORTH, William, *The Collected Poems of William Wordsworth*, Ware, Hertfordshire, Wordsworth Editions, 1994.

_____. *The Major Works: Including The Prelude*, Stephen Charles Gill (org.), Oxford: Oxford University Press, 2008.

WRIGHT, Patrick, *A Journey Through Ruins: The Last Days of London*, Londres, Radius, 1991.

ZWEIG, Paul, *Walt Whitman: The Making of the Poet*, Harmondsworth, Penguin, 1986.

# Fontes *on-line*

Walking and Art: A blog about the uses of walking in art: http://walkart.wordpress.com/

Wrights & Sites: http://www.mis-guide.com/ws/about.html

Walking as Knowing as Making: A Peripatetic Investigation of Place: http://www.walkinginplace.org/converge/iprh/index.htm

Tim Wright: Blake Walking: http://www.timwright.typepad.com/L_O_S

Official Website of La Société des Flâneurs Sans Frontières (Seção de Liverpool): http://www.theflaneur.co.uk/

The London Perambulator: http://londonperambulator.wordpress.com

walkwalkwalk: An archaeology of the familiar and the forgotten: http://www.walkwalkwalk.org.uk/index.html

Phil Smith – Mythogeography: http://www.mythogeography.com/

John Davies: Walking the M62: http://johndavies.typepad.com/walking_the_m62/

Talking Walking: activism, art, gossip, interviews, and news from the world of walking: http://www.talkingwalking.net

Nick Papadimitriou website: http://www.middlesexcountycouncil.org.uk

Jeoff Nicholson & Will Self discuss the joys of walking: http://joysofpedestrianism.blogspot.com/

# Índice remissivo

Abel, 18-19
Ackroyd, Peter, 116, 125, 184
*Alfoxden Journal, The* (Dorothy Wordsworth), 99-101, 111
Aquino, São Tomás de, 23
Aragon, Louis, 163-9, 172, 184, 187-8
Aristóteles, 21-2
*Assim falou Zaratustra* (Nietzsche), 30

Baudelaire, Charles, 80, 138-43, 152, 155, 158, 179
Belloc, Hilaire, 15, 47-9, 88
Benjamin, Walter, 137, 141, 151, 169
Bentham, Jeremy, 23
Blake, William, 115-6, 184
*Bleeding London* (Nicholson), 183-4
Bone, James, 201
Breton, André, 164-73, 179, 184
Bunyan, John, 36, 39, 44-6, 49, 60

Caim, 18
Careri, Francesco, 18, 163, 165
Chatwin, Bruce, 39, 53
Chaucer, Geoffrey, 36-7, 41, 108
Clare, John, 12, 71-8, 82, 96
Coleridge, Samuel Taylor, 98-102, 105

*Confissões de um comedor de ópio* (De Quincey), 119
*Contos da Cantuária* (Chaucer), 41
Cowper, William, 55-6

dadá, 164, 173
Dante Alighieri, 39-40
de Balzac, Honoré, 31
de Botton, Alain, 59
de Certeau, Michel, 31-3
de Maistre, Xavier, 15, 57-61
de Quincey, Thomas, 16-7, 118-23, 125, 128, 178, 181
Deakin, Roger, 112
deambulação, 166-7
Debord, Guy, 12, 172-81, 187, 191, 194
Delahaye, Ernest, 88-9
deriva, 175-9, 191, 198
*devaneios do caminhante solitário, Os* (Rousseau), 23, 25
Dickens, Charles, 16, 61, 80, 123-8, 143
Diderot, Denis, 25
Distrito dos Lagos, 92, 96
*Divina comédia, A* (Dante), 39, 43-6

Eisner, Lotte, 50-1, 53

Emerson, Ralph Waldo, 80, 105-6, 109, 112-3
errante, 7, 15
espreitador, 14, 187-8, 190
*Expedição noturna em volta do meu quarto* (De Maistre), 56-7

*Far Off Things* (Machen), 133
*Fedro* (Platão), 20-2
Ferris, Joshua, 123-4
*flâneur*, 15, 28, 61, 134, 137-46, 151, 154, 158-61, 164, 175, 179, 181, 187, 190, 197-8
*flâneuse*, 152, 155-6, 158
Flynt, Josiah, 79

Gay, John, 114-6
Gilpin, reverendo William, 92
Graham, Stephen, 78
Gray, Timothy, 163

Haultain, Arnold, 17
*Hawksmoor* (Ackroyd), 184
Hazlitt, William, 83, 101-4, 107
Herzog, Werner, 15, 47, 49-54
Hess, Rudolf, 64
*Hill of Dreams, The* (Machen), 131
*History of Surrealism* (Nadeau), 172
Hobbes, Thomas, 23
Holmes, Oliver Wendell, 31
Holmes, Richard, 55
Homero, 20, 117
Horácio, 17, 20, 87
Huysmans, Joris-Karl, 61-2

*Illuminations* (Rimbaud), 86
Iluminismo, 19

Ingold, Tim, 12
*Inside the Third Reich* (Speer), 65
*Intimate Journals* (Baudelaire), 140

Jebb, Miles, 14, 123
Jerusalém, 35, 37, 184
*Jerusalem* (Blake), 115
*Journey out of Essex, The* (Clare), 74, 76, 78
Joyce, James, 153

Kerouac, Jack, 79, 85
Kierkegaard, Søren, 27, 30

Landry, Donna, 70
Langland, William, 35-6, 41, 43
*Last Nights of Paris, The* (Soupault), 171
*Leaves of Grass [Folhas de relva]* (Whitman), 80-1, 93
Lee, Hermione, 156
*Lights Out for the Territory* (Sinclair), 186-8
*London Adventure, or the Art of Wandering, The*, (Machen) 133-4, 201
*London Orbital* (Sinclair), 189-90
*London Perambulator, The* (Bone), 201-2
*London Scene, The* (Woolf), 155
London, Jack, 79
*Lud Heat* (Sinclair), 184-5
*Lunch Poems* (O'Hara), 160
*Lyrical Ballads* (Wordsworth & Coleridge), 98, 101

Macauley, David, 21
MacFarlane, Robert, 112
Machen, Arthur, 16, 113, 128-35, 156, 184, 201

*Man of the Crowd, The [Homem da multidão, O]* (Poe), 140-1, 156, 158
Marples, Morris, 16, 22, 108
Merrifield, Andy, 179-80
Mitchell, Edwin Valentine, 55
*Mores, The* (Clare), 72
Morise, Max, 165
Morley, Christopher, 16
*Mrs Dalloway* (Woolf), 153-4
Muir, John, 105, 109-10

Nadeau, Maurice, 169, 172
*Nadja* (Breton), 167, 169-71
Nicholl, Charles, 85
Nicholson, Geoff, 183, 191, 207
Nietzsche, Friedrich, 30
*Night Walks* (Dickens), 125
Nova York, 32, 80, 158-62, 195-8, 201-2

O'Hara, Frank, 16, 159, 162
*Of Walking in Ice [Caminhando no gelo]* (Herzog), 49
*Old Curiosity Shop, The* (Dickens), 136-7
*On Going a Journey* (Hazlitt), 83, 102-3

*Painter of Modern Life, The* (Baudelaire), 139
Papadimitriou, Nick, 202-5
Paraíso, 18, 35
*Paraíso perdido* (Milton), 18
*Paris Peasant* (Aragon), 163, 169
*Path to Rome, The* (Belloc), 48
pedestrianismo, 87, 97, 118, 122-3, 201
Perec, Georges, 60
peregrinação, 35-49, 51-2, 67, 78, 164
*Peripatetic, The* (Thelwall), 22

*Piers Plowman* (Langland), 36, 41-2, 45
*Pilgrim's Progress, The [peregrino, O]* (Bunyan), 44-5
Pitágoras, 17, 19
Platão, 17, 19-20
Poe, Edgar Allan, 140
Polizzotti, Mark, 165, 170
*Practice of Everyday Life, The* (De Certeau), 31
*Prelude, The* (Wordsworth), 93-5
psicogeografia, 173-4, 177-9, 191, 194, 202

Rimbaud, Arthur, 60, 84-9
Robb, Graham, 87
Roma, 37-8, 48
Rousseau, Jean-Jacques, 16, 19, 23, 24-8, 30, 92, 95
Rumney, Ralph, 176

Self, Will, 16, 192, 202, 204
Shakespeare, William, 103
Sinclair, Iain, 16, 46, 77-8, 117, 189, 191, 202, 204
Situacionismo, 12, 177, 191
*Society of the Spetacle* (Debord), 179
Sócrates, 20, 22
Solnit, Rebecca, 22, 32, 44, 104, 139, 207
Sontag, Susan, 144, 146
Soupault, Philippe, 164, 167, 171
*Spandau: The Secret Diaries* (Speer), 62
Speer, Albert, 15, 62, 122
Spoerri, Daniel, 60
Stephen, Leslie, 16, 103
Stevenson, Robert Louis, 82, 102
surrealismo, 12, 151, 160, 163, 172-3

Sutherland, John, 154

Tales, 19
*Task, The* (Cowper), 61
Teócrito, 20
Terra Santa, 38, 43
Thelwall, John, 22
*Theory of the Dérive*, (Debord), 175
*Things Near and Far* (Machen), 133
Thoreau, Henry David, 20, 30, 36-7, 91, 104-9, 112-3
*Thousand-Mile Walk to the Gulf, A* (Muir), 110
*Travels with a Donkey in the Cévennes*, (Stevenson), 83
*Trivia or, the Art of Walking the Streets of London* (Gay), 114
Trocchi, Alexander, 178

*Ulysses* (Joyce), 153
*Unnamed, The* (Ferris), 123

vadiagem, 69-70, 79, 82-3, 150
*Vagabond, The* (Stevenson), 82

Verlaine, Paul, 86
*Viagem em volta do meu quarto* (De Maistre), 56-7
Virgílio, 17, 20, 39
Vitrac, Roger, 165
von Humboldt, Alexander, 109

*Walk, The* (Walser), 146
*Walking* (Thoreau), 106, 108
*Walking to Hollywood* (Self), 197-9
Walser, Robert, 16, 145-6
White, Edmund, 144, 158
Whitman, Walt, 16, 80-2, 84, 87, 93, 158-60
Wilde, Oscar, 61, 131
Woolf, Virginia, 16, 152-8, 160, 190
Wordsworth, Dorothy, 98-100, 111
Wordsworth, William, 16, 73, 92-9, 101, 105, 109, 112-3, 123, 127
Wright, Patrick, 191

Zweig, Paul, 81

Gostaria de agradecer o apoio que recebi da Sociedade dos Autores. Foi graças à sua generosidade em me conceder um Prêmio da Fundação do Autor que pude completar este livro.